Guía del MoMA

Guía del MoMA

350 obras del
Museum of Modern Art, Nueva York

The Museum of Modern Art, New York

La presente publicación ha contado con el generoso apoyo del Programa de Investigación y Publicaciones Académicas del Museum of Modern Art, instituido gracias a una beca de la Fundación Andrew W. Mellon. Su aparición ha sido posible gracias a un fondo de dotación creado por la Fundación Andrew W. Mellon, la Fundación Edward John Noble, Perry R. Bass y su esposa y el Programa de Becas Challenge de la Dotación Nacional para las Humanidades.

Producido por el Departamento de Publicaciones
The Museum of Modern Art, Nueva York
Christopher Hudson, Editor
Chul R. Kim, Editor Asociado

Edición: Harriet Schoenholz Bee, Cassandra Heliczer, y Sarah McFadden
Traducción: José Antonio Torres Almodóvar
Diseño: Katy Homans
Producción: Matthew Pimm
Fotomecánica: Evergreen Colour Separation (International) Co., Ltd., Hong Kong
Impreso en China por OGI/1010 Printing International Ltd.

Las fuentes tipográficas utilizadas en este libro son Berthold Akzidenz Grotesk y Franklin Gothic.
El papel es Hi-Q Matt Art de 95 gsm

Tercera edición revisada 2013
© 1999, 2004, 2013 The Museum of Modern Art, Nueva York
© 2013 Ediciones El Viso, Madrid
Tercera impresión 2016

ISBN: 978-84-940061-2-8
D.L.: M-12368-2013

Publicado por The Museum of Modern Art y Ediciones El Viso
Castelló 128
Madrid 28006
www.edicioneselviso.com

Distribuido en España (Madrid y Castilla La-Mancha) por Antonio Machado Libros
Labradores s/n
Boadilla del Monte, 28660
m.m.m@machadolibros.com

Distribuido en el resto de España por Les Punxes Distribuidora
Sardenya 75-81
Barcelona 08018
punxes@punxes.es

Distribuido en México por Distribuidora Marín
Anaxagoras 1400
Colonia Sta. Cruz Atoyac
México, D.F. 03310
tallermx@prodigy.net.mx

Portada: Andy Warhol, *Latas de sopa Campbell* (detalle), 1962 [véase la p. 234]. Contraportada: El jardín de esculturas Abby Aldrich Rockefeller, visto en dirección oeste desde el vestíbulo del MoMA, con la entrada a la estación del metro (Métropolitain) de París de Hector Guimard, hacia 1900 [véase la p. 27]. Portada (p. 2): Rachel Whiteread, *Torre de agua*, 1998 [véase la p. 334]. P. 7: Vincent van Gogh, *La noche estrellada* (detalle), 1889 [véase la p. 25]. P. 9: Maya Deren, *Mallas de la tarde*, 1943 [véase la p. 151].

Impreso en China

Introducción

¿Qué es el Museum of Modern Art? A primera vista, parece una pregunta relativamente directa. Pero la contestación no es ni sencilla ni directa y cualquier intento de responderla nos descubre casi de inmediato una institución compleja que, ya desde sus inicios, ha generado toda una variedad de significados.

Para algunos, el MoMA es un lugar muy querido, un refugio en pleno corazón del centro de Manhattan. Para otros es una idea manifestada en su colección y amplificada por su programa de exposiciones. Para otros, en fin, es un laboratorio de aprendizaje, un lugar en el que puede medirse el arte más desafiante y difícil de nuestra época frente a los logros del pasado inmediato.

El MoMA es, desde luego, todo esto y más. Sin embargo, en 1929 sus fundadores soñaban, como siguen soñándolo desde entonces sus amigos, administradores y empleados, con que sus múltiples significados y posibilidades acabarían por resolverse en un equilibrio definitivo y plenamente formado.

En 1939, por ejemplo, en el catálogo de la exposición que marcó el décimo aniversario del museo, su presidente, A. Conger Goodyear, manifestaba con orgullo que la institución había alcanzado por fin su madurez. Como podemos ver ahora, a pesar de los logros obtenidos en los primeros años, su presidente de entonces no podía haber previsto los desafíos que estaban por llegar. El museo seguía en los albores de una aventura que después de más de medio siglo aún sigue desarrollándose. Cuando tenía diez años el museo era (y sigue siéndolo con ocho veces diez) una iniciativa exploratoria cuyos parámetros y posibilidades permanecen abiertos.

Desde sus instalaciones provisionales en el 730 de la Quinta Avenida hasta su actual edificio, que ocupa la mayor parte de una manzana urbana en el 11 de la calle 53 Oeste, desde un único departamento de comisariado a siete (incluyendo el más reciente, el de Arte Mediático y Performance, creado en 2006) y desde un programa carente de colección estable a una colección de más de 100.000 objetos, el MoMA ha venido creciendo y reformulándose con regularidad. En el ínterin ha experimentado siete importantes ampliaciones y reformas arquitectónicas desde 1939, cuando se terminó su primer edificio, hasta su más reciente ampliación, diseñada por el célebre arquitecto japonés Yoshio Taniguchi y finalizada a finales de 2004. Este proceso prácticamente continuo de crecimiento físico refleja los continuos esfuerzos de la institución por satisfacer sus cambiantes necesidades intelectuales y de programación ajustando continuamente y reconsiderando con frecuencia la topografía de su espacio. Cada evolución ha abierto posibilidades para la siguiente versión de la institución, generando en el MoMA una especie de debate que se autorrenova permanentemente, tanto en lo referente a su futuro como a su relación con el pasado. Con cada cambio han ido planteándose nuevas expectativas y retos, algo que resulta especialmente notable en la actualidad.

El Museum of Modern Art se fundamenta en una idea relativamente sencilla, la consideración de que el arte de nuestra época —el arte moderno—es tan vital como el arte del pasado. Este planteamiento conlleva que los intereses estéticos e intelectuales que configuran el arte moderno puedan percibirse en medios tan diferentes como son la pintura y la escultura, el cine, la fotografía, los medios y el *performance*, la arquitectura y el diseño, los grabados y libros ilustrados y el dibujo —a los que atienden los actuales departamentos de comisariado del museo. Desde el principio, el MoMA viene funcionando como laboratorio para el estudio de las diversas manifestaciones de la modernidad en las artes plásticas.

Ni que decir tiene que se ha suscitado, y seguirá suscitándose, un amplio grado de debate acerca del significado real que pueda tener el calificativo de "moderno" en lo que se refiere al arte. ¿Indica un momento en el tiempo? ¿Una idea? ¿Unos valores concretos? Sea cual fuere la definición predilecta, lo que sí parece claro es que al concepto hay que tener presente el papel representado por el MoMA al intentar definir, mediante su enfoque y los argumentos intelectuales de sus trabajadores, un canon del arte moderno y contemporáneo. A menudo esos esfuerzos por definirlo han resultado polémicos, ya que el museo busca navegar entre los intereses de la vanguardia que pretende promover y el público en general al que desea servir.

Los pormenores de cómo llegó el MoMA a imbricarse de manera tan íntima con la historia del arte moderno constituyen una rica narrativa que, con el tiempo, ha ido adquiriendo la fuerza de un mito fundacional. Al igual que todos esos mitos, tiene parte de ficción y parte de verdad y se cimenta en la realidad de la inigualada colección del museo. Ya existen textos —desde el libro *Good Old Modern,* escrito por Russell Lynes en 1937, hasta la publicación de 1984 del propio museo, *The Museum of Modern Art, New York: The History and the Collection*— que dan cumplida reseña de la historia del MoMA, por lo cual no hace al caso repetirla o ampliarla aquí. Sí convendría señalar, en cambio, que más de ochenta años después de que el museo abriese sus puertas por primera vez, muchas de las personas que desempeñaron algún papel en sus Comienzos – Aldrich Rockefeller, administradora; Alfred H.Barr, Jr., el primer director; Philip Johnson, creador del departamento de arquitectura y diseño; y Dorothy C. Miller, una de las primeras conservadoras del museo, por citar tan sólo a unas cuantas – siguen siendo figuras destacadas cuyas ideas y personalidades continúan resonando en la institución. Esto se debe, en parte, a que todavía hay mucha gente relacionada con el museo que las conoció y ha mantenido y realzado su recuerdo, pero también a que son, o fueron, personajes verdaderamente fascinantes, cuya visión e iniciativa dio origen a una institución que creó un lugar que fue el primero en su ámbito y que no tardaría en convertirse en el principal museo de este tipo en todo el mundo.

Dada la importancia de ese legado fundacional, el desafío que hoy se le plantea al MoMa consiste en trabajar sobre ese pasado sin verse atado o restringido por él. No es tarea nada sencilla. Mantener el museo abierto a nuevas ideas y posibilidades supone también reevaluar y modificar la percepción que tiene de su pasado. Conforme se ha ido afianzando y ganando respeto, ha aumentado la responsabilidad del museo en relación con sus propios logros anteriores. En muchos aspectos se ha implicado como agente en el fomento de esa misma tradición que pretende explorar y explicar: por medio de sus exposiciones pioneras, a menudo cimentadas en su colección estable; de su Programa Internacional, que viene promoviendo el arte moderno mediante exposiciones itinerantes por todo el mundo; y de sus adquisiciones, publicaciones y programas públicos. Así pues, debe marcar constantemente una distancia crítica adecuada que le permita tanto observar como ser observado. Aunque pueda ser imposible conseguir plenamente ese alejamiento, la intención de lograrlo supone favorecer un intenso debate interno y mostrar disponibilidad para compartir ideas con la gente en un afán de promover un compromiso cada vez más intenso con el arte moderno entre un público lo más amplio posible.

Para entender el MoMA hay que empezar indefectiblemente por reconocer que la concepción misma de un museo de arte moderno lleva implícito el que se trate de una institución siempre dispuesta a asumir el riesgo y la polémica. El reto que se le plantea al museo consiste en reinventarse periódicamente, cartografiar nuevos espacios, tanto metafóricamente como en la práctica. Y para ello debe constituirse en su crítico más severo. Así pues, encontramos programada en el MoMA y en su historia —e implícitamente en su futuro— toda una serie de contradicciones y conflictos. Dicho de otro modo, el museo surgió de una ruptura con el pasado, comprometiéndose con artistas y públicos que hasta entonces se habían visto ignorados o, a lo sumo, reconocidos a regañadientes, por lo que, si pretende mantener ese compromiso con el arte contemporáneo, tendrá que encontrar maneras de seguir siendo rupturista y mantenerse abierto a nuevas ideas y enfoques. Por ese motivo el museo se fusionó en 2000 con P.S.1, un centro de arte contemporáneo situado en Long Island City, Queens, a dos estaciones de metro de la calle 53, que venía apoyando a artistas emergentes y tenía y sigue teniendo un público distinto al del museo. Pero ser rupturista implica soportar enormes divisiones, tanto internas como externas, por motivos tan variados como, por ejemplo, la importancia conferida al arte abstracto, la representación otorgada en la colección a las diferentes versiones del modernismo o la decisión de si el museo debe o no continuar coleccionando arte contemporáneo. En lugar de resolver tales divisiones, el MoMA viene demostrando la fuerza necesaria para convivir con ellas. Esto ha hecho que el

museo siga siendo un lugar enormemente vivo en el que se discuten cuestiones e ideas con una intensidad intelectual con frecuencia asombrosa.

Con su actual configuración de siete departamentos de conservación y colección, el MoMA ha acumulado un fondo incomparable que abarca ya más de 150 años, desde mediados del siglo XIX hasta la actualidad. Definidos por su manera de enfocar los diferentes medios, los departamentos de conservación reflejan el interés del museo por examinar las variadas formas en que se han venido manifestando las ideas y los ideales modernos en unas y otras disciplinas. Aunque los papeles de los departamentos fueron en un principio relativamente fluidos, a finales de los años sesenta y durante los setenta se volvieron más codificados, responsabilizándose cada departamento de desarrollar su colección independientemente de los demás.

Este acercamiento ha venido permitiendo al MoMA estudiar y organizar la enorme cantidad de arte que posee. También ha conducido a configurar en época reciente las galerías del museo por departamentos. Sin embargo, esta orientación fundamentalmente taxonómica a veces ha desembocado en una interpretación relativamente estática del arte moderno, al definirse con claridad determinados recorridos físicos y conceptuales a través de la colección. No obstante, en los quince últimos años el museo ha ido cobrando cada vez más conciencia de la importancia de los acercamientos interdisciplinares a la hora de presentar su colección. La división de las galerías en espacios separados por departamentos está siendo equilibrada paulatinamente por una interpretación de la colección que resulta más sintética e incluyente y que viene a complicar, que no a simplificar, las relaciones que se establecen entre las obras de arte.

El crecimiento de la colección del museo ha venido siendo continuo y a veces dramático. El MoMA adquirió sus primeras obras, entre ellas la escultura *Île de France* de Aristide Maillol, en 1929, el mismo año de su fundación. Pero hasta 1931, tras haber legado al museo la administradora fundadora Lillie P. Bliss un soberbio grupo de 116 cuadros, grabados y dibujos entre los que figuraban las obras de Paul Cézanne *El bañista*, *Pinos y rocas* y *Bodegón con manzanas*, así como *La luna y la tierra* de Paul Gauguin, no se empezó a desarrollar verdaderamente la colección. En 1940 los fondos del museo habían alcanzado la cifra de 2.590 objetos, incluyendo 519 dibujos, 1.466 grabados, 436 fotografías, 169 cuadros y 1.700 películas. Veinte años más tarde la colección se había ampliado a más de 12.000 objetos y en 1980 superaba ya los 52.000. En la actualidad el museo posee más de 6.000 dibujos, 50.000 grabados y libros ilustrados, 25.000 fotografías, 3.200 cuadros y obras de arquitectura y diseño y 20.000 obras cinematográficas, videográficas y de otros medios.

Muchas de las obras más importantes de la colección —entre ellas las *Señoritas de Aviñón* de Pablo Picasso, la *Ventana azul* de Henri Matisse, la *Noche estrellada* de Vincent van Gogh y *Broadway Boogie Woogie* de Piet Mondrian— pasaron a formar parte de ella inmediatamente después de la Segunda Guerra Mundial. Esto se debió a diversos motivos, entre ellos la venta por parte de los nazis del denominado arte degenerado de las colecciones estatales; el poderío económico de los Estados Unidos, sobre todo después de finalizada la guerra; y la emigración de artistas y coleccionistas a Estados Unidos y otros lugares que se produjo a consecuencia del conflicto bélico. Al haber contribuido a presentar al público estadounidense el arte europeo de vanguardia durante los años treinta, el MoMA se convirtió en un refugio para el arte, los artistas y los coleccionistas, víctimas todos ellos de la persecución nazi.

Las colecciones son entidades complejas que evolucionan de maneras diferentes. Resultan, sin embargo, de decisiones concretas tomadas por personas. En el caso del MoMA, tales decisiones corresponden al director y a los principales conservadores. Asimismo, cada departamento de conservación cuenta con un comité de trabajo, autorizado por la Junta de Administradores, para actuar en su nombre en los procesos de adquisición. Dado que el desarrollo de la colección del museo, como la de casi todos, se ha ido produciendo paulatinamente, las preferencias de cada generación quedan imbricadas en el tejido de dicha colección, de lo cual emerge una trama continua de ideas e intereses. El resultado refleja las pautas de desarrollo de la historia del museo en una colección que se ve matizada, orientada y modificada por los gustos e ideas de cada

director y conservador a título individual, así como por las respuestas que esos gustos e ideas generan en sus sucesores a medida que se van completando huecos en la colección y se modifican áreas en las que se ha hecho excesivo hincapié.

La inmensa mayoría de los objetos de la colección del MoMA se ha adquirido gracias a donaciones y legados, que suelen ser fruto de relaciones con generosos donantes y amigos perpetuadas a lo largo de los años. Los administradores del museo han venido desempeñando un papel de especial importancia en este respecto y los recientes legados de Louise Reinhardt Smith y Florene May Schoenborn, así como las donaciones de David y Peggy Rockefeller, Philip Johnson, Elaine Dannheisser, Agnes Gund, Ronald S. Lauder, la Fundación Judith Rothschild, Gilberty Lila Silverman, Hermany Nicole Daled, y la familia Woodner son algunos de los ejemplos más recientes de una tradición que incluye legados tan extraordinarios como los de Lillie P. Bliss, William S. Paley y Gordon Bunshaft. Asimismo, han contribuido a fortalecer la colección importantes donaciones de amigos cercanos al museo tal como Harriet Janis, Mary Sisler o John Hay Whitney y su esposa, junto a otros muchos.

El museo también compra obras de arte y en ocasiones se desprende de algún que otro objeto con miras a refinar y mejorar su colección. El ejemplo más célebre de esto quizá fuese la venta de un Edgar Degas, junto a otras obras del legado de Lillie P. Bliss, que permitió al museo adquirir las *Señoritas de Aviñón* de Picasso, uno de los cuadros más importantes del siglo XX, piedra angular de la colección del museo. La cesión de obras permitió también al museo adquirir en 1989 el *Retrato de Joseph Roulin* de Van Gogh; en 1995 el famoso grupo de quince obras de Gerhard Richter *October 18, 1977* (*18 de octubre*); y, en 2003, el *Diver* (*Buzo*) de Jasper Johns, entre otras obras importantes.

El principal motivo de que el museo cuente con la colección de arte moderno más exhaustiva del mundo estriba en que desde el primer momento sólo ha aceptado donaciones incondicionales, con muy escasas excepciones. Esto le ha permitido ir aquilatando periódicamente la importancia relativa de cada pieza artística de su colección, aunque haya tenido que pagarlo en algún momento con la cesión de

determinadas obras a otras instituciones (así ocurrió, por ejemplo, con la colección Walter y Louise Arensberg, que pasó al Philadelphia Museum of Art al no poder el MoMA aceptar las condiciones impuestas por los donantes). Sin embargo, esa política viene facultando al MoMA para moldear y revisar su colección, permitiendo que ésta permanezca en lo que Barr habría denominado un estado metabólico de autorrenovación. Otra consecuencia de la política seguida por el museo en cuanto a las donaciones es que la institución mantiene una libertad sin cortapisas a la hora de integrar obras en su colección, lo cual le sirve para presentarla de una manera coherente y relativamente exenta de trabas, constreñida únicamente por las limitaciones de espacio.

Al ser inevitable que las grandes colecciones constituyan mosaicos que van modificándose y variando con el tiempo, siendo resultado acumulativo de gustos e idiosincrasias personales y de los caprichos de las ocasiones históricas, es al ordenar y presentar sus colecciones como los museos codifican sus ideas y discursos. Esto resulta especialmente cierto en el caso del MoMA, puesto que la colección es el medio fundamental del cual se sirve para defender su interpretación del arte moderno. Así pues, la publicación de esta tercera edición MoMA Highlights, dedicada a obras destacadas del MoMA, celebra la riqueza de la colección del museo y la variedad de cuestiones e ideas que abarca. El libro no pretende ser exhaustivo ni tampoco servir de referencia definitiva sobre la colección del museo. Antes bien, pretende resultar provocador, ser una de las múltiples publicaciones en las que se explorará la complejidad y variedad de las posibilidades implícitas en la colección, así como sugerir nuevas e imaginativas maneras de entender las diferentes obras artísticas que la integran. Organizado con arreglo a un orden cronológico general, aunque no estricto, el libro se plantea yuxtaponer obras elegidas en diversas partes de la colección de maneras reveladoras y en ocasiones arbitrarias. Compárese, por ejemplo, el cuadro *Desnudo en un cuarto de baño* de Pierre Bonnard con *Muchacha un espejo* de Picasso, pintados ambos en 1932. En ellos, cada uno de una manera distinta, se exploran los temas de la intimidad y la introspección; en el caso de Bonnard examinando a su esposa al secarse después de tomar un baño; en el de Picasso estudiando a su amante Marie-Thérèse Walter mientras se contempla en un espejo. Bonnard, célebre por su agudeza óptica y sus efectos coloristas, se nos muestra como un maestro del estudio psicológico sutil, mientras que Picasso utiliza su prodigioso talento para examinar los complejos límites que separan el misterio y el Eros, desarrollando una imagen rica y llena de fuerza construida con atrevidos colores planos rodeados de gruesos contornos negros que otorgan a su cuadro una cualidad casi icónica. Otro emparejamiento, el de *Odol*, obra de Stuart Davis de 1924 y el *Self-Aligning Ball Bearing* (*Rodamiento*) de Sven Wingquist de 1929, examina el creciente impacto del diseño industrial y la sociedad de consumo. No todas las yuxtaposiciones pretenden ser interpretadas como comparación o confrontación — algunas son sencillamente el resultado de reunir dos obras de arte interesantes para examinarlas en páginas opuestas. Al preparar este volumen hemos intentado demostrar que la colección del MoMA es resultado de una investigación tan meditada como esmerada así como de unas oportunidades fortuitas que nos han permitido ensamblar obras artísticas a menudo dispares, estableciendo entre ellas relaciones novedosas y llenas de interés.

El arte moderno empezó siendo un gran experimento y lo sigue siendo hoy en día. Buena parte de los primeros esfuerzos del museo se dedicaron a intentar encontrarle un orden a la naturaleza aparentemente confusa y a veces incluso desconcertante de ese arte. Aunque tales intentos contribuyeron a explicar las complicadas relaciones que se establecían entre los distintos movimientos y contramovimientos (como el cubismo, el suprematismo, el dadaísmo, el arte conceptual y el minimalismo, por citar sólo unos cuantos), sin pretenderlo también vinieron a simplificar y reconciliar ideas competitivas y contradictorias. Aquella afirmación positivista de las primeras décadas de existencia del museo, según la cual el arte moderno formaba un discurso único y coherente que podía verse reflejado en sus galerías, requiere atemperarse con el reconocimiento de que los conceptos mismos del arte moderno y contemporáneo llevan implícita la posibilidad de discursos múltiples e incluso contradictorios. En buena medida, por supuesto, los fundadores del museo eran conscientes de la riqueza de esa tradición,

por lo cual su labor pionera abarcaba una amplia gama de intereses, incluyendo el arte tribal, *naïf* y popular. Pero tanto, el espacio relativamente limitado de las galerías como su configuración lineal, unido ello a su tremendo crecimiento, condujo de manera inevitable a adoptar un enfoque reduccionista.

En la actualidad, los artistas contemporáneos nos presentan desafíos semejantes a los que planteaban los artistas de la vanguardia de hace cuarenta años (muchos de los cuales están considerados ya como maestros modernos) a los espectadores de su tiempo. El hecho de que hayamos llegado a aceptar los logros de Picasso y Matisse, de Mondrian y Jackson Pollock, no implica necesariamente que sus respectivas obras se entiendan del todo ni que esa aceptación sea universal. Para el Museum of Modern Art eso supone que su colección debe actuar como un laboratorio para que el público explore la relación entre el arte contemporáneo y el arte del pasado inmediato, en un continuo intento de seguir definiendo lo que es el arte moderno. Al ubicar los objetos y las personas en el tiempo igual que en el espacio, el museo cartografía continuamente las relaciones que se establecen entre las obras artísticas y sus espectadores, con lo que el espacio del museo se convierte en escenario de un discurso en el que pueden desarrollarse y concretarse numerosas historias individuales. Este proceso de experimentación y discurso nos permite establecer además un diálogo entre los artistas (y las ideas) de los primeros años del siglo XX y los de los años finales del siglo. Para lograrlo el museo se compromete a desarrollar nuevas formas de entender y presentar su colección. La primera edición de este manual, con su enfoque multidisciplinar, constituyó uno de los primeros pasos de este proceso. Otro fue el proyecto de presentar durante todo un año tres ciclos de exposiciones conmemorativas del milenio, desde otoño de 1999 hasta principios de 2001, en las cuales se examinó la colección estable del museo de formas novedosas en paralelo con muchos de los temas desarrollados en el presente volumen. La inauguración del nuevo MoMA en noviembre de 2004, con la ampliación de sus galerías y una nueva disposición, da continuidad a este proceso de exploración de las riquezas y complejidades de los diferentes fondos del museo. Aunque este reenfoque del arte moderno y contemporáneo recibió un nuevo impulso al terminarse el nuevo edificio del museo y producirse la fusión con P.S.1 (rebautizado en 2010 como MoMAPS1), no deja de ser un ejercicio continuo. Así pues, la presente edición de obras destacadas de la colección del museo, en la que aparecen más de cien obras que no figuraban en ediciones anteriores, puede considerarse un capítulo más de esa historia, aparte de dejar constancia del pasado de la institución y servir como declaración de intenciones con miras a un futuro apasionante.

—**Glenn D. Lowry, director**

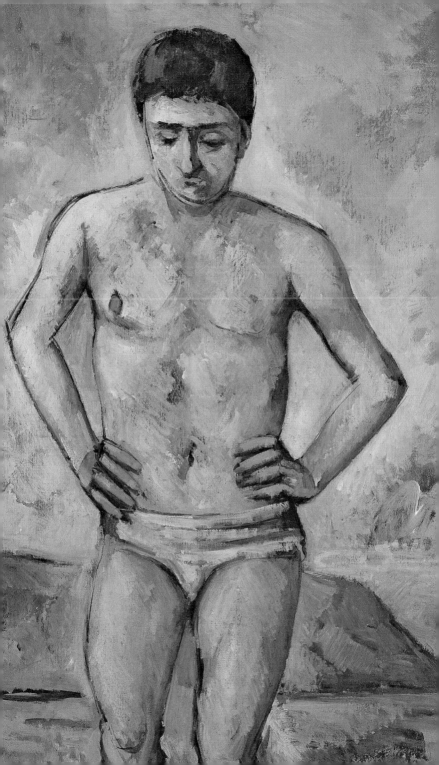

Paul Cézanne Francia, 1839–1906

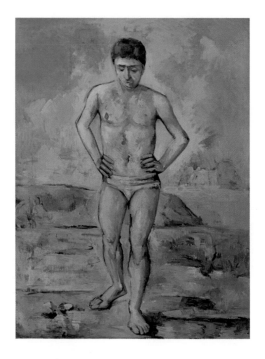

El bañista. Hacia 1885

Óleo sobre lienzo, 127 × 96,8 cm
Lillie P. Bliss Collection

El bañista es una de las más evocadoras pinturas de figura de Cézanne, aunque la escasa musculatura del torso y de los brazos descarta pretensiones heroicas; el dibujo es torpe e impreciso para los cánones tradicionales del siglo XIX. La pierna izquierda, adelantada, se apoya firmemente en el suelo, pero la derecha va a rastras y no soporta peso. El lado derecho del cuerpo está más arriba que el izquierdo, la curva de la barbilla está torcida y el brazo derecho es demasiado largo y oblicuo. El paisaje tiene el vacío de un desierto, pero su coloración verde, violeta y rosa desmiente esa identificación. Su soñadora extensión hace juego con el gesto pensativo del bañista. También las sombras del cuerpo, en lugar de tender hacia el negro, comparten los colores del aire, la tierra y el agua, y en todo el lienzo la

pincelada es una trama de toques cruzados y motas, nerviosa pero extraordinariamente refinada. La figura viene hacia nosotros pero no afronta nuestra mirada.

Esas perturbaciones se pueden calificar de modernas; indican que, aunque Cézanne sintiera un gran respeto por mucho del arte tradicional, no representaba el desnudo masculino como los artistas clásicos y renacentistas. Él quería hacer un arte que fuera "sólido y duradero como el arte de los museos", pero que al mismo tiempo reflejase una sensibilidad moderna, asumiendo la nueva interpretación de la visión y la luz que habían desarrollado los impresionistas. Quería hacer un arte de su tiempo que rivalizara con las tradiciones del pasado.

William Henry Fox Talbot · Gran Bretaña, 1800–1877

Encaje. 1845

Copia en papel a la sal, 16,5 × 22,3 cm
Donación del Dr. Stefan Stein

Para hacer esta imagen, Talbot puso un trozo de encaje sobre un papel químicamente sensibilizado y dejó que la luz solar fijara poco a poco sus formas en negativo, hasta el más pequeño pliegue o imperfección. Esa sencilla operación no fue posible hasta que se inventó la fotografía.

El invento se hizo público en enero de 1839, cuando se anunció el daguerrotipo como regalo de Francia al mundo. Talbot, que varios años antes había descubierto por su cuenta otra modalidad de fotografía, se apresuró entonces a patentarla. El procedimiento de Talbot, que permitía obtener un número ilimitado de copias positivas sobre papel a partir de un único negativo, no tardó en imponerse al daguerrotipo, que daba imágenes únicas sobre metal.

El *Encaje* de Talbot no es sólo una réplica de sencillez y fidelidad sin precedentes; es también una transposición de ese pedazo de encaje del mundo de los objetos al mundo de las imágenes, donde ha adquirido una vida nueva e imprevisible.

Paul Signa Francés, 1863–1935

Opus 217. Sur l'émail d'un fond rhythmique des mesures et d'angles, de tons et des teintes, portrait de M. Félix Fénéon en 1890 (Opus 217. Sobre el esmalte de un fondo rítmico de compases y ángulos, tonos y tintas, retrato del señor Félix Fénéon en 1890). 1890

Óleo sobre lienzo, 73,5 × 92,5 cm
Donación parcial de David Rockefeller y su esposa

Félix Fénéon fue editor, traductor, marchante de arte, activista anarquista y también el crítico que acuñó el término "neoimpresionismo" para designar las obras de Signac y de Georges Seurat a finales de la década de 1880. En este retrato Signac pinta el perfil izquierdo de Fénéon. Las líneas de la nariz del retratado, así como el codo y el bastón descienden conforme a una pauta zigzagueante, como esos "compases y ángulos rítmicos" a que alude el título, y la flor que tiene en la mano rima con el rizo ascendente de su perilla. La atención a los patrones abstractos prosigue en el molinete caleidoscópico del fondo, que probablemente haga referencia a la teoría estética de Charles Henry, cuyos libros sobre la teoría del color y el "álgebra" del ritmo visual había ilustrado Signac recientemente.

La relación de Fénéon con el fondo decorativo quizá sea simbólica. En 1887 había defendido a los neoimpresionistas contra las críticas que sostenían que su forma de aplicar la pintura mediante puntos uniformes se asemejaba a los mosaicos o los tapices. "Retrocédase unos pasos", instaba Fénéon, y "la técnica se desvanece; la mirada ya no se siente atraída hacia otra cosa que lo que es esencialmente pintura". Pero ¿cuál era la esencia de la pintura en ese momento histórico? ¿Acaso un medio de transmitir al espectador el efímero florecer de la naturaleza? ¿O la habilidad de componer la pintura sobre el lienzo? En este retrato, la respuesta es ambas cosas. Según lo veía Fénéon, la pintura era la creación de una realidad superior y purificada permeada por la personalidad del artista.

Christopher Dresser Gran Bretaña, 1834–1904

Jarra de vino. Hacia 1880

Vidrio, plata electrolítica y ébano,
42,2 × 25,2 × 10,2 cm
Donación de Mrs. John D. Rockefeller, III

La sencilla geometría de esta esbelta jarra
de mesa es característica de los diseños de
Dresser, que contrastan radicalmente con los
recargados estilos de su época. Dresser
había estudiado las artes decorativas del
Japón, que influyeron en sus diseños y en
los de sus contemporáneos más avanzados.
Aquí la larga asa vertical de ébano es casi
una cita directa de las asas de bambú de
las vasijas japonesas. Como es muy frecuente en Dresser, las guarniciones de la
jarra son de metal plateado por electrólisis,
una innovación tecnológica que puso la pla-
tería al alcance de una clase media cada día
más numerosa antes del cambio de siglo.
Las juntas y los remaches vistos presagian
el entusiasmo por la estética maquinista que
varias décadas más tarde se adueñaría del
diseño industrial.

Dresser, que además de diseñador era
botánico de profesión, se dejó inspirar con
fuerza por las estructuras subyacentes de
las formas naturales y por su interés en el
progreso tecnológico. Aunque compartía
algunas teorías del movimiento Arts and
Crafts, que pretendía sustituir el diseño
generalmente ínfimo de los objetos fabricados en serie por la realización artesanal,
Dresser se entregó sin reservas al diseño de
calidad para la producción mecanizada, y es
uno de los primeros diseñadores industriales de la historia.

Carleton Watkins   Estadounidense, 1829–1916

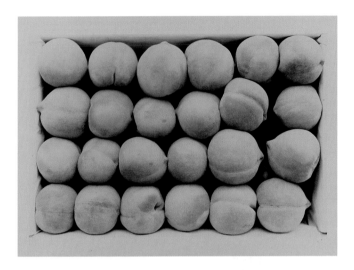

Late George Cling Peaches (Melocotones tardíos George Cling). 1889

Copia a la albúmina de plata, 32,8 × 50,3 cm
Adquirido gracias a la generosidad de Jon L. Stryker

Carleton Watkins fue un gran artista, pero un pésimo hombre de negocios. En 1875 perdió su estudio de San Francisco y tuvo que entregar a los acreedores todos sus negativos. A raíz de esa pérdida se dedicó activamente a solicitar encargos, cuando de no ser así podría haber vivido de realizar copias de los negativos de que disponía.

Uno de sus mejores clientes contrató a Watkins para que llevase a cabo un inventario visual de las vastas propiedades que poseía en las proximidades de Bakersfield, en el condado de Kern (California), con objeto de seducir compradores que adquiriesen terrenos y se asentasen allí. Watkins le satisfizo exponiendo al menos 700 negativos de placa de vidrio de 20 × 25 cm, así como numerosas placas gigantes, de las cuales esta es, sin duda, la mejor.

En una etiqueta impresa bajo la fotografía aparecen dos comentarios: uno del dueño de la propiedad, que asegura la fertilidad del terreno, y otra de la Junta de Comercio del condado de Kern, que atestigua la veracidad de la anterior. La utilidad de la fotografía como prueba quedó establecida desde su invención en 1839 y sus posibilidades ficticias empezaron a explotarse no mucho tiempo después (de ahí la necesidad de aportar el certificado del condado del condado de Kern).

Late George Cling Peaches destila el espacio de una manera sorprendentemente moderna, décadas antes de que este tipo de perturbaciones resultara habitual; el vacío que hay en la parte derecha de la imagen, generado al desbaratar dos puntos de contacto de las vellosas frutas, anima el recorrido de la mirada con las posibilidades metafóricas de una profundidad impenetrable.

Edwin S. Porter   Estados Unidos, 1869–1941

Asalto y robo de un tren (The Great Train Robbery). 1903

Película de 35 mm, blanco y negro con teñido de color, muda, 11 minutos (aprox.)
Conservada con financiación del Celeste Bartos Film Preservation Fund

George Barnes

Asalto y robo de un tren no es la primera película en la que Porter, antes empresario y exhibidor de cine, narró una historia mediante el montaje de una sucesión de imágenes, como tampoco es el primer *western*. Pero es un hito en la historia del cine americano por haber combinado esos dos elementos en una película que con sus once minutos era extraordinariamente larga para 1903, y que cautivó la imaginación de los públicos de todo el mundo. Unos bandidos asaltan un tren y desvalijan a los pasajeros; tras una huida y persecución a caballo, son capturados. El forajido dispara un tiro contra los espectadores como si éstos fueran los pasajeros, en una toma añadida que según Porter se podía poner al comienzo o al final de la película.

Con *Asalto y robo de un tren* Porter sacó a la industria del cine americano de su flojedad inicial, utilizando cámaras montadas sobre trenes en movimiento, efectos ópticos especiales, imágenes de tiroteos y explosiones coloreadas a mano y fotografía trucada, todo para contar una historia descaradamente sacada de las novelas baratas de la época.

Porter había empezado en el cambio de siglo trabajando como diseñador y constructor de cámaras para la fábrica de la Edison Company en West Orange (Nueva Jersey), y más tarde fue operador y director encargado de toda la producción del Edison Studio de Nueva York. Ésta es su película más famosa.

Auguste Rodin Francia, 1840–1917

Monumento a Balzac. 1898

Bronce (vaciado en 1954),
282 × 122,5 × 104,2 cm
Donado en memoria de Curt Valentin por sus
amigos

Encargado de honrar a uno de los mayores
novelistas de Francia, Rodin preparó durante
siete años el *Monumento a Balzac*: estudió
la vida y la obra del escritor, dibujó modelos
que se le parecían y mandó hacer ropa a su
medida. Pero en el fondo lo que perseguía
no era tanto la apariencia física de Honoré
de Balzac cuanto la idea o el espíritu de su
persona y una impresión de su vitalidad
creadora: "Pienso en su trabajo intenso, en su
vida difícil, en sus incesantes batallas y su
gran coraje. Quiero expresar todo eso".

Varios estudios para la obra son desnudos, pero finalmente Rodin vistió a la figura
con una túnica inspirada en el batín que

Balzac solía ponerse para escribir, ya que le
gustaba trabajar de noche. El efecto es
hacer de la figura un monolito, una sola
forma fálica enhiesta y coronada por las
escabrosas aristas y cavidades que definen
la cabeza y el rostro. El *Monumento a Balzac*
es una metáfora visual de la energía y el
genio del escritor, pero cuando el original de
yeso se expuso en París en 1898 fue muy
atacado. La crítica lo comparó con un saco
de carbón, un muñeco de nieve, una foca; la
sociedad literaria que lo había encargado lo
calificó de "rudo esbozo". Rodin se lo llevó a
su casa a las afueras de París, y hasta
mucho después de su muerte no se vació en
bronce.

Édouard Vuillard Francia, 1868–1940

Interior, la madre y la hermana del artista. Hacia 1893

Óleo sobre lienzo, 46,3 × 56,5 cm
Donación de Mrs. Saidie A. May

En esta pintura la madre y la hermana de Vuillard aparecen retratadas en su casa. Su madre, una viuda que había sacado adelante a la familia dirigiendo un negocio propio, tiene una presencia poderosa. Su postura es sólida y estable, su traje es la mayor forma ininterrumpida del cuadro, y su cara y sus manos se destacan sobre tonos castaños y negros y contra el extraordinario trapezoide de motas de color que describe el empapelado de la habitación. Su hija, en cambio, casi se desintegra en esa superficie, como si las motas se hubieran organizado temporalmente en el dibujo a cuadros de su vestido. Incómodamente pegada a la pared, inclina la cabeza y los hombros como saludando a una visita, pero también, al parecer, obligada a encorvarse para no salirse del cuadro.

Esta escena de escala íntima tiene una espontaneidad engañosa. Vuillard, basándose en la intuición imaginativa tanto como en la observación directa que propugnaban los impresionistas, construye un espacio psicológicamente sugerente: la mesa, la voluminosa cómoda, el hiperactivo papel de pared y la empinada perspectiva del suelo forman un angosto receptáculo para las figuras, y a la claustrofobia contribuyen la ligera inclinación de los ángulos, el descentramiento de la composición y la inestable postura de la hija. Es como si el espacio entero pudiera venirse abajo sobre la señora Vuillard, fuerza dominante y hasta opresiva en la habitación (y, sospechamos, en la familia), pero también principio gravitacional que impide el desplome.

Paul Gauguin   Francia, 1848–1903

La semilla de los areois (Te aa no areois). 1892

Óleo sobre arpillera, 92,1 × 72,1 cm
The William S. Paley Collection

La diosa polinesia está sentada sobre una tela azul y blanca. El estilo de Gauguin funde fuentes extraeuropeas: el antiguo Egipto (en la postura hierática), el Japón (en la relativa ausencia de sombras y modelado y en las manchas de color plano) y Java (en la posición de los brazos, inspirada en un relieve del templo de Borobudur). Pero hay también signos de Occidente, y en concreto algunos aspectos de la postura proceden de una obra del pintor simbolista francés Pierre Puvis de Chavannes. También el color es ecléctico: aunque Gauguin afirmaba haber encontrado su paleta en el paisaje tahitiano, los exquisitos acordes cromáticos de *La semilla de los areois* deben más a su gusto para la composición que a las realidades visuales de la isla.

En el mito de origen de los areois, una sociedad secreta polinesia, un dios solar masculino se une con la más bella de las mujeres, Vaïraümati, para fundar una nueva raza. Al pintar a su amante tahitiana Tehura como Vaïraümati, Gauguin postula una continuidad entre el pasado de la isla y el presente que él conoció. Tahití estaba alterada por el colonialismo (la propia sociedad de los areois se había extinguido), pero la visión anacrónica que Gauguin se hacía del lugar le deparó un modelo ideal para su pintura. Era una visión poderosa para él por su contraste con Occidente, que a su juicio había caído en "estado de ruina".

Henri Rousseau   Francia, 1844–1910

La bohemia dormida. 1897

Óleo sobre lienzo, 129,5 × 200,7 cm
Donación de Mrs. Simon Guggenheim

En su condición de música, la bohemia de esta pintura es artista; en cuanto viajera no tiene un puesto social claro. Sumida en el ensimismamiento que es el sueño profundo, se encuentra en un estado de vulnerabilidad peligrosa; sin embargo, el león está abstraído y en calma.

La bohemia dormida es formalmente impecable: los contornos son precisos, el color cristalino, y líneas, superficies y acentos riman con esmero. Rousseau juega delicadamente con la luz sobre el cuerpo del león. Describió el tema de la pintura en una carta: "Una negra nómada, tañedora de mandolina, con un cántaro a su lado, duerme profundamente, extenuada por la fatiga. Un león pasa, la huele, pero no la devora. El efecto de luna es muy poético. La escena transcurre en un desierto árido y la bohemia viste ropa oriental".

Rousseau, durante cierto tiempo empleado municipal de arbitrios (douanier) de París, fue un pintor autodidacta cuya obra pareció absolutamente ingenua a la mayoría de sus primeros espectadores. Sin embargo, muchos elementos de su pintura hallaron eco en el arte de vanguardia: las formas y perspectivas achatadas, la libertad del color y del estilo, la subordinación de la descripción realista a la imaginación y la invención. Por consiguiente, la crítica y los artistas le apreciaron mucho antes que el público en general.

Georges-Pierre Seurat
Francia, 1859–1891

Atardecer, Honfleur. 1886

Óleo sobre lienzo, 65,4 × 81,1 cm
Donación de Mrs. David M. Levy

Seurat pasó el verano de 1886 en la locali-
dad de veraneo de Honfleur, en el litoral del
norte de Francia, una región de mares tem-
pestuosos y costas accidentadas que le
atraía desde hacía tiempo. Pero esta escena
de atardecer es silenciosa y serena. El vasto
cielo y el mar en calma introducen en el cuadro una impresión de espaciosa luz, pero tienen a la vez una densidad visual peculiar.
Largos trazos de nube hacen eco a los rom-
peolas de la playa, signos de vida humana y
orden.

Seurat había utilizado sus lecturas de
teoría óptica para elaborar una técnica sistemática de creación de la forma a base de
puntitos de color puro, el llamado punti-
llismo. En la visión el espectador, esos puntos pueden aglutinarse en formas y
simultáneamente mantenerse como partículas separadas, dando lugar a un mágico fulgor. Un crítico contemporáneo describió la

luz de *Atardecer, Honfleur* y obras afines a
ella como "polvo gris", como si la transparencia del cielo estuviera rellena, o constituida incluso, por una materia apenas
visible: una respuesta sensible al movimiento de la materia pictórica entre la ilusión y la sustancia material, conforme los
puntos se funden dibujando la escena y a la
vez se disgregan en granos de pigmento.

Seurat pinta un marco circundante que
amortigua la transición entre el mundo de la
pintura y la realidad, y arriba a la derecha los
puntos del marco se aclaran, prolongando
los rayos del sol poniente.

Vincent van Gogh Holanda, 1853–1890

La noche estrellada. 1889

Óleo sobre lienzo, 73,7 × 92,1 cm
Adquirido a través del legado Lillie P. Bliss

El cielo nocturno de van Gogh es un campo de energía tumultuosa. Bajo las estrellas que explotan, el pueblecito es un lugar de orden tranquilo. La tierra y el cielo se unen en el ciprés flamígero, un árbol tradicionalmente asociado a los cementerios y el duelo. Pero la muerte no era ominosa para van Gogh. "Mirar a las estrellas siempre me hace soñar", dijo. "¿Por qué, me pregunto, no habrían de ser tan accesibles los puntos brillantes del cielo como los puntos negros del mapa de Francia? Lo mismo que tomamos el tren para ir a Tarascón o Ruán, tomamos la muerte para llegar a una estrella."

El artista escribió sobre su experiencia a su hermano Theo: "Esta mañana vi el campo desde mi ventana mucho antes de que amaneciera, sin otra cosa que el lucero de la mañana, que parecía muy grande". Ese lucero de la mañana, o Venus, puede ser la gran estrella blanca que hay a la izquierda del centro en *La noche estrellada*. El pueblo, por otra parte, es ficticio, y la torre de la iglesia evoca el país natal de van Gogh, Holanda. Esta pintura, como su compañera diurna *Los olivos*, tiene sus raíces en la imaginación y la memoria. Dejando atrás la doctrina impresionista de fidelidad a la naturaleza en favor del sentimiento desasosegado y el color intenso, como en este cuadro altamente emotivo, van Gogh hizo de su obra una piedra de toque para toda la pintura expresionista subsiguiente.

Alfred Roller

Austríaco, nacido en Moravia (actual República Checa).
1864–1935

Cartel de la 16ª exposición de Secesión. 1902

Litografía en color, 95 × 32 cm
Donación de Jo Carole y Ronald S. Lauder

Miembro fundador de la Secesión de Viena y presidente del grupo en 1902, Roller creó varios carteles icónicos para la 16ª exposición de Secesión, de 1903, todos ellos caracterizados por su innovadora tipografía y su chocante uso del color y los ornamentos. En este caso concreto, la composición aparece dominada por la palabra "Secession" ("Secesión") en unas letras sinuosas y alargadas que hacen hincapié en el formato vertical a la vez que establecen una tensión rítmica sobre el patrón que se repite en el fondo. Este tipo de formas de zarcillo se había convertido en motivo ornamental predilecto de los diseñadores del *art nouveau* en toda Europa.

Contrastando con la linealidad gráfica y el espaciado abierto del título, los detalles de la exposición se presentan con densas letras de audaz estilización insertas en un grueso bloque rectangular. La combinación del rosa claro sobre fondo blanco y un atrevido revestimiento negro resulta inesperada y constituye uno de los múltiples contrastes que la composición presenta entre las limitaciones y la libertad, la sensualidad y el orden, la feminidad y la masculinidad, así como entre la fluidez de la vida moderna y los ecos de un pasado heráldico. El motivo de tres escudos abstractos que aparece en el fondo simboliza las tres llamadas "artes hermanas" (pintura, arquitectura y escultura) que los secesionistas vieneses deseaban unir. El propio Roller había estudiado arquitectura y pintura en la Academia de Bellas Artes vienesa y combinó esas diferentes formas artísticas en su trabajo para la Ópera Estatal de Viena.

Hector Guimard Francia, 1867–1942

Entrada a una estación del metro de París. Hacia 1900

Hierro colado pintado, lava vidriada y vidrio, 424 × 544 × 81 cm
Donación de la Régie Autonome des Transports Parisiens

La eclosión del estilo Art Nouveau o modernista a finales del siglo XIX fue resultado de la búsqueda de una estética nueva que no se basara en modelos históricos o clásicos. Las sinuosas líneas orgánicas del diseño de Guimard, y los estilizados tallos gigantes que parecen doblarse bajo el peso de turgentes flores tropicales, en realidad faroles de vidrio ámbar, representan la quintaesencia del modernismo. Los diseños de Guimard para esta famosa entrada y otras dos pretendían dar realce visual a la experiencia del viaje subterráneo en el nuevo sistema metropolitano de París.

París no fue la primera ciudad en dotarse de metro (Londres lo hizo antes), pero la esperada Exposición de 1900 aceleró la necesidad de contar con un medio de transporte colectivo que fuera atractivo y eficiente. Aunque Guimard no concurrió formalmente al concurso de diseño de las entradas de la red que la Compagnie du Métropolitain convocó en 1898, obtuvo el encargo por sus proyectos vanguardistas, que empleaban componentes de hierro colado normalizados para facilitar la producción, el transporte y el montaje.

Al principio los parisienses no supieron qué pensar del extraño vocabulario que empleaba Guimard, pero sus entradas del metro, repartidas por la ciudad, realmente significaron llevar el estilo modernista, que hasta entonces se asociaba con los artículos de lujo, al terreno de la cultura popular.

Louis Lumière Francia, 1864–1948

La comida del bebé (Repas de bébé). 1895

Película de 35 mm, blanco y negro, muda, 45 segundos (aprox.)
Auguste Lumière, su esposa y su hija

La comida del bebé es una de las películas que marcan el nacimiento oficial del cine como espectáculo, el 28 de diciembre de 1895. Ese día Louis Lumière y su hermano Auguste proyectaron un programa de películas cortas para un público de pago en el Grand Café del Boulevard des Capucines de París. *La comida del bebé*, rodada por Louis y con una duración que no llega a un minuto, muestra a Auguste y su esposa sentados a la mesa con la hija de ambos. Aunque se presente como documental, narra una escena doméstica preparada de antemano para la cámara; se sitúa, por lo tanto, entre los registros directos de sucesos reales que solían hacer los Lumière y sus comedias escenificadas.

Los hermanos Lumière eran ya fotógrafos y fabricantes de equipo fotográfico acreditados cuando en 1894 asistieron a una demostración del Kinetoscope de Thomas Edison en París. El invento americano era un cosmorama al que sólo se podían asomar los espectadores de uno en uno. Los Lumière se aplicaron rápidamente a crear una combinación de cámara y proyector. Su nuevo aparato, simplificado y portátil, al que bautizaron con el nombre de Cinématographe, fue el salto de imaginación técnica que faltaba para que la novedad de Edison diera origen a una cultura cinematográfica.

James Ensor Belga, 1860–1949

La venganza de Hop-Frog. 1898

Aguafuerte y punta seca con añadidos de
lápiz de color y acuarela, plancha:
35 × 24,5 cm
Editor: el artista, Ostende (Bélgica)
Tirada: una de aproximadamente
20 impresiones coloreadas a mano
La Dotación Sue y Edgar Wachenheim III para
grabados y libros ilustrados

La extraña escena de este aguafuerte de
meticulosa realización se basa en un relato
escrito en 1845 por Edgar Allan Poe, uno de
los autores predilectos de Ensor. Refiere la
venganza que perpetra un bufón cortesano,
un enano tullido llamado Hop-Frog, contra un
rey injusto y sus siete ministros corruptos.
Con ocasión de un baile de disfraces, Hop-
Frog convence al rey, amante de gastar bro-
mas, para que burle a sus invitados
disfrazándose de orangután, al igual que sus
ministros. Ensor ha plasmado la escena final
de la historia, cuando Hop-Frog hace

encadenar a los ministros y al rey a un aro
que se engancha a una araña de luces y es
elevado por encima de los presentes. Hop-
Frog se sirve a continuación de una antorcha
para prenderles fuego a los ocho, ante la
mirada horrorizada de la concurrencia.

El tema de la injusticia de clase que
Ensor aborda aquí se percibe también en
muchos de sus cuadros y grabados. Su uso
de la alegoría grotesca pretendía satirizar los
puntos flacos sociales y políticos de su
época. Como artista del grabado, Ensor trabajaba principalmente el aguafuerte, técnica
que se adecuaba bien a su gusto por un
gran detallismo en las líneas. En ocasiones,
como es aquí el caso, coloreaba a mano sus
aguafuertes, no solo para embellecer la imagen sino también para hacer más clara su
estructura y realzar la legibilidad de la
narrativa.

Henri de Toulouse-Lautrec   Francia, 1864–1901

Divan Japonais. 1893

Cartel litografiado, comp.: 80,3 × 60,7 cm
Editor: Édouard Fournier, París
Abby Aldrich Rockefeller Fund

El Divan Japonais, un cabaret de
Montmartre, el barrio de los artistas en
París, fue redecorado en 1893 con farolillos
y otros motivos al gusto japonés. Su propietario, Édouard Fournier, encargó a Toulouse-
Lautrec este cartel para anunciar la
inauguración. En el primer término Toulouse-
Lautrec representa al público en dos buenos
amigos suyos: a la derecha Édouard
Dujardin, crítico de arte y fundador de la
revista literaria *Revue wagnérienne*; en el
centro la famosa bailarina de cancán Jane
Avril, cuya elegante silueta negra domina la
composición. Al fondo, actuando sobre el
escenario, aparece otra conocida artista de
la época, la cantante Yvette Guilbert. Aunque
descabezada abruptamente por el marco
– por influencia de la fotografía y las estampas
japonesas– Guilbert sería reconocible de
inmediato para los asiduos por el gesto dramático de sus típicos guantes negros.

Los carteles litografiados proliferaron en
la década de 1890 gracias a los avances
técnicos de la impresión en color y a la miti-
gación de las normas que limitaban la colocación de carteles. Los salones de baile, los
cafés concierto y las celebraciones callejeras vigorizaron la vida nocturna. Los brillantes carteles publicitarios de Toulouse-Lautrec
capturan el vibrante atractivo de la próspera
Belle Époque.

Hilaire-Germain-Edgar Degas Francia, 1834–1917

En la sombrerería. Hacia 1882

Pastel sobre papel montado sobre tablero,
70,2 × 70,5 cm

Donación de Mrs. David M. Levy

Esta estampa en camafeo de la vida del siglo XIX conserva su carácter íntimo gracias al empleo del pastel, que con su textura gredosa suaviza la escena bajo múltiples velos de color. El pastel, un medio de dibujo que fue importante a finales del XIX debido en parte a un nuevo interés por el color, expresa adecuadamente, a través de su fragilidad intrínseca, ese encuentro efímero de dos mujeres de distinto medio social que está en el centro de la composición de Degas.

El pintor solía acompañar a sus amigas a la modista y la sombrerera. Aquí la modelo es una de ellas, la artista estadounidense Mary Cassatt, que aparece probándose sombreros, atendida por una dependienta expectante. La expresión de autocomplacencia de Cassatt contrasta agudamente con la inseguridad que manifiesta la actitud de la dependienta, una figura oscurecida por el encuadre y la falta de delineación de los rasgos faciales.

En esta osada y sutil composición sobre la vida moderna –el tema es el encuentro fugaz más que las mujeres en sí mismas– Degas siguió el consejo del crítico Edmond Duranty, que en su opúsculo de 1876 *La nouvelle peinture* (La nueva pintura), dedicado al arte que más tarde se conocería como impresionismo, había escrito: "Adiós al cuerpo humano tratado como un jarrón lo que nos hace falta es la nota especial del individuo moderno, con su indumentaria, en sus hábitos sociales, en su casa o en la calle".

Edvard Munch Noruega, 1863–1944

Madona. 1895–1902

Litografía y xilografía, comp.: 60,5 × 44,5 cm
Editor: el artista. Edición: aprox. 150
The William B. Jaffe and Evelyn A.J. Hall
Collection

Seductora e incitante, inquietante y amenazadora, la *Madona* de Munch es sobre todo
misteriosa. Este erótico desnudo parece flotar en un espacio de ensueño, entre sinuo-
sos trazos de negro intenso que casi lo
envuelven. Una extraña figurilla, una especie
de feto o recién nacido, ocupa el ángulo inferior izquierdo, con brazos de esqueleto cruzados y enormes ojos empavorecidos. Formas
semejantes a espermatozoos pueblan la orla
del grabado. Poco hay en esta *Madona* que
parezca consonante con su sagrado título,
como no sea la estrecha banda de oro
oscuro que tiene sobre la cabeza. Esta obse-
sionante aparición refleja la alianza de
Munch con artistas y escritores simbolistas.

La mujer, en papeles que van desde la
madre protectora, pasando por la compañera
sexual, hasta la vampira devoradora y la
mensajera de la muerte, protagoniza una
serie de pinturas y grabados correspondien-
tes sobre el amor, la ansiedad y la muerte
que Munch agrupó bajo epígrafes enigmáti-
cos. *Madona* empezó siendo una litografía
en blanco y negro de 1895. En siete años
Munch coloreó a mano varias impresiones.
En 1902 revisó la imagen añadiendo nuevas
piedras litográficas para el color y un taco
xilográfico para la textura del cielo azul.
Grabador autodidacta, esta combinación
inusual de medios es uno entre sus experimentos en el campo de la técnica gráfica.

Emil Nolde   Alemania, 1867–1956

Profeta. 1912

Xilografía, comp.: 32,1 × 22,2 cm
Editor: el artista. Edición: 20–30
Donación anónima (por intercambio)

Este rostro taciturno se expone al espectador con una inmediatez y una emoción profunda que no dejan ninguna duda sobre la espiritualidad del profeta. Los ojos hundidos, la frente fruncida, los pómulos descarnados y el gesto solemne expresan su sentimiento más íntimo. Tres años antes de hacer este grabado, Nolde había experimentado una transformación religiosa cuando convalecía de una enfermedad. A raíz de aquel suceso empezó a representar temas religiosos como éste en pinturas y grabados.

Nolde se había unido al grupo expresionista alemán Die Brücke (El Puente) en 1906, participando en sus exposiciones y en su intercambio de ideas y técnicas. Enseñó a hacer aguafuertes a sus compañeros, y ellos le introdujeron en la xilografía. En la década de 1890 la xilografía había resurgido con ímpetu cuando artistas como Paul Gauguin y Edvard Munch la emplearon para crear imágenes audaces que transmitían un fuerte contenido emocional. En *Profeta* también Nolde explota las características inherentes al medio xilográfico. Zonas abiertas con tosquedad, líneas quebradas y la textura de la madera se combinan eficazmente en este retrato de un creyente fervoroso, quintaesencia del grabado expresionista alemán.

Alfred Kubin   Austria, 1877–1959

Sin título (La llama eterna). Hacia 1900

Aguada y tinta sobre papel, 32,9 × 27,2 cm
John S. Newberry Collection

Este dibujo se relaciona con una serie posterior de obras de Kubin, *La llama eterna*, basada en cuentos populares y mitos alemanes. El caldero ardiente en el centro de la composición es un motivo que se repite en la serie. La sensación de horror y misterio de la imagen está lograda con un juego sutil de luz y oscuridad que tiende un enigmático velo sobre las figuras del primer término. La luz dramatiza y saca de las sombras tanto la llama como la calavera flotante, acrecentando así el efecto de visión alucinatoria.

Casi siempre los dibujos de Kubin evocan ambientes fantásticos de pesadilla, dramatismo y misterio. La sensación de irrealidad espectral que caracteriza a su obra quizá tenga que ver con su ocupación juvenil de aprendiz de fotógrafo, ya que sus imágenes parecen brotar de las tinieblas como se revelan los negativos en un cuarto oscuro.

Aunque Kubin vivió casi toda su vida adulta en el siglo XX, su arte, compuesto sobre todo por dibujos, se inscribe en el simbolismo austriaco de finales del XIX. La obra gráfica de Francisco de Goya, James Ensor, Max Klinger, Odilon Redon y particularmente El Bosco inspiró su estilo, mientras que sus temas se alimentan de las filosofías incompatibles de Friedrich Nietzsche y Arthur Schopenhauer.

Georges Méliès Francia, 1861–1938

El viaje a la luna
(Le Voyage dans la lune). 1902

Película de 35 mm, blanco y negro, muda,
11 minutos (aprox.)
Bluette Bernon

El viaje a la luna es una sátira en la que el
conservadurismo innato de la comunidad
científica sucumbe ante las convicciones de
una solitaria figura carismática (encarnada
por el propio cineasta). Esta película de un
rollo no escatimaba efecto ni gasto para dar
vida a la personalísima visión de Méliès. Los
astronautas se preparan para un lanzamiento en cohete, despegan, aterrizan en la
luna (dándole en un ojo), y finalmente vuel-
ven a caer en la tierra.

Quizá el mayor tributo rendido a Méliès
por sus colegas fuera que, en lugar de copiar
las maravillas que contenía *El viaje a la luna*,
se limitaran a robarla y proyectarla con sus
nombres, particularmente en los Estados
Unidos. Méliès hizo cientos de películas en
los diez años siguientes. Era un mago y
comediante famoso cuando incorporó

linternas mágicas (antecesoras del proyector
de diapositivas) a sus escenografías en el
Théâtre Robert-Houdin de París, y desde
entonces la imagen proyectada le fascinó.
Inspirado por el trabajo de los hermanos
Lumière, construyó en Montreuil el primer
verdadero estudio cinematográfico europeo,
y empezó a rodar bajo techado en platós con
luz artificial. Produjo cortos de acción, relatos y espectáculos, pero lo que le dio mayor
éxito fueron sus obras de fantasía, la más
famosa de las cuales es *El viaje a la luna*.

Paul Cézanne Francia, 1839–1906

Follaje. 1895–1900

Acuarela y lápiz sobre papel, 44,8 × 56,8 cm
Lillie P. Bliss Collection

A primera vista esta obra podría parecer
inacabada por los blancos que quedan en el
papel. Pero Cézanne quiso hacer en *Follaje*
un estudio de color y línea que mostrara los
ritmos de las hojas, que parecen crujir y
moverse. Sus pinceladas depositan porciones de pigmento que crean la ilusión de luz
y sombra. La naturaleza aparece evocada en
la ligereza y transparencia del medio, en la
colocación del tema y en el movimiento
inferido.

Las acuarelas tardías de Cézanne, de
las que ésta es un soberbio ejemplo, "son
acciones de construcción en color". Aquí el
artista aplicó líneas discretas y sueltas y
manchas de color alrededor de contornos
ligeramente abocetados a lápiz, y sacó profundidad del color traduciendo las relaciones
oscuro-claro en relaciones frío-cálido. En
este mosaico, líneas y planos de color y
matices superpuestos fijan la profundidad
del tema a la superficie del papel, esa superficie blanca que es el árbitro final de la coherencia pictórica.

De este modo Cézanne redefinió el
dibujo moderno conforme a la "modulación"
del color, su denominación del sistema que le
permitió no sólo captar la luz del sur de
Francia donde vivía y trabajaba, sino también
acercarse a la abstracción.

André Derain Francia, 1880–1954

Puente sobre el Riou. 1906

Óleo sobre lienzo, 82,5 × 101,6 cm
The William S. Paley Collection

Puente sobre el Riou describe un lugar del
sur de Francia, pero su complicada estructura compositiva parece denotar un trabajo
gradual de reelaboración y reconfiguración
más que una respuesta rápida y fluida a lo
que el artista veía. Desde la orilla del primer
término, pasando por el lecho del río y hasta
el terreno elevado de la otra orilla, el espacio se comprime y se achata, aunque la
escena sigue siendo legible: el puente abajo
a la derecha, una cabaña en la hondonada,
la forma de colmena de un pozo cubierto.
Más allá del río, detrás de los árboles, se
divisan casas.

En 1905 Derain y sus colegas del grupo
"fauve" habían conseguido un éxito de
escándalo con su uso radical del color, pero
seguían aceptando del impresionismo la
idea de que una pintura debía reflejar la realidad y tratar de apresar el momento fugaz
de la vida contemporánea. Ya en 1906, sin
embargo, Derain quería crear imágenes que
fueran no sólo de su época sino "de todos
los tiempos"; y aquí los trazos sueltos de
color que se veían en sus obras de 1905 se
subsumen en formas coloreadas mayores,
algunas perfiladas con exóticos azules, mientras que un tronco de árbol puede ser ber-
mellón o salmón. Este cromatismo
emocional se correlaciona con la intensidad
de la luz en el sur de Francia, pero su origen
está más en el arte que en la naturaleza.

Edward Steichen
Estados Unidos, nacido en Luxemburgo. 1879–1973

Orto de luna, Mamaroneck, Nueva York. 1904

Copia al platino y ferroprusiato, 38,9 × 48,2 cm
Donación del artista

Los colores de esta fotografía no fueron captados por la cámara sino elaborados después por Steichen en el cuarto oscuro, donde también dibujó los juncos y las hierbas del primer término. Esas señales de la mano del joven fotógrafo eran su manera de proclamar que la imagen no era una fotografía ordinaria sino una obra de arte.

Criado en Wisconsin, Steichen se trasladó en 1900 a Nueva York, donde conoció a Alfred Stieglitz, un fotógrafo mayor y más maduro, al que pronto secundó en sus vigorosos esfuerzos por situar la fotografía entre las bellas artes. Aunque de inmediato no consiguieran convencer al gran público, alentaron a muchos fotógrafos jóvenes de talento a considerarse artistas, poniendo así en marcha una rica tradición que floreció durante más de medio siglo.

Para Stieglitz y Steichen cultivar el potencial artístico de la fotografía significaba rechazar sus funciones prácticas en el mundo moderno industrializado. Se replegaron a un mundo estético de refinamiento y valores reconfortantes, como la pureza de la naturaleza. Rara vez, sin embargo, sería salvaje la naturaleza pura que fotografiasen. Mamaroneck sin duda era más apacible hace un siglo que hoy, pero era ya una extensión de Nueva York cuando Steichen lo frecuentaba huyendo de los rigores de la vida urbana.

Odilon Redon
Francia, 1840–1916

Rugiero y Angélica. Hacia 1910

Pastel sobre papel, 92,7 × 73 cm
Lillie P. Bliss Collection

En esta evocación de una escena del poema del siglo XVI *Orlando furioso* de Ludovico Ariosto, el caballero Rugiero aparece en su fogoso corcel para salvar a la doncella Angélica de una suerte horrible: abajo a la izquierda se perfila el dragón con su maligno fulgor interior. Zarcillos de amenazadora bruma ascienden hacia Angélica, borrascosas nubes de tormenta se ciernen sobre ella. Las figuras, pequeñas, están sólo abocetadas; son los efectos atmosféricos, logrados con contrastes de luz y sombra y toques de color deslumbrante –entre ellos los del peñasco donde está la desamparada doncella– lo que crea el dramatismo de esta escena cargada de tensión.

Se dice que de niño Redon contemplaba las nubes que corrían raudas sobre la llanura de su Burdeos natal e imaginaba en ellas los seres fantásticos que más tarde evocaría en sus pinturas, dibujos, litografías y pasteles. *Rugiero y Angélica* pertenece a la última fase de su carrera, cuando el color lo hechizaba, y da ejemplo de su consumada maestría para infundir color, luz y sombra a sus fantasías desbocadas con sólo cuatro trazos de pastel.

Aunque creada en el siglo XX, esta obra refleja el romanticismo del XIX, en el que el sentimiento triunfaba sobre la forma y el color era el vehículo de expresión primordial.

Gustav Klimt   Austria, 1862–1918

Esperanza, II. 1907–1908

Óleo, oro y platino sobre lienzo,
110,5 × 110,5 cm
Jo Carole and Ronald S. Lauder and Helen
Acheson Funds, y Serge Sabarsky

Una mujer embarazada inclina la cabeza y cierra los ojos como rezando por la seguridad de su hijo. Por detrás de su vientre se asoma una calavera, señal del peligro que la acecha. A sus pies tres mujeres cabizbajas alzan las manos, suponemos que también en oración, aunque su seriedad podría ser un signo de duelo, como si previeran el destino del niño.

¿Por qué, pues, se llama así la obra? El propio Klimt la tituló *Visión*, pero a otra pintura anterior y parecida de una mujer embarazada le dio el nombre de *Esperanza*. Por asociación con aquella obra anterior, ésta se conoce como *Esperanza, II*. Aquí, sin embargo, hay una riqueza que contrarresta la gravedad de la mujer.

Klimt fue uno de los muchos artistas de su tiempo que no se inspiraron sólo en lo europeo. Vivió en Viena, encrucijada del este y el oeste, y tuvo entre sus fuentes el arte bizantino, la orfebrería micénica, las alfombras y miniaturas persas, los mosaicos de Ravena y los biombos japoneses. La túnica dorada de esta mujer, una vestidura plana como las de los iconos rusos aunque la carne tenga bulto y redondez, posee una extraordinaria belleza decorativa. Aquí el nacimiento, la muerte y la sensualidad de los vivos coexisten en equilibrio.

Egon Schiele Austria, 1890–1918

Muchacha de pelo negro. 1911

Gouache, acuarela y lápiz sobre papel,
56,8 × 40,3 cm
Donación de la Galerie St. Etienne, Nueva
York, en memoria del Dr. Otto Kallir; donación
prometida de Jo Carole y Ronald S. Lauder;
y compra

Muchacha de pelo negro es una de dos
acuarelas eróticas del mismo tema, muy
semejantes en su composición. Aquí la
muchacha, entre sentada y recostada,
exhibe descaradamente sus genitales; sus
ojos entornados no miran ni al artista ni al
espectador sino al vacío, con expresión de
hastío e indiferencia. La falda negra reman-
gada refleja la forma de la abundante cabellera negra.

La postura parece indicar que la obra
fue ejecutada desde un punto de vista elevado sobre la figura. Se dice que Schiele
solía trabajar subido a un taburete o escalera, para ver desde arriba a la modelo tendida en un diván bajo hecho ex profeso.

La mujer joven desnuda o más o
menos desvestida fue uno de sus temas
predilectos. Con frecuencia sus modelos
eran obreras púberes o jóvenes prostitutas, ya
que, privado del apoyo económico de su
familia, Schiele no podía pagar a modelos
profesionales. En 1911 y 1912 ejecutó algunos de sus desnudos femeninos más provo-
cativos, a menudo en posturas retorcidas y
artificiosas, tanto de pie como sentados,
recostados o arrodillados. Esos dibujos, que
unían la expresividad atrevida del lenguaje
corporal a un dominio magistral de la acuarela, tuvieron gran demanda entre sus clientes de Viena.

Oskar Kokoschka
Gran Bretaña, nacido en Austria. 1886–1980

Hans Tietze y Erica Tietze-Conrat. 1909

Óleo sobre lienzo, 76,5 × 136,2 cm
Abby Aldrich Rockefeller Fund

Los Tietze eran historiadores del arte y gozaban de buena posición social, pero Kokoschka desdeña sus identidades públicas para descubrir una misteriosa delicadeza en su relación privada. Erica mira hacia el espectador; Hans contempla la mano de Erica y le tiende las suyas sin tocarla, de modo que las manos de él y el brazo izquierdo de ella forman un arco roto en su cúspide por un estrecho hiato, un espacio dotado de carga psíquica. La pareja emerge de un fondo trémulo de rojos y azules apagados con el que sus siluetas parecen fundirse en parte. Arañazos en la fina capa de óleo – hechos por el artista con las uñas, según Erica Tietze-Conrat– crean una textura de marcas fantasmales alrededor de las figuras, un halo sutil de energía crepitante.

Como su compatriota vienés Egon Schiele, Kokoschka se propuso trascender las fórmulas académicas con un arte de inmediatez emocional y psíquica; un arte, según sus palabras, "que plasmara la visión de personas vivas". *Hans Tietze y Erica Tietze-Conrat* es uno de sus "retratos negros", en los que quiso adentrarse en las "personalidades cerradas y llenas de tensión" de sus modelos. (Su Viena era también la ciudad de Sigmund Freud.)

Constantin Brancusi
Francés, nacido en Rumanía. 1876–1957

Maiastra. 1910–1912

Mármol blanco 55,9 cm de alto,
sobre peana tripartita de piedra caliza de
177,8 cm de alto, cuya sección central es
Doble cariátide, ca. 1908
Legado de Katherine S. Dreier

Maiastra es una escultura en forma de torre
compuesta por cuatro partes diferentes. Las
secciones inferiores comprenden dos bloques rectilíneos de piedra caliza separados
por una talla toscamente labrada, que
Brancusi expuso inicialmente en 1908 como
escultura independiente con el título de
Doble cariátide. Posada en lo alto de la
torre, aparece un ave de mármol reducida a
sus rasgos definitorios de un cuerpo ovoidal,
el cuello alargado, el pico y el plumaje cau-
dal, ser mágico procedente del cuento de
hadas rumano al que alude el nombre de la
escultura. *Maiastra* es la primera obra de
Brancusi en la que aparece un pájaro, tema
al que regresaría durante toda su trayectoria
artística.

Al tratarse de una mezcla de elementos
formalmente separados, *Maiastra* resulta
representativa de la práctica del artista. Para
Brancusi la base constituía un elemento
escultórico crucial y por tanto experimentaba
con diferentes bases hasta dar con una
combinación de elementos que considerase
satisfactoria, documentando a menudo fotográficamente el proceso seguido.

En el caso de *Maiastra,* la superficie
redondeada y pulimentada del pájaro de
mármol contrasta sobremanera con la marcada angulosidad de los cubos de piedra
caliza y con el tallado esquemático y de texturas ásperas de la *Doble cariátide.* Esta
yuxtaposición de materiales y métodos
representa el diálogo perpetuo que se establece entre la realidad cotidiana y las cualidades místicas o ultramundanas del
espíritu.

Josef Hoffmann Austria, 1870–1956

Sitzmaschine de respaldo ajustable. Hacia 1905

Madera de haya curvada y tablas de sicomoro, 110,5 × 71,8 × 81,3 cm
Fabricante: J. & J. Kohn, Austria
Donación de Jo Carole y Ronald S. Lauder

La *Sitzmaschine* o "máquina para sentarse" empezó siendo un diseño de Hoffmann para el Sanatorio Purkersdorf de Viena. Ese sanatorio fue uno de los primeros encargos importantes que tuvo la cooperativa Wiener Werkstätte, fundada en 1903 por Hoffmann y Koloman Moser sobre muchos de los principios de buen diseño y artesanía de calidad del movimiento inglés Arts and Crafts. En la carrera de Hoffmann representa un experimento temprano de unificar un edificio y su amueblamiento en una obra de arte total.

La *Sitzmaschine* alude claramente a un modelo de Arts and Crafts, el llamado "sillón Morris" de respaldo ajustable que Philip Webb diseñó hacia 1866. Es al mismo tiempo una celebración alegórica de la máquina. La estructura vista muestra una simplificación racional de las formas adecuada para la producción en serie. Por otra parte, la celosía de cuadrados que taladra el respaldo rectangular, los aros de madera curvada que forman los brazos y las patas, y las filas de boliches donde se ajusta el respaldo ilustran la fusión de elementos decorativos y estructurales que caracteriza el estilo de los Wiener Werkstätte. J. & J. Kohn fabricó y vendió este sillón en varias versiones, casi todas con almohadones en el asiento y respaldo, al menos hasta 1916. La casa Kohn produjo muchos diseños de Hoffmann, siendo ésta una de las primeras alianzas fructíferas que hubo en Viena entre un diseñador y una empresa industrial.

Frances Benjamin Johnston Estados Unidos, 1864–1952

Escalera de la Residencia del Tesorero: alumnos trabajando.

Hampton Institute, Hampton, Virginia.
1899–1900

Copia al platino, 19,2 × 24,3 cm
Donación de Lincoln Kirstein

Johnston fue una fotógrafa profesional cono-cida por sus retratos de políticos de Washington y sus efigies de mineros, obreros siderúrgicos y trabajadoras de las fábricas textiles de Nueva Inglaterra. En 1899 el Hampton Institute le encargó fotografías de la escuela para una exposición sobre la vida contemporánea de los afroamericanos que habría en la Exposición de París de 1900. Esta imagen da ejemplo de su sentido clá-sico de la composición y su costumbre de preparar cuidadosamente el tema. Su control total de la escena salta a la vista, pero la gracia de las posturas de los hombres, baña-dos por una iluminación natural uniforme, parece justificar el artificio.

El Hampton Institute se fundó en 1868, tres años después del fin de la Guerra de Secesión, cuando el educador y filántropo Samuel C. Armstrong consiguió que la American Missionary Association financiara una escuela de formación profesional para afroamericanos. Armstrong admiraba las "excelentes cualidades y aptitudes" de los soldados negros emancipados que habían combatido en la guerra a sus órdenes, y con-sideraba esencial brindarles educación para que su independencia fuera productiva.

Erich Heckel
Alemania, 1883–1970

Fränzi recostada. 1910

Xilografía, comp.: 22,6 × 42,1 cm (irreg.)
Editor: el artista
Donación de Mr. y Mrs. Otto Gerson

Fränzi, que aquí aparece a la edad de doce años, posó con frecuencia para Heckel y otros expresionistas alemanes, a quienes atraían las posturas naturales pero desgarbadas que adoptaba por lo poco que se parecían a las actitudes artificiales de las modelos profesionales. Aquí el medio xilográfico fue un vehículo perfecto para expresar los perfiles fuertes y angulosos de su figura, con el brazo deforme, los dedos picudos y facciones exageradas como las de una máscara. Esta imaginería nueva y audaz tenía su origen en las esculturas africanas que Heckel había estudiado en el Museo Etnográfico de Dresde.

Heckel también tomó ideas del pintor noruego Edvard Munch, muy admirado por los artistas de Die Brücke, y empleó una de sus inusitadas técnicas gráficas. Como él, cortó en pedazos el taco, separando las tres zonas del fondo rojo; entintó los componentes por separado y después volvió a unirlos, a modo de rompecabezas, para la estampación.

Ernst Ludwig Kirchner Alemania, 1880–1938

Calle de Dresde. 1908 (retocado en 1919; el cuadro aparece fechado en 1907)

Óleo sobre lienzo, 150,5 × 200,4 cm
Compra

Calle de Dresde es un intento atrevido e inquietante de plasmar la desagradable experiencia del moderno bullicio urbano. La escena irradia tensión. Sus hacinados peatones están encerrados en un espacio opresivo; el plano de la acera, de un tono salmón de hiriente intensidad (parte de una paleta de colores chillones y desentonados), sube en pendiente aguda, y la salida por atrás está bloqueada por un trolebús. La calle, que es la elegante Königstrasse de Dresde, está atestada hasta niveles de claustrofobia, pero todas las personas parecen estar solas. Las mujeres de la derecha, una agarrada al bolso y otra a la falda, se cierran sobre sí mismas con rostros inexpresivos como caretas. Una niña aparece empequeñecida por su sombrero, en una red de

remolinos y vórtices que se entreteje con las figuras humanas y las aprisiona.

Los artistas alemanes de Die Brücke, evolucionando en paralelo con los "fauves" franceses e influidos por ellos y por el pintor noruego Edvard Munch, exploraron las posibilidades expresivas del color, la forma y la composición para crear imágenes de la vida contemporánea. *Calle de Dresde* es una expresión audaz de la intensidad, la cacofonía y el agobio de la ciudad moderna. Kirchner escribiría después: "Cuanto más frecuentaba a la gente más sentía mi soledad".

Vassily Kandinsky
Francia, nacido en Rusia. 1866–1944

Cuadro con un arquero. 1909

Óleo sobre lienzo, 175 × 144,6 cm
Donación y legado de Mrs. Bertram Smith

El color de *Cuadro con un arquero* vibra con
tanta vida que a primera vista cuesta trabajo
descifrar la escena. Es como si la superficie
fuera una labor de retazos que rehuyera el
esfuerzo de describir espacios o formas.
Kandinsky fue el primer artista moderno que
pintó una composición enteramente abstracta;
Cuadro con arquero sólo la antecede en
algunos meses.

Kandinsky tomó este planteamiento de
París, y particularmente de los "fauves",
pero lo utilizó para crear un paisaje oriental
con atmósfera de cuento popular. Galopando
bajo los árboles de una campiña de radiante
exuberancia, un jinete se vuelve sobre la
silla para apuntar con su arco. En el primer
término de la izquierda hay unos hombres
vestidos a la rusa; tras ellos se alzan una
casa, una torre cupulada y dos cimas

bulbosas, parientes de la eminencia torcida
del centro. Los iconos rusos presentan rocas
semejantes, que aunque existan en parajes
orientales tienen un aire fantástico. El jinete
solitario con su arma arcaica, los trajes y
edificios tradicionales y el entorno rural
intensifican la nota de fantasía o romance
poético.

Hay aquí una nostalgia de otro tiempo, o
quizá de otro lugar: en 1909 Kandinsky vivía
en Alemania, lejos de su Rusia natal. Pero
en la energía fulgurante del colorido del
cuadro hay también excitación y promesa.

Marc Chagall Francia, nacido en Bielorrusia. 1887–1985

Yo y la aldea. 1911

Óleo sobre lienzo, 192,1 × 151,4 cm
Mrs. Simon Guggenheim Fund

Pintado al año siguiente de la llegada de Chagall a París, *Yo y la aldea* evoca recuerdos de su comunidad hasídica natal a las afueras de Vitebsk. En la aldea convivían campesinos y animales en una dependencia recíproca que está significada aquí por la línea que une los ojos de la vaca y del campesino, cuya rama florida –un árbol de la vida–, es la recompensa de esa unión. Además, para los hasidíes, los animales eran el enlace de la humanidad con el universo: las formas circulares de la pintura sugieren el sol y su órbita, la luna y la tierra.

Las geometrías de *Yo y la aldea* están inspiradas por los planos rotos del cubismo, pero la de Chagall es una versión muy personal. De niño le gustó la geometría: "Líneas, ángulos, triángulos, cuadrados me trasladaban a horizontes encantados". A la inversa, en París usó una estructura geométrica disyuntiva para volver a sentirse en su tierra. El cubismo era básicamente un arte de la sociedad urbana de vanguardia, pero *Yo y la aldea* es nostálgico y mágico, un cuento de hadas rural: las cosas se entremezclan, la escala cambia súbitamente, y arriba una mujer y dos casas están cabeza abajo. "Para los cubistas", afirmó Chagall, "una pintura era una superficie cubierta de formas en cierto orden. Para mí una pintura es una superficie cubierta de representaciones de cosas en la que la lógica y la ilustración no tienen ninguna importancia".

Pablo Picasso España, 1881–1973

Les Demoiselles d'Avignon. 1907

Óleo sobre lienzo, 243,9 × 233,7 cm
Adquirido a través del legado Lillie P. Bliss

Les Demoiselles d'Avignon es una de las obras más importantes para la génesis del arte moderno. Muestra a cinco prostitutas desnudas en un burdel; dos de ellas apartan cortinas en torno al espacio donde las otras adoptan poses eróticas y seductoras. Pero sus figuras no se componen de volúmenes redondeados, sino de planos chatos y rotos; sus ojos son torcidos o hipnóticos o asimétricos, y las cabezas de las dos de la derecha son máscaras amenazadoras. También el espacio, que debería retroceder, se adelanta en gajos afilados como añicos de vidrio. En la naturaleza muerta de abajo, una raja de sandía corta el aire como una guadaña.

Las caras de las figuras de la derecha reflejan la influencia de las máscaras africanas, a las que Picasso atribuía una función de protección mágica contra los espíritus peligrosos: esta obra, diría después, fue "su primer exorcismo en pintura". Un peligro concreto que tenía presente eran las enfermedades venéreas posiblemente mortales, motivo de bastante alarma en el París de entonces; bocetos preparatorios del lienzo vinculan más claramente el placer sexual a la mortalidad. Por su tratamiento brutal del cuerpo y sus choques de color y estilo (otras fuentes son la estatuaria ibérica y la obra de Paul Cézanne), *Les Demoiselles d'Avignon* marca una ruptura radical con la composición y la perspectiva tradicionales.

Henri Matisse   Francia, 1869–1954

La danza (I). 1909

Óleo sobre lienzo, 259,7 × 390,1 cm
Donación de Nelson A. Rockefeller en
homenaje a Alfred H. Barr, Jr.

Imagen monumental de la alegría y la energía, *La danza* impresiona también por su
audacia. Matisse la pintó mientras preparaba un encargo de decoración para el colec-
cionista de Moscú Sergei Shchukin, cuya
versión definitiva de la escena, *La danza (II)*,
se exhibió en París en 1910. Casi idéntica a
ésta en la composición, sus simplificaciones
del cuerpo humano fueron denostadas como
ineptitud o tosquedad deliberada. También
se comentó la radical planitud visual de la
obra: la supresión de la perspectiva y del
escorzo, que hace que las figuras próximas
y lejanas tengan el mismo tamaño y que el
cielo sea un plano de azul. Lo mismo se
puede decir de la primera versión.

Aquí la figura de la izquierda se mueve
con empuje, y la fuerza de su cuerpo queda
subrayada por el amplio contorno ininterrumpido que asciende desde el pie de atrás
hasta el seno. Las otras danzantes parecen
casi flotar de puro livianas. La del extremo
derecho está apenas abocetada, y su
inclinación hacia atrás se disuelve en churretes de pintura al llegar al pie. El brazo de la
que tiene a su izquierda literalmente se
estira hacia la mano de la primera, donde el
ímpetu ha roto el corro. La velocidad de las
danzantes apenas se deja contener por los
bordes del lienzo.

La danza (II) tiene un colorido más
intenso que esta primera versión, y allí los
cuerpos, de un rojo vivo, son más musculo-
sos y enérgicos. Pero en uno como en otro
lienzo no se trata de danzantes vulgares,
sino de criaturas míticas en un paisaje
intemporal. La danza, declaró Matisse en
una ocasión, significa "vida y ritmo".

Pablo Picasso Español, 1881–1973

Guitarra. Posterior al 31 de marzo de 1913

Papel recortado y pegado y papel impreso, carboncillo, tinta y tiza sobre papel de color sobre tablero, 66,4 × 49,6 cm
Legado de Nelson A. Rockefeller

Picasso llevó a cabo este *papier collé* el año después de comenzar junto a George Braque sus radicales experimentaciones con el collage. Llevando el aplanamiento de las formas un paso más allá del cubismo pintado, este nuevo medio prescindía del factor ilusorio introduciendo en el plano pictórico elementos "reales" de la vida cotidiana.

La guitarra era un tema predilecto de Picasso. En este ejemplo, mediante una plasmación esquemática de la luz y la sombra, el papel blanco corresponde a la mitad derecha del cuerpo del instrumento y las pautas del papel pintado decorativo representan la mitad izquierda. Uniendo las dos caras, un pequeño círculo de papel de periódico representa el orificio de la caja de resonancia. Los trastes vienen sugeridos por la pauta de la caja sobre una banda de papel dorado y de color marfil, así como por una serie de líneas horizontales. Una tira de papel negro que aparece a la derecha denota la sombra del mástil de la guitarra.

Picasso disfrutaba con la capacidad del *papier collé* para transmitir múltiples significados. Las formas sinuosas de la guitarra pueden también interpretarse como curvas femeninas; según esta interpretación, el orificio de la caja de resonancia haría las veces de ombligo. Una página del periódico barcelonés *El Diluvio* aparece recortada de tal manera que se lee "El Diluv", astuta homofonía alusiva al museo del Louvre, que no habría reconocido el mérito de esta obra moderna. En la parte inferior de la hoja el anuncio de un oftalmólogo, "Dr. Dolcet, oculista" hace hincapié en la actividad de análisis visual que una obra así exige.

Piet Mondrian Holanda, 1872–1944

Embarcadero y océano 5 (mar y cielo estrellado). 1915
(inscripción 1914)

Carbón y acuarela sobre papel,
87,9 × 111,2 cm
Mrs. Simon Guggenheim Fund

A primera vista este dibujo parece enteramente abstracto, a pesar de su título descriptivo. En realidad, las líneas verticales de la base del óvalo representan un embarcadero que se adentra en un océano señalado por las líneas cortas, horizontales y verticales, que aparecen más arriba y alrededor. Esas líneas, cruzadas o perpendiculares, retratan el rítmico vaivén del mar, y, con las manchas de pintura blanca, el reflejo de la luz de las estrellas.

Mondrian había empezado a experimentar con la abstracción antes de marchar en 1912 a París, donde durante dos años estuvo bajo el influjo del cubismo. Volvió a Holanda con la determinación renovada de depurar la forma abstracta sacrificando los elementos más ilustrativos. Su personalísima versión del cubismo lo redujo a una retícula de verticales y horizontales, en la que el sombreado se aplanaba sobre la superficie formando áreas de color apagado.

En la serie Embarcadero y Océano de 1914–1915 se elimina el color, y la retícula se disgrega en una constelación de signos "positivos y negativos" dentro de un óvalo cubista. La reducción a verticales y horizontales generaliza las fuentes objetivas del artista en una estructura simbólica que representa lo que Mondrian veía como un dualismo cósmico entre lo masculino y espiritual (vertical) y lo femenino y material (horizontal). Aquí su sistema de signos cruciformes alude a la luz centelleante y al movimiento del agua, y también a una estructura espiritual inmersa en la propia naturaleza; según sus palabras, "una visión verdadera de la realidad".

Georges Braque Francés, 1882–1963

Homenaje a J. S. Bach. Invierno de 1911–1912

Óleo sobre lienzo, 54 × 73 cm
Colección de Sidney y Harriet Janis, adquirido gracias al fondo del legado de Nelson A. Rockefeller y al legado de Richard S. Zeisler (ambos por intercambio) y a una donación anónima apalabrada, 2008

Imágenes de piezas de violín se entremezclan con los octógonos cambiantes de esta composición cubista, anunciando su tema musical. Braque había estudiado música clásica y estaba convencido de que los instrumentos añadían una dimensión táctil a la imagen plástica. La alusión a J. S. Bach establece una analogía entre la rigurosa construcción de las obras del compositor alemán y las radicales innovaciones estructurales del cubismo. En este cuadro Braque emplea ese tipo de estructuras intrincadas para generar un efecto contrapuntístico entre la superficie plana del lienzo y la profundidad espacial de la imagen. La similitud fonética de "Braque" y "Bach" añade una dimensión auditiva: la firma del artista aparece debajo y a la izquierda del nombre del compositor, que aparece en letras de molde como si estuviese en una partitura impresa.

El invierno de 1911 a 1912 fue un período intenso en el desarrollo del cubismo analítico por parte de Braque y Picasso y del reto que ambos plantearon al dominio del ilusionismo en pintura. El presente lienzo exhibe muchas de las innovaciones importantes que aportaron a este proyecto, entre las que figura la paleta restringida y el uso de modos de representación ajenos a las bellas artes, como por ejemplo la granulosidad de la imitación de la madera en la parte inferior izquierda y las palabras y letras impresas con plantillas. Estos dos últimos elementos fueron idea de Braque. El artista se había preparado como pintor y decorador de casas y en *Homenaje a J. S. Bach* aplicó técnicas que se utilizaban en dichos oficios.

Giacomo Balla Italia, 1871–1958

Golondrinas: líneas de movimiento + sucesiones dinámicas. 1913

Óleo sobre lienzo, 96,8 × 120 cm
Compra

"Todo se mueve, todo corre, todo transcurre con rapidez", escribieron los futuristas, uno de ellos Balla, en 1910. Partiendo del experimento cubista de fracturar formas en planos, los futuristas intentaron una pintura que respondiera al movimiento: mientras los cubistas se concentraban en la naturaleza muerta y el retrato –es decir, examinaban cuerpos estacionarios– los futuristas ponían los ojos en la velocidad. "Para nosotros el gesto ya no será *un momento fijado* del dinamismo universal: será, decididamente, la *sensación* dinámica eternizada como tal."

El telón de fondo de esta pintura es una arquitectura fija –una ventana, un canalón, un balcón– pero los arcos que serpean por delante son puro movimiento veloz. Las formas de las golondrinas (¿son cuatro o cuarenta?) se repiten en bandas tartamudeantes, pero su sustancia parece evaporarse: fundiéndose en luz, los pájaros se pierden en las trayectorias de su propio vuelo ascendente. En la época de Balla, la "sensación dinámica" acababa de abrirse al análisis científico y visual. Balla conocía la fotografía de Étienne-Jules Marey, que describía la locomoción de aves y otros animales mediante secuencias de imágenes muy seguidas; *Golondrinas* emula el análisis visual científico de Marey, que "sometió a escrutinio la sensación dinámica", pero le añade una sensación de placer jubiloso.

Umberto Boccioni Italia, 1882–1916

Formas únicas de continuidad en el espacio. 1913

Bronce (vaciado en 1931),
111,2 × 88,5 × 40 cm
Adquirido a través del legado Lillie P. Bliss

En *Formas únicas de continuidad en el espacio* Boccioni da forma escultórica a la velocidad y la fuerza. La figura avanza, y sus líneas desbordan los límites del cuerpo, se rizan en banderas curvas y aerodinámicas, como moldeadas por el viento de su paso. Boccioni estuvo dos años desarrollando esas formas en pinturas, dibujos y esculturas, estudios rigurosos de la musculatura humana. El resultado es un retrato tridimensional de un cuerpo poderoso en acción.

A comienzos del siglo XX fue como si la velocidad y la fuerza inéditas de la maquinaria engendraran una energía social radical. Más tarde las nuevas tecnologías y su ideario revelarían aspectos amenazadores, pero para artistas futuristas como Boccioni fueron tremendamente tonificantes. Innovador a ultranza, ni él mismo estuvo a la altura de su ambición. En 1912 había denostado la sumisión de la escultura a "la imitación ciega y cerril de las fórmulas heredadas del pasado", y sobre todo al "peso oprobioso de Grecia". Pero *Formas únicas de continuidad en el espacio* tiene un parecido profundo con una obra clásica de hace más de dos mil años, la *Victoria de Samotracia*. Allí, sin embargo, la velocidad está impresa en los paños de piedra que envuelven la figura. Aquí es el propio cuerpo lo que se remodela, como si las nuevas condiciones de la modernidad alumbraran un hombre nuevo.

Gino Severini
Italia, 1883–1966

Tren blindado en acción. 1915

Carbón sobre papel, 56,9 × 47,5 cm
Benjamin Scharps and David Scharps Fund

Este estudio para la más famosa pintura de guerra futurista, *El tren blindado* (1915), ofrece una insólita vista aérea de un tren lleno de soldados armados. Severini gozaba de una atalaya particular: desde su estudio de París podía observar el constante movimiento de trenes cargados de soldados, suministros y armas en la estación de Denfert-Rochereau. Aunque no combatió en la Primera Guerra Mundial, siguió el consejo del también futurista Filippo Tommaso Marinetti, "tratar de vivir la guerra pictóricamente, estudiándola en todas sus maravillosas formas mecánicas".

Los futuristas exaltaban la tecnología moderna, y la "Gran Guerra", la primera del siglo XX que aplicó las conquistas tecnológicas de la era industrial a la destrucción masiva, era para ellos el espectáculo más importante de la era moderna. Su admiración por la velocidad que hacía posible la maquinaria se traduce aquí en el paisaje fracturado, que acentúa la fuerza y el impulso con que el tren atraviesa la campiña.

Tren blindado en acción anuncia un principio fundamental del arte posterior de Severini, la "imagen idea", en la que una sola imagen expresa la esencia de una idea. Mostrando las realidades plásticas de la guerra –un tren, un cañón, fusiles, soldados– brinda un vocabulario pictórico necesario para aprehender su simbolismo más hondo.

Juan Gris España, 1887–1927

El desayuno. 1914

Papeles y periódico recortados y pegados,
lápices de colores, carbón, aguada y óleo
sobre lienzo, 80,9 × 59,7 cm
Adquirido a través del legado Lillie P. Bliss

El *papier collé*, inventado por Georges
Braque y Pablo Picasso en 1912, encontró
una expresión rica y compleja en las obras
de 1914 de Gris. La concepción de sus
papiers collés los hace más semejantes a
pinturas que las composiciones parcamente
dibujadas de sus predecesores; a diferencia
de éstos, Gris cubre toda la superficie con
papeles pegados y pigmento. En obras como
El desayuno hace un uso de los papeles
impresos más literal que el de ellos: los
pedazos con veteado de madera suelen
ajustarse al contorno de una mesa, integrán-
dose así en la composición, y las indicacio-
nes de la perspectiva son relativamente
legibles y precisas. Sus dibujos superpuestos de objetos domésticos, fragmentados
pero suavemente modelados y casi siempre

vistos desde arriba, se combinan para crear
una composición pictórica más representacional que las de Braque y Picasso.

A pesar de esas notas, *El desayuno*
está lleno de inquietantes contradicciones.
El fondo de papel pintado a rayas se
derrama sobre la mesa; ciertos objetos (una
copa a la izquierda, una botella arriba a la
derecha) aparecen como presencias fantasmales; la cafetera está descoyuntada; el
paquete de tabaco está pintado y dibujado
con un ilusionismo fotográficamente realista,
pero su etiqueta es de verdad. Así, aunque
la imagen capta aspectos del bienestar
doméstico, Gris también plantea muchos
interrogantes subjetivos y objetivos sobre
cómo se percibe la realidad.

Henri Matisse Francia, 1869–1954

El estudio rojo. 1911

Óleo sobre lienzo, 181 × 219,1 cm
Mrs. Simon Guggenheim Fund

"El arte moderno", dijo Matisse, "siembra alegría alrededor por su color, que nos apacigua." En esta radiante pintura ha saturado de rojo una habitación, su propio estudio. Los objetos artísticos y decorativos están pintados con solidez, pero el mobiliario y la arquitectura son diagramas lineales, silueteados por "cortes" en la superficie roja. Esas siluetas revelan la existencia de capas de pigmento amarillo y azul bajo el rojo; Matisse cambió de color hasta dar con lo que buscaba. (El estudio real era blanco.)

El estudio es un lugar importante para cualquier artista, y éste se lo había hecho el propio Matisse, animado por la adquisición de nuevos clientes en 1909. En él presenta un cuidadoso despliegue de sus obras. Las líneas angulosas sugieren profundidad, y la luz verdiazul de la ventana intensifica la sensación de espacio interior, pero la masa de rojo achata la imagen. Matisse realza ese efecto, por ejemplo, omitiendo la línea vertical del rincón.

Toda la composición se organiza en torno al enigmático eje del reloj de pared, un rectángulo plano cuya esfera no tiene manillas. El tiempo está detenido en este espacio mágico. Sobre la mesa del primer término, una caja de lápices abierta, quizá sustituto simbólico del artista, nos invita a entrar en la habitación. Pero el propio estudio, definido por líneas etéreas y sutiles discontinuidades espaciales, sigue siendo el universo privado de Matisse.

Robert Delaunay Francia, 1885–1941

Contrastes simultáneos: sol y luna. 1913 (fechado en 1912)

Óleo sobre lienzo, diám. 134,5 cm
Mrs. Simon Guggenheim Fund

A Delaunay le fascinaba que la interacción de los colores produzca sensaciones de profundidad y movimiento sin referencia al mundo natural. En *Contrastes simultáneos* ese movimiento es el ritmo del cosmos: el marco circular de la pintura significa el universo, y la fusión de anaranjados y rojos, verdes y azules sintoniza con el sol y la luna, la rotación del día y la noche. Pero la estrella y el planeta, refractados por la luz, no están descritos con literalidad. "La descomposición de la forma por la luz crea planos de color", declaró. "Esos planos de color son la estructura del cuadro, y la naturaleza ya no es sujeto de descripción sino pretexto." Él había decidido abandonar "las imágenes o la realidad que vienen a corromper el orden del color".

El poeta Guillaume Apollinaire dio al estilo de Delaunay el nombre de "orfismo", por Orfeo, el músico de la leyenda griega cuya elocuencia con la lira es un arquetipo mítico del poder del arte. La musicalidad de la obra de Delaunay estaba en el color, que estudió atentamente. De hecho tomó la expresión "contrastes simultáneos" del tratado *Sobre la ley del contraste simultáneo de colores*, publicado en 1839 por Michel-Eugène Chevreul. Absorbiendo los análisis científicos de Chevreul, aquí Delaunay ha pasado de ellos a una fe mística en el color, cuya fusión en la unidad simboliza la posibilidad de armonía en el caos del mundo moderno.

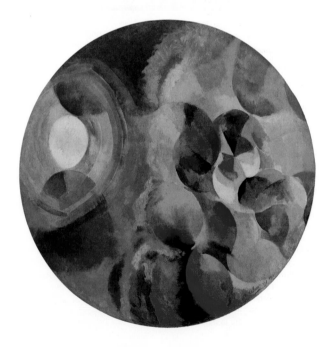

Sonia Delaunay-Terk
Francia, nacida en Rusia. 1885–1979

La Prose du Transsibérien et de la petite Jehanne de France de
Blaise Cendrars. 1913

Libro ilustrado con pochoir, 207,4 × 36,2 cm
Editor: Éditions des Hommes Nouveaux
(Blaise Cendrars). Edición: 150 anunciados;
60–100 estampados
Compra

Brillantes remolinos de color caen en cascada por el lado izquierdo de esta estrecha composición que acaba en una representación simplificada de una Torre Eiffel roja. A la derecha se yuxtapone en paralelo el texto del poeta Cendrars, que termina con las palabras "O Paris". Colores y palabras fluyen siguiendo un curso no lineal semejante al discurrir del pensamiento, un estado en el que el tiempo y el lugar pierden importancia. Los tonos de Delaunay-Terk y la prosa de Cendrars interactúan en un viaje simultáneo, generando ritmos sincronizados de arte y poesía.

En *La Prose du Transsibérien et de la petite Jehanne de France* (La prosa del Transiberiano y de la pequeña Juana de Francia), Cendrars relata, con digresiones esporádicas a otros momentos y lugares, su viaje en tren desde Moscú hasta el Mar del Japón en 1904. También introduce recuerdos de un viaje en tren con su joven amante francesa, la "petite Jehanne" del título, que repetía: "¿Estamos muy lejos de Montmartre?".

Para éste que llamaron "el primer libro simultáneo", Delaunay-Terk y Cendrars se basaron en la teoría artística de la simultaneidad, adoptada por el pintor Robert Delaunay, marido de la artista, y por poetas modernos.

Giorgio de Chirico   Italia, nacido en Grecia. 1888–1978

Canto de amor. 1914

Óleo sobre lienzo, 73 × 59,1 cm
Legado Nelson A. Rockefeller

"El señor Giorgio de Chirico acaba de comprar un guante de goma rojo": esto escribió el poeta francés Guillaume Apollinaire en julio de 1914, tomando nota de la compra porque, añadía, sabía que la aparición del guante en las pinturas de de Chirico acrecentaría su extraño poder. En *Canto de amor* el guante –que como molde de la mano implica una presencia humana pero es también inhumano, un fragmento siniestramente flácido cuyo color no se parece en nada al de la carne– posee una autoridad inquietante. ¿Por qué está clavado ese accesorio quirúrgico a una tabla o lienzo, junto a una cabeza de yeso copiada de una estatua clásica, reliquia de una noble edad desvanecida? ¿Qué significa la pelota verde? ¿Y qué

hace todo ello en el escenario abierto que insinúan el edificio y el tren que pasa?

Los encuentros improbables de objetos disímiles llegarían a ser un tema fuerte del arte moderno (y pronto un objetivo explícito de los surrealistas), pero de Chirico buscaba algo más que sorprender: en obras como ésta, que Apollinaire calificó de "metafísicas", quería evocar un nivel perdurable de la realidad, oculto más allá de las apariencias externas. Quizá por eso nos da una forma geométrica (la pelota esférica), un edificio esquemático en lugar de concreto, e imágenes inertes y parciales del cuerpo humano en vez de un ser vivo y mortal.

Sophie Taeuber-Arp Suiza, 1889–1943

Tête Dada (Cabeza Dadá). 1920

Madera pintada con cuentas de vidrio sobre
alambre, de alto, 23,5 cm
Legado de la señora de John Hay Whitney
(por intercambio) y fondos del Comité de
Pintura y Escultura

La elegante simetría de la base y la cabeza
de la escultura proviene de la precisión
mecánica de un torno, mientras que los
revoltosos apéndices semejantes a pendien-
tes muestran las idiosincrasias de la artesanía premoderna. En el contexto de las bellas
artes, *Tête Dada* podría clasificarse como
busto escultórico; en las artes aplicadas,
como percha en miniatura para sombreros o
como muñeco; en un museo etnográfico,
finalmente, como objeto fetiche dotado de
poderes espirituales. Al haberse preparado
como artista en el diseño textil, Taeuber era
muy consciente de los convencionalismos
que definen cada categoría. Su negativa a
dejar que *Tête Dada* se adscribiese tan solo
a una es lo que convierte la obra en un
"objeto Dadá", categoría novedosa que
Taeuber contribuyó a crear durante la fase
inicial del movimiento Dadá en Zúrich durante
la Primera Guerra Mundial.

Otras clasificaciones que se conjugan
en esta obra serían la pintura y la escultura,
la persona y el objeto, lo auténtico y lo artificial, lo espiritual y lo comercial. La superficie
de la escultura funciona también como pintura abstracta, empleando Taeuber su experiencia en el diseño para envolver una forma
curva en trazos geométricos lineales. Pero
esa abstracción, como la de las máscaras
africanas que interesaron a tantos artistas
de la época, genera también empatía, ape-
lando a instintos primigenios que proyectan
sensibilidad en la "nariz" prominente y en el
"ojo" semicircular. La similitud que guarda
con un maniquí devuelve la obra a la modernidad y el comercio, fundiendo (o confundiendo) los rostros pintados del rito
espiritual con el aspecto de la moda
contemporánea.

Olga Rozanova
Rusa, 1886–1918

Voina (Guerra). 1916

Grabado al linóleo y collage, página:
41,2 × 30,6 cm
Editor: Andrei Shemshurin, Petrogrado
Tirada: 100
Donación de la Fundación Judith Rothschild

Aviones que se elevan, una bomba negra, un edificio rojo derribado y una figura en caída libre por el espacio: aunque el collage que Rozanova realizó con formas recortadas y papeles impresos al linóleo pudiera parecer a primera vista una abstracción, en realidad ilustra el caos de una incursión de bombardeo. La hoja es una de las quince páginas del libro ilustrado *Voina*, que Rozanova realizó junto a su compañero y frecuente colaborador, el poeta futurista ruso Aleksei Kruchenykh. Se sirvió de las formas fracturadas y cambiantes del cubismo y del futurismo para transmitir la confusión y destrucción masivas que conoció en su Rusia natal durante la Primera Guerra Mundial.

Para Rozanova y su generación de artistas rusos el libro constituía un lugar clave para llevar a cabo experimentos radicales. Trabajando en estrecha colaboración con poetas, incluyendo a Kruchenykh, para crear un tipo de libro realizado a mano y a menudo auto editado que fuese totalmente novedoso, combinaron una poesía innovadora con ilustraciones deliberadamente toscas destinadas a escandalizar a los burgueses y a repudiar el refinamiento y el buen gusto de los tradicionales libros de artistas de esmerada impresión. En *Voina* utilizó el entonces nuevo y poco ortodoxo medio del grabado al linóleo, impreso sobre papel barato de bordes desiguales. El libro marcó un hito importante en la breve pero ilustre carrera de Rozanova, que tan solo se prolongó durante una década, pues la artista murió de difteria en 1918.

Liubov Sergeievna Popova
Rusia, 1889–1924

Arquitectónica pictórica. 1917

Óleo sobre lienzo, 80 × 98 cm
Philip Johnson Fund

En esta *Arquitectónica pictórica*, pertene-
ciente a una serie de obras del mismo título,
Popova dispone extensiones de blanco, rojo,
negro, gris y salmón para sugerir planos de
bordes rectos superpuestos sobre un fondo
blanco como los pedazos de papel de un
collage. Sin embargo, el espacio no es totalmente plano, ya que el borde inferior curvo
del plano gris implica que esa superficie se
abarquilla, empujando contra el triángulo
rojo. Esa presión concuerda con las formas y
la colocación de los planos, que no presentan ángulos rectos ni líneas verticales u horizontales, por lo que el cuadro es una red
tensa de direcciones oblicuas y diagonales.
La ordenada recesión espacial de la composición toma energía de esos vectores dinámicos, por los que la mirada del espectador
se desliza y asciende.

Popova, influida por sus largas visitas a
Europa antes de la Primera Guerra Mundial,
contribuyó a introducir en el arte ruso las
ideas cubistas y futuristas de Francia e
Italia. Pero, por abstractos que fueran, ni el
cubismo ni el futurismo europeo llegaron a
prescindir de imágenes reconocibles, mientras que Popova acuñó un lenguaje totalmente no representacional basado en la
estratificación de planos de color. El catalizador de esa transición fue el suprematismo
de Kazimir Malévich, un arte de austeras
figuras geométricas. Pero el suprematismo
encarnaba el anhelo de un espacio espiritual
o cósmico, mientras que las preocupaciones
de Popova eran puramente pictóricas.

El Lissitzky Ruso, 1890–1941

Proun 19D. 1920 o 1921

Yeso mate, óleo, lápiz de cera, papel de lija,
papel cuadriculado sobre cartón, pintura
metálica y papel de aluminio sobre madera de
contrachapado, 97,5 × 97,2 cm
Legado de Katherine S. Dreier

En 1920, El Lissitzky anunció un nuevo tipo
de obra artística al que denominó *proun*
("proyecto para la confirmación de lo
nuevo"). Apenas tres años después de la
revolución rusa, cuando todavía se libraban
batallas por el control del país, lo nuevo era
un asunto serio. En la escuela de arte de
Vitebsk, Lissitzky y el suprematista Kazimir
Maliévich buscaban un nuevo arte para el
nuevo mundo posrevolucionario.

Lissitzky acuñó una consigna para calificar sus *proun*: "no una forma de ver el
mundo, sino un verdadero mundo". Las formas abstractas de *19D* indican un rechazo
de plano a la creación de ilusiones, tanto en
el arte como en la política. Al realizar la
obra, Lissitzky comenzó con un ejercicio que
denominó *ekskartina* (expintura). Después

de dibujar una figura geométrica con arreglo
a las normas de la perspectiva, rotaba el
lienzo noventa grados, añadiendo nuevos
volúmenes que se correspondían con la
nueva orientación de la obra y repetía la operación hasta aplicarla a los cuatro lados,
quebrando con ello el punto de vista único y
coherente de la perspectiva lineal. Su
empeño en crear una superficie no ilusionista puede apreciarse también en el notable inventario de materiales que aplicó sobre
el soporte de contrachapado: barniz transparente, yeso mate calcáreo, cartón y papeles
metálicos y cuadriculados. Para Lissitzky ese
"mundo verdadero" del *proun* tenía un valor
de uso: servir de plantilla para edificar el
futuro. "El *proun* comienza con preparativos
de superficie", escribió, "y pasa después a
construcciones moldeadas espacialmente
hasta que llega a un estado donde construye
todas las formas de vida".

Kazimir Malévich

Rusia, nacido en Ucrania. 1878–1935

Composición suprematista: blanco sobre blanco. 1918

Óleo sobre lienzo, 79,4 × 79,4 cm

Imagen de un cuadrado blanco que flota sin peso en un campo blanco, *Composición suprematista: blanco sobre blanco* fue una de las pinturas más radicales de su tiempo, una abstracción geométrica sin referencia a la realidad externa. Sin embargo, no es una obra impersonal: se ve la mano del artista en la textura del pigmento y en las sutiles variaciones de los blancos. El cuadrado no es exactamente regular, y sus líneas, de trazo impreciso, se diría que respiran, dando una sensación no de bordes que definen una figura sino de espacio sin límites.

Después de la revolución, los intelectuales rusos esperaban que la razón humana y la tecnología moderna organizaran una sociedad perfecta. A Malévich le fascinaba el avión, instrumento del anhelo humano de romper las ataduras de la tierra. Estudió fotografía aérea, y en *Blanco sobre blanco* quiso dar una idea de ingravidez y

trascendencia. El blanco representaba para él el color de lo infinito y una esfera de sentimiento superior. Esa esfera, un mundo utópico de formas puras, sólo se podía alcanzar a través del arte no objetivo. De hecho llamó suprematismo a su teoría del arte para indicar "la supremacía del sentimiento puro o la percepción pura en las artes pictóricas", y la percepción pura exigía que las formas de un cuadro "no tuvieran nada en común con la naturaleza". Malévich imaginaba el suprematismo como un lenguaje universal que liberaría al contemplador del mundo material.

Frank Lloyd Wright   Estados Unidos, 1867–1959

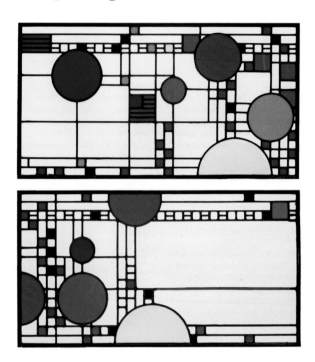

Dos ventanas altas de la Avery Coonley Playhouse, Riverside, Illinois. 1912

Vidrio incoloro y de color, emplomado, cada una 46,5 × 86,8 cm
Joseph H. Heil Fund

Para animar el interior de la Avery Coonley Playhouse, una guardería que había construido cerca de Chicago para un cliente privado, Frank Lloyd Wright diseñó una vidriera alta que corría como un friso continuo alrededor del cuarto de juegos. Cada ventana de la serie se componía de una alegre combinación de motivos geométricos sencillos en colores vivos. Inspiradas en el espectáculo de un desfile, sus formas eran abstracciones de globos, confeti y hasta la bandera americana.

Wright diseñó la decoración interior de casi todos sus edificios, creando así una unidad orgánica entre el conjunto y sus partes. El vidrio artístico era esencial en la trama arquitectónica de muchas de sus primeras obras. La disposición de los motivos en las ventanas de la Coonley Playhouse entronca con las estrategias formales que empleó en su arquitectura. Su fe en la universalidad de las formas geométricas fundamentales era a la vez una respuesta a los métodos racionales de la moderna producción mecánica y una idea intuitiva de que las formas abstractas encerraban valores espirituales compartidos. Las formas geométricas habían estado presentes en su propia educación infantil a través de un sistema alemán de juguetes didácticos, los bloques Froebel, que él mismo señalaría como una influencia importante en sus ideas sobre la arquitectura.

Gerrit Rietveld   Holanda, 1888–1964

Sillón Rojo Azul. Hacia 1923

Madera pintada, 86,7 × 66 × 83,8 cm
Donación de Philip Johnson

En el Sillón Rojo Azul lo mismo que en su arquitectura, Rietveld manipuló volúmenes de líneas rectas y examinó la interacción de planos verticales y horizontales. El diseño original data de 1918, pero el esquema cromático de colores primarios (rojo, amarillo y azul) junto con negro, tan íntimamente asociado al grupo De Stijl y a Piet Mondrian, su más famoso teórico y practicante, no se le aplicó hasta 1923 aproximadamente. Rietveld buscaba la construcción sencilla, con la esperanza de que algún día muchos de sus muebles fueran producidos a máquina y no a mano. Las piezas de madera que forman el Sillón Rojo Azul son de los tamaños normalizados que era fácil encontrar en aquella época.

Rietveld pensaba que el diseñador de muebles tenía una meta más elevada que el confort material: el bienestar del espíritu. Él y sus colegas del movimiento artístico y arquitectónico De Stijl quisieron crear una utopía basada en un orden armónico hecho por el hombre, que sería capaz de renovar Europa tras el desorden devastador de la Primera Guerra Mundial. A su juicio, para esa reconstrucción eran esenciales formas nuevas.

Max Ernst
Francia, nacido en Alemania. 1891–1976

El sombrero hace al hombre. 1920

Aguada, lápiz, tinta y colotipos recortados
y pegados sobre papel agarbanzado,
35,6 × 45,7 cm
Compra

Imágenes de sombreros ordinarios recortadas de un catálogo se apilan en construcciones que parecen a la vez formas orgánicas
pseudovegetales y falos antropomórficos. Con
la inscripción "hombre apilado cubierto de
semillas formador de agua ('edelformer') sin
semillas sistema nervioso bien ajustado también ¡nervios bien ceñidos! (el sombrero
hace al hombre) (el estilo es el sastre)",
Ernst incorpora humor verbal a este subver-
sivo chiste visual.

Ernst fue una de las principales figuras
del grupo Dadá, que abrazó los conceptos de
irracionalidad y significado oscuro. *El sombrero hace al hombre* ilustra el empleo de
reproducciones mecánicas para registrar sus
propias visiones alucinatorias, a menudo eróticas. El origen de este *collage* es una

escultura hecha con moldes de sombrero de
madera que el artista creó en 1920 para
una exposición de Dadá en Colonia. La
repetición del sombrero, indicador de parte
del uniforme burgués, sugiere la visión
dadaísta del hombre moderno como un títere
conformista. Así, de manera genuinamente
Dadá, Ernst combina los elementos contradictorios de un objeto inanimado con alusiones al hombre y a la naturaleza; los
símbolos del convencionalismo social se
equiparan a otros con carga sexual.

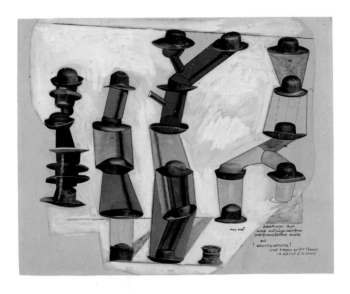

Marcel Duchamp
Estados Unidos, nacido en Francia. 1887–1968

Rueda de bicicleta. 1951 (tercera versión, según un original perdido de 1913)

Ensamblaje: rueda de metal, diám. 63,8 cm, montada sobre un taburete de madera pintada, altura 60,2 cm; el conjunto 128,3 × 63,8 × 42 cm
The Sidney and Harriet Janis Collection

Rueda de bicicleta es el primero de los *readymades* de Duchamp, una clase de obras de arte que plantearon interrogantes fundamentales sobre la producción de arte y aun sobre su definición. Este ejemplo es en realidad un "*readymade* asistido": un objeto de uso común (rueda de bicicleta) ligeramente modificado, en este caso por estar montado del revés sobre otro objeto de uso común (un taburete de cocina). Duchamp no fue el primero en secuestrar cosas vulgares para el arte; los cubistas lo habían hecho en *collages*, pero éstos requerían juicio estético para configurar y colocar los materiales. El *readymade*, en cambio, implicaba que hacer arte podía ser sólo cuestión de seleccionar, de escoger un objeto preexistente. Al subvertir radicalmente supuestos anteriores sobre lo que exigía el proceso artístico, esta idea tuvo una enorme influencia sobre artistas posteriores, sobre todo a partir de la divulgación del pensamiento de Duchamp en los años cincuenta y sesenta.

Los componentes de *Rueda de bicicleta* son objetos producidos en serie, y por lo tanto anónimos e idénticos o similares a infinidad de otros. Además, el hecho de que esta versión de la pieza no sea la original parece intrascendente, al menos para la experiencia visual (como la primera *Rueda de bicicleta* se había perdido, Duchamp simplemente la hizo otra vez casi cuatro décadas después). Duchamp afirmó que le gustaba el aspecto de la obra, que sentía "que el giro de la rueda era muy sedante". Aun ahora *Rueda de bicicleta* encierra una sorpresa visual absurdista. Su mayor fuerza, sin embargo, reside en su carácter de proposición conceptual.

Jean (Hans) Arp
Francia, nacido en Alemania (Alsacia). 1886–1966

Sin título (Collage organizado según las leyes del azar).
1916–1917

Papel rasgado y pegado, papel de color sobre papel de color, 48,6 × 34,6 cm
Compra

Este elegante *collage* de retazos de papel pegados es una composición festiva, casi sincopada, en la que los cuadrados irregulares parecen bailar en el espacio. Como indica su título, no fue fruto de la premeditación del artista sino del azar. En 1915 Arp empezó a elaborar un método de hacer *collages* a base de tirar al suelo papeles rasgados y colocarlos sobre una hoja más o menos como habían caído. Su objetivo era crear una obra libre de la intervención humana y próxima a la naturaleza. La incorporación de acciones aleatorias era una manera de eliminar la voluntad del artista del acto creador, del mismo modo que en sus *collages* anteriores, más severamente geométricos, Arp había sustituido las tijeras

por una cuchilla para divorciar su obra de "la vida de la mano".

Arp fue miembro fundador del primer grupo Dadá que surgió en Zurich, en 1916, en torno al Cabaret Voltaire del poeta y actor Hugo Ball. Dadá –el nombre era una palabra sin sentido extraída al azar del diccionario– se formó para demostrar la quiebra de los estilos de expresión artística vigentes, más que para promover un estilo concreto. "Dadá", escribió Arp, "quiso destruir los engaños de la razón y descubrir un orden no razonado". Aunque esta obra es mucho menos violenta que ciertas muestras de la retórica de Dadá, el uso ejemplar que aquí hace Arp de la composición accidental encarna perfectamente lo que se ha considerado elemento central en la práctica Dadá: el acto gratuito.

Marcel Duchamp
Estados Unidos, nacido en Francia, 1887–1968

3 Stoppages-étalon. 1913–1914

Ensamblaje: tres hilos pegados a tres tiras de lienzo pintado, cada una 13,3 × 120 cm, cada una montada en una placa de vidrio, 18,4 × 125,4 × 0,6 cm; tres listones de madera, 6,2 × 109,2 × 0,2 cm, 6,1 × 119,4 × 0,2 cm y 6,3 × 109,7 × 0,2 cm, con un borde recortado según las curvas del hilo; todo ello instalado en una caja de madera, 28,2 × 129,2 × 22,7 cm

Legado Katherine S. Dreier

Una nota de trabajo de Duchamp describe su idea para esta obra enigmática: "Un hilo recto horizontal de un metro de longitud cae desde un metro de altura sobre un plano horizontal retorciéndose *a su aire* y da una nueva figura de la unidad de longitud". Aquí tres de tales hilos, cada uno fijado a su propio lienzo con barniz y cada lienzo pegado a su placa de vidrio, aparecen en una caja, junto con tres listones de madera (reglas de dibujo) recortados en la forma trazada por los hilos.

Duchamp diría más tarde que *3 Stoppages-étalon* abrió la vía "para escapar de los métodos tradicionales de expresión largo tiempo asociados con el arte", por ejemplo lo que él llamaba "pintura retinal", el arte ideado para disfrute de la vista. Eso exigía del artista inteligencia formal y mano hábil. Los *Stoppages*, en cambio, dependían del azar, un azar que paradójicamente fijaban y "normalizaban" (Duchamp hablaba de "azar en conserva"). Subordinando el arte al accidente y a algo parecido al método científico (que a la vez parodiaban), *3 Stoppages-étalon* proponían un enfoque conceptual, una veta absurdista y una manera de glosar el arte y la cultura en general que inspiraron a un número incontable de artistas posteriores muy diversos.

Francis Picabia Francia, 1879–1953

Vuelvo a ver en el recuerdo a mi querida Udnie. 1914 (quizá comenzado en 1913)

Óleo sobre lienzo, 250,2 × 198,8 cm
Hillman Periodicals Fund

Como los futuristas y como su amigo Marcel Duchamp, Picabia reconoció la importancia de la máquina en la naciente era tecnológica. Las formas de contornos duros y uniformemente redondeados de *Vuelvo a ver en el recuerdo a mi querida Udnie*, algunas en grises metálicos, paralelizan las fusiones de lo mecánico y lo orgánico en la pintura de Duchamp y anuncian alusiones más explícitas del mismo tipo en la producción posterior de Picabia. Líneas perspectivas a los lados insinúan un espacio en torno a este cuerpo fragmentado, que parece alzarse sobre una especie de estrado. Los tubos segmentados entre formas rizadas podrían tener un subtexto sexual, y el propio Picabia declaró que su arte de esta época pretendía "exteriorizar un estado de ánimo o sentimiento interior".

La "Udnie" del título de esta obra era sin duda la señorita Napierskowska, una bailarina profesional a la que Picabia conoció en el barco que le llevaba a los Estados Unidos para participar en la famosa Armory Show de 1913. Fascinado por las actuaciones de Napierskowska (tan sugerentes que le valieron ser detenida), Picabia ya había empezado a pintar aguadas y acuarelas inspiradas en ella cuando desembarcó en Nueva York. Al año siguiente trasladó esa imaginería a pinturas, una de las cuales tituló *Udnie (muchacha americana)*, indicando con ello que los planos abstractos de estas obras aluden a la forma humana.

Lois Weber Estados Unidos, 1882–1939
Phillips Smalley Estados Unidos, 1875–1939

Suspense. 1913

Película de 35 mm, blanco y negro, muda,
12 minutos (aprox.)
National Film and Television Archive, British
Film Institute (por intercambio)
Sam Kaufman, Valentine Paul, Lois Weber

La película de un solo rollo *Suspense* tiene
un argumento sencillo –un vagabundo amenaza a una madre y su hijo mientras el padre
corre a casa a salvarlos– pero utiliza técnicas complejas para narrarlo. Weber y
Smalley despliegan un vertiginoso repertorio
de recursos formales. Un automóvil que se
acerca aparece reflejado en el espejo lateral
de otro coche. Vemos por primera vez al
merodeador a través de los ojos de la mujer,
justo desde arriba en el momento en que él
alza la vista. Se presentan tres acciones
simultáneas, no en sucesión sino formando
un tríptico dentro del mismo fotograma.
    Smalley y Weber se iniciaron en el cine
como un matrimonio de actores bajo la dirección de Edwin S. Porter en la Rex Company,
uno de los muchos estudios cinematográficos independientes enfrentados al poder de
la Motion Picture Patents Company, el con-
glomerado de los principales productores y
distribuidores de los Estados Unidos.
Cuando Porter dejó Rex en 1912, Smalley y
Weber ya habían pasado a dirigir y tenían en
sus manos toda la producción de la modesta
empresa. *Suspense* es una de las poquísi-
mas películas del estudio que se conservan,
y su asombrosa originalidad suscita una pregunta interesante: ¿es una fascinante ano-
malía o una muestra representativa de lo
que fue la producción de Rex?

Paul Strand Estados Unidos, 1890–1976

Quinta Avenida, Nueva York. 1915

Copia al platino, 31,2 × 20,8 cm
Donación del artista

La composición plana como una estampa japonesa, vacía en el centro y cargada en los bordes; los tonos amortiguados como en un grabado de James MacNeill Whistler, y el elegante dibujo de la bandera y su mástil, que rima con las agujas de la iglesia, son otros tantos vestigios del movimiento estético dominante en la fotografía del cambio de siglo.

Esta instantánea tomada por Strand de unos peatones que caminan cerca de una determinada iglesia –la catedral de San Patricio– por un determinado tramo de la Quinta Avenida de Nueva York habla de experiencias concretas, y apunta hacia los retos que encontró el arte de la fotografía al salir de su encierro estético. Una mujer del primer término vuelve los ojos al fotógrafo, y al hacerlo deja de ser elemento decorativo de un friso para revelarse como una persona con ideas propias.

John Marin   Estados Unidos, 1870–1953

El puente de Brooklyn (mosaico).
1913

Aguafuerte y punta seca, plancha:
28,6 × 22,5 cm
Editor: 291 (Alfred Stieglitz), Nueva York.
Edición: aprox. 20
Donación de Abby Aldrich Rockefeller

El puente de Brooklyn, símbolo mundial de la ciudad de Nueva York e icono del progreso tecnológico, ha sido un tema atractivo para los artistas desde su terminación en 1883. Esta imagen grabada de Marin presenta sus catedralicios arcos ojivales y sus fuertes cables de suspensión de acero en términos audaces y heroicos. Al mismo tiempo la obra transmite el ajetreo de la vida urbana a través de las agrupaciones dinámicas de líneas que fracturan la composición.

El puente de Brooklyn (mosaico) fue creado dos años después de que Marin volviera a Nueva York de París, y es un ejemplo de la energía que esta ciudad americana comunicó al artista, que halló a la gente, los rascacielos y los puentes "vivos", y haciendo sonar con su interacción "una gran música". Forma parte de un grupo de seis aguafuertes de Nueva York hechos por Marin y editados por el fotógrafo y marchante Alfred Stieglitz, que los exhibió en su galería del número 291 de la Quinta Avenida. Stieglitz protegía a un círculo de jóvenes artistas estadounidenses, y apoyó especialmente a Marin.

D. W. Griffith Estados Unidos, 1875–1948

Intolerancia (Intolerance). 1916

Película de 35 mm, blanco y negro y teñido de color, muda, 196 minutos (aprox.)
Adquirida del artista; conservada con financiación del Celeste Bartos Film Preservation Fund

Intolerancia es una de las primeras obras maestras del cine en el aspecto formal. Su ambiciosa escala y su suntuosa producción –de la que da ejemplo el decorado enorme, aunque históricamente inexacto, del palacio de Babilonia– carecían de precedentes. La película pretendía ser un sermón poderoso contra los aborrecibles efectos de la intolerancia, en el que Griffith proponía su visión de la historia y del mito. En *Intolerancia* se entreteje su obra inacabada "La madre y la ley", un melodrama contemporáneo sobre la hipocresía de las buenas gentes ricas ambientado en los Estados Unidos, con tres historias paralelas de otras épocas: Jesús en el Calvario, la destrucción de Babilonia por los persas y la persecución de los hugonotes en Francia. Griffith lo explicaba así: "Las historias empiezan como cuatro corrientes vistas desde la cima de un monte. Al principio las cuatro fluyen por separado, lentas y tranquilas. Pero a medida que discurren se van acercando entre sí y se aceleran cada vez más, hasta que al final, en el último acto, se mezclan en un único río poderoso de emoción expresada".

La escala y la desmesura de *Intolerancia* colocaron a Hollywood en el centro de la producción cinematográfica estadounidense. La película ejerció también una enorme influencia internacional, sobre todo en la Rusia posrevolucionaria, donde Lenin tuvo elogios para su alcance y su propósito. Pero su complicada estructura parece haber desconcertado a los primeros públicos, e *Intolerancia* fue un fracaso de taquilla, a pesar de que la película anterior de Griffith, *El nacimiento de una nación* (1915), había sido un gran éxito.

Claude Monet Francia, 1840–1926

Nenúfares. 1914–1926

Óleo sobre lienzo, hoja izquierda de un
tríptico, cada hoja 200 × 425 cm
Mrs. Simon Guggenheim Fund

Visitantes del estudio de Monet en Giverny
en 1918 encontraron "una docena de telas
puestas en círculo en el suelo [formando] un
panorama de agua y nenúfares, luz y cielo.
En esa infinitud, el agua y el cielo no tienen
comienzo ni fin". Lo que veían era un grupo
de pinturas que Monet pensaba instalar una
tras otra formando un óvalo, apresando al
espectador en un espacio sensualmente
envolvente. Se trataba, según sus palabras,
de producir "la ilusión de una totalidad sin
fin, de agua sin horizonte ni orilla". El tríptico
Nenúfares procede de esa serie, que describía un escenario que Monet no sólo mostró
en el arte sino que también conformó en la
realidad: el estanque del jardín de su casa.

Como sus colegas impresionistas, en su
juventud Monet se propuso ser fiel a la realidad percibida y captar las calidades continuamente variadas de la luz y el color
naturales. Los *Nenúfares*, sin embargo, parecen casi abstractos, porque su escala y su
homogéneo esplendor nos sumergen de tal
modo en la experiencia visual que las indica-
ciones espaciales se disuelven: lo de arriba
y lo de abajo, lo próximo y lo lejano, el agua
y el cielo se entremezclan. Tal vez fue eso lo
que impulsó a los visitantes de Monet a

decir: "Es como estar presente en las
primeras horas del mundo". Pero igualmente
apropiado parece el deseo de Monet de que
la instalación brindara "el refugio de una
meditación apacible".

Frank Lloyd Wright Estados Unidos, 1867–1959

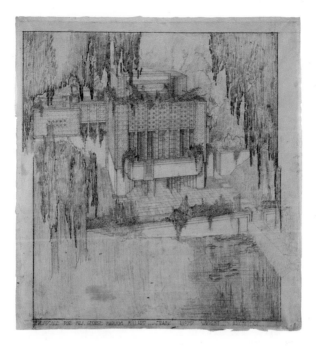

La Miniatura, Casa Mrs. George Madison Millard, Pasadena, California. 1923

Perspectiva: lápiz de color y lápiz sobre papel de gampi, 52,2 × 50 cm
Donación de Mr. y Mrs. Walter Hochschild

La Miniatura, la Casa Millard de Pasadena, es la primera casa de la serie Textile Block Houses, que Wright diseñó en los años veinte, todas situadas en el sur de California. Esta visión en color la muestra en su exuberante entorno. La casa es una combinación de bloques de hormigón lisos y ornamentados, fraguados *in situ* en encofrados diseñados por Wright. Los bloques, cúbicos y atravesados por aberturas rellenas de vidrio, forman una piel interior y exterior continua. Su tamaño relativamente modesto hace posible un diseño muy ceñido a la configuración del terreno.

En su autobiografía Wright escribió: "¿El bloque de hormigón? La cosa más barata (y más fea) del mundo de la construcción. ¿Por qué no ver qué se podía hacer con aquella rata de alcantarilla?". En las casas Textile Block Wright intentó implantar un sistema de edificación flexible, que uniera las ventajas de la producción mecánica en serie a la visión innovadora y creativa del artista. Pero el sistema de bloques, con el que se buscaba un método de construcción eficiente y barato con ornamentación incorporada, resultó ser lento y más caro que el sistema tradicional.

Joan Miró España, 1893–1983

El nacimiento del mundo. 1925

Óleo sobre lienzo, 250,8 × 200 cm
Adquirido a través de un fondo anónimo,
el Mr. and Mrs. Joseph Slifka y el Armand
G. Erpf Funds, y por donación del artista

Según el primer manifiesto surrealista de
1924, "el funcionamiento real del pensamiento" se podía expresar por medio de un
"automatismo psíquico puro", "sin la intervención reguladora de la razón". Miró se
dejó influir por las ideas surrealistas, y
declaró: "Más que ponerme a pintar una
cosa, empiezo a pintar, y según voy pintando
empieza a manifestarse el cuadro La primera fase es libre, inconsciente". Pero añadía: "La segunda fase se calcula
cuidadosamente".

El nacimiento del mundo refleja esa
combinación de azar y plan. Miró dio una
imprimación irregular a la tela, de modo que
en unos sitios el pigmento fuera absorbido y
en otros quedara posado sobre la superficie.
Sus maneras de aplicar la pintura admitían
distintos niveles de control: derramarla,
darla a pincel, salpicarla, extenderla con un
trapo. Los elementos biomórficos y geométricos los dibujó atentamente, ensayándolos
en un dibujo preparatorio.

Este tipo de obras sugieren algo familiar
e inidentificable, pero nunca pierde Miró el
contacto con el mundo real: vemos un pájaro
o una cometa; una estrella fugaz, un globo
con su cuerda o un espermatozoo; un personaje de cabeza blanca. *El nacimiento del
mundo* es la primera de muchas obras
surrealistas que hablan metafóricamente de la
creación artística a través de una imagen de
la creación de un universo. Según su autor,
es "una especie de génesis".

Max Ernst
Francia, nacido en Alemania. 1891–1976

Dos niñas son amenazadas por un ruiseñor. 1924

Óleo sobre tabla con construcción de madera, 69,8 × 57,1 × 11,4 cm
Compra

En *Dos niñas son amenazadas por un ruiseñor*, una niña, asustada por el vuelo del pájaro, blande un cuchillo; otra se desmaya. Un hombre con un niño en brazos se sostiene en equilibrio sobre el tejado de una cabaña, que, como el portillo (que tiene sentido en el cuadro) y el pomo (que no lo tiene), es un añadido tridimensional a la pintura. Esta combinación de elementos dispares, planos y volumétricos, sigue la técnica del *collage*, que Ernst apreciaba por su "desplazamiento sistemático". "Hablar de *collage*", sostenía, "es hablar de lo irracional." Pero aunque la escena hubiera sido una ilusión enteramente pintada, habría tenido una irrealidad alucinatoria, y de hecho Ernst vinculó esta etapa de su arte a recuerdos de la infancia y sueños.

Ernst fue uno de los muchos artistas que volvieron de combatir en la Primera Guerra Mundial con un hondo rechazo de los valores convencionales de su mundo europeo. En realidad, su desafección era anterior a la guerra; más tarde diría que en su juventud rehuyó "los estudios que pudieran degenerar en un medio de sustento", prefiriendo "aquellos que sus profesores consideraban inútiles, sobre todo la pintura. Otras ocupaciones inútiles: leer a los filósofos sediciosos y poesía heterodoxa". Pero la guerra centró su rebeldía y le puso en contacto con espíritus afines en el movimiento Dadá.

Tullio d'Albisola (Tullio Spartaco Mazzotti)

Italia, 1899–1971

Parole in libertà futuriste, tattili-termiche olfattive de Filippo Tommaso Marinetti. 1932–1934

Libro ilustrado con 26 litografías sobre metal, página: 23,3 × 22 cm
Editor: Edizioni Futuriste di Poesia, Roma.
Edición: aprox. 25
Donación de The Associates of the Department of Prints and Illustrated Books y de Elaine Lustig Cohen en memoria de Arthur A. Cohen

Este extraordinario libro, de tapas y páginas íntegramente metálicas, anuncia la contribución del progreso tecnológico al arte. El artista y escritor futurista Marinetti, impulsor del proyecto, consultó con trabajadores de una fábrica de latas de Savona (Italia) que había estampado un poema en hojalata en 1931.

La producción de este libro planteaba, sin embargo, la dificultad de diseñar un lomo que permitiera volver las pesadas páginas. La solución fue el mecanismo cilíndrico que se ve en el borde izquierdo de la tapa. La maqueta fue diseñada por Marinetti y D'Albisola, un escultor y ceramista que realizó las litografías combinando tipografía y figuras geométricas. Como se aprecia en la cubierta, creó composiciones dinámicas con tipos de letra modernos en tamaños audazmente distorsionados.

Los futuristas promovían el verso libre y la poesía basada en el sonido más que en el significado, y extendieron su acción a las artes visuales y escénicas. Exaltaban la máquina, con sus posibilidades aparentemente ilimitadas para el futuro, como símbolo de la era moderna. *Parole in libertà futuriste* representa una notable colaboración entre el artista, el artesano, el técnico y la máquina, cuyo resultado fue el primer libro mecánico.

Carl Theodor Dreyer Dinamarca, 1889–1968

La Pasión de Juana de Arco (La Passion de Jeanne d'Arc). 1928

Película de 35 mm, blanco y negro, muda, 89 minutos (aprox.)
Cinémathèque Française (por intercambio)
Renée (Maria) Falconetti

Rodada cuando la era del cine mudo tocaba a su fin, esta narración del proceso y la quema en la hoguera de Juana de Arco, de su éxtasis y sobre todo de su sufrimiento, es la obra magna de Dreyer. La ambientación es sobria y la arquitectura severa, y las imágenes físicas de la película potencian la sensación de tragedia durante el largo interrogatorio de la doncella de Orleans. Primerísimos planos de los rostros dominan el drama; muchos aparecen sin el contexto de planos generales. Se emplean tomas en ángulo oblicuo y expresiones faciales deformantes en busca de efectos expresivos. El ritmo es parsimonioso y la conclusión inexorable.

Dreyer basó la crónica del final de Juana en documentos contemporáneos del juicio, pero redujo los días de interrogatorio a uno y apenas ofreció contexto histórico en los intertítulos que suministran el diálogo del proceso. La rara aparición en cine del dramaturgo y poeta francés Antonin Artaud haciendo de fiscal tiene interés histórico, pero es Falconetti en el papel de Juana quien hace una de las interpretaciones más intensas de la historia del cine, que acrecienta la fuerza trascendental de la obra.

Friedrich Wilhelm Murnau (Friedrich Wilhelm Plumpe)

Alemania, 1888–1931

El último (Der letzte Mann). 1924

Película de 35 mm, blanco y negro, muda,
77 minutos (aprox.)
Adquirida de Universum-Film (UFA)
Emil Jannings

La película muda de Murnau *El último* refiere
la trágica historia de un vanidoso portero de
hotel, brillantemente interpretado por
Jannings, que es degradado a la limpieza de
los servicios. Toda la identidad del portero se
basa en su puesto, y sobre todo en su uniforme, que simboliza el poder y la respetabi-
lidad para su familia y sus amigos de clase
media baja. El momento más impresionante
y brutal de la película es aquel en que,
insensible a sus ruegos, el gerente del hotel
lo despoja del uniforme; es como si le arran-
cara la piel a tiras. Pero no es sino el
comienzo de sus desdichas. El inesperado e
inverosímil final intenta blanquear los sufri-
mientos del portero, pero su trágico declive
es inolvidable.

Prescindiendo de los acostumbrados
intertítulos y moviendo la cámara con
extraordinaria inventiva, Murnau y su director
de fotografía, Karl Freund, transformaron el
lenguaje cinematográfico. Para rodar la
secuencia inicial, la cámara descendía en el
ascensor acristalado del hotel y atravesaba
después el vestíbulo sobre una bicicleta. *El
último* logra, además, combinar elementos
expresionistas, como ángulos exagerados,
imágenes oníricas deformadas y efectos
inquietantes de luz y sombra, con un complejo estudio psicológico del protagonista en
su desgracia.

Fernand Léger Francia, 1881–1955

Tres mujeres. 1921

Óleo sobre lienzo, 183,5 × 251,5 cm
Mrs. Simon Guggenheim Fund

En *Tres mujeres* Léger traduce un tema
común en la historia del arte –el desnudo
recostado– a un lenguaje moderno, redu-
ciendo la figura femenina a una masa de formas redondeadas y un tanto dislocadas, en
las que la piel no es blanda sino dura, rígida
incluso. La precisión mecánica y la solidez
que da a los cuerpos de sus mujeres concuerdan con su fe en la industria moderna y
su esperanza de que el arte y la era de la
máquina rehagan juntos el mundo. El equilibrio geométrico de esta pintura, sus listas
negras y sus recuadros blancos, sugieren
que Léger tenía conocimiento de Mondrian,
un artista que empezaba a triunfar por
entonces. Otra nota estilística es el regreso
a variantes del clasicismo que fue general
en el arte francés después del caos de la
Primera Guerra Mundial. Aunque pulidos y
abrillantados, los volúmenes simples de las
figuras de Léger no dejan de insertarse en la
tradición de los clasicistas del siglo anterior.

Un grupo de mujeres desnudas
tomando té o café puede también recordar
escenas de harén como las que pintaba
Jean-Auguste-Dominique Ingres, aunque allí
la bebida pudiera ser vino. Actualizando la
colación, Léger actualiza también el
ambiente: un piso elegante, decorado a la
última moda. Y las mujeres de melena plan-
chada a un lado tienen un *glamour* hollywoo-
diense. Esta pintura es como un bello motor
cuyas partes se engranan con suavidad y
armonía.

Eugène Atget Francia, 1857–1927

Almacén, avenue des Gobelins.
1925

Copia en papel albúmina de plata,
20,6 × 16 cm
Abbott-Levy Collection. Donación parcial de
Shirley C. Burden

Durante más de tres décadas Atget fotografió París: sus antiguas calles y monumentos
y detalles exquisitos, sus rincones y cuchitri-
les, su comercio moderno y sus parques
exteriores. No era un artista en el sentido
habitual sino un artesano especializado, que
suministraba registros pictóricos de la cultura francesa a artistas, anticuarios y biblio-
tecarios. Así, al menos, era como se ganaba
la vida. Poco antes de su muerte, sin
embargo, otros fotógrafos empezaron a reconocer que el trabajo de Atget era arte en
todo menos el nombre: una obra cargada de
ingenio, invención, belleza, sabiduría y el cultivo disciplinado de percepciones originales.
    Esta imagen del escaparate de una sas-
trería pertenece a una serie de fotografías
de escaparates que Atget hizo en la muy

creativa etapa final de su vida. Le habría
sido fácil minimizar el reflejo del cristal, en el
que se ve parte del complejo de los
Gobelinos, donde hacía casi tres siglos que
se fabricaban tapices. Por el contrario, lo
acogió con gusto. Al fundir inextricablemente
dos imágenes en una, la fotografía evoca a
un tiempo las modas modernas de Francia y
una de sus más nobles tradiciones
artísticas.

René Magritte Belga, 1898–1967

El falso espejo. 1929

Óleo sobre lienzo, 54 × 80,9 cm
Adquisición

Un enorme ojo aislado contempla al espectador. Su parte interior izquierda posee cualidades vívidamente viscosas. Los detalles
anatómicos de esa zona y su brillo superfi-
cial contrastan con el negro mate intenso de
la pupila ocular, que flota sin amarres sobre
un límpido cielo nublado de color azul cerú-
leo. Aunque las zonas que rodean el iris y la
pupila aparecen esmeradamente delineadas
y matizadas, generando la ilusión de la incidencia de la luz sobre una forma tridimensional, el cielo no muestra rastros de
convexidad; sus nubes hinchadas aparecen
bellamente moldeadas, pero no así el espacio azul. Por consiguiente, ese cielo da la
impresión de verse a través de una ventana
circular y no de reflejarse en la líquida superficie esférica de un iris ocular.

El ojo era un tema que fascinaba a
muchos poetas y artistas plásticos surrealistas por su condición de umbral entre la personalidad interna y subjetiva y el mundo
exterior. El fotógrafo surrealista Man Ray fue
poseedor durante una temporada de *El falso*

espejo, que calificó memorablemente como
un cuadro que "ve tanto como es visto". Sus
palabras captan muy bien el carácter inquietante de la obra: sitúa al espectador en su
punto de mira, atrapado entre asomarse y
verse observado por un ojo que resulta estar
vacío. Da a un vacío que, a despecho de
toda su belleza radiante repleta de nubes,
parece negar la posibilidad de la existencia
humana.

El Lissitzky (Lazar Markovich Lissitzky) Rusia, 1890–1941

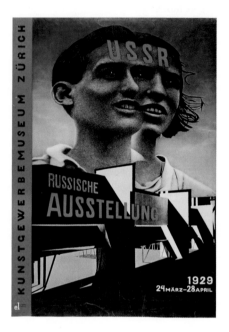

USSR Russische Ausstellung. 1929

Cartel: fotograbado, 124,5 × 89,5 cm
Jan Tschichold Collection. Donación de Philip Johnson

Este cartel propagandístico de una exposición sobre la Unión Soviética presentada en Suiza es un ejemplo característico del uso que El Lissitzky hizo de la técnica del fotomontaje, parte del nuevo vocabulario visual en las artes gráficas, que sustituía el arte objetivo de la ilustración por el *collage*. Los dos retratos idealizados muestran a jóvenes soviéticos que se asoman felices al futuro brillante de Rusia. Su androginia y la fusión de los rostros indican la igualdad entre los sexos en la construcción de la nueva sociedad soviética.

Los artistas visuales de la Unión Soviética rechazaron las bellas artes en favor de las artes aplicadas tras la revolución bolchevique de 1917. La idea era que la pintura y la escultura tendrían escasa utilidad en el naciente régimen socialista, mientras que el diseño podía contribuir a las metas de la revolución. El diseño gráfico fue el medio de elección para promover el programa político.

El Lissitzky viajó más que muchos de sus colegas rusos, y por ello fue un enlace importante entre el constructivismo ruso de los años veinte y treinta y lo que se hacía en la Bauhaus alemana y en el movimiento holandés De Stijl. Su empleo del montaje, una tipografía sencilla y composiciones dinámicas tuvieron gran influencia en la evolución del diseño gráfico moderno.

Aleksandr Rodchenko   Rusia, 1891–1956

Construcción espacial número 12.
Hacia 1920

Contrachapado, construcción abierta
parcialmente pintada con pintura de aluminio
y alambre, 61 × 83,7 × 47 cm
Adquisición posibilitada gracias a los esfuerzos
extraordinarios de George y Zinaida Costakis,
y a través del Nate B. and Frances Spingold,
el Matthew H. and Erna Futter, y el Enid
A. Haupt Funds

Construcción espacial número 12 es un conjunto de óvalos de distintos tamaños, inscritos y tangentes, que cuelga en el espacio
moviéndose lentamente con las corrientes
de aire. Los óvalos fueron trazados sobre un
único tablero fino de contrachapado, cortados con precisión y volteados unos dentro
de otros para constituir un objeto tridimensional semejante a un giroscopio. La forma
resultante hace pensar en un modelo de
órbitas planetarias, una estructura cósmica.
En piezas de la misma serie Rodchenko

aplicó el mismo principio y método a otras
figuras geométricas básicas como el cuadrado, pero esas obras no se conservan.

El interés de Rodchenko por los sistemas matemáticos refleja el sesgo científico
de los constructivistas rusos, artistas que
aspiraron a crear un arte radicalmente nuevo
y radicalmente racional para la sociedad
nacida de la revolución rusa. *Construcción
espacial* es una etapa en el camino de
Rodchenko desde la pintura convencional
hacia un arte que se desenvuelve en el
espacio y en última instancia un arte de
compromiso social. En esta obra no hay
arriba ni abajo ni base de apoyo. Es prácticamente ingrávida, sustituyendo la suspensión
y el movimiento a la masa. Fue concebida,
en suma, para ser todo aquello que la escultura tradicional no era: para repensar el arte
desde cero.

Dziga Vertov   Rusia, 1896–1954

Chelovek S. Kinoapparatom
(El hombre de la cámara de cine).
1929

Película de 35 mm, blanco y negro, muda,
65 minutos (aprox.)
Gosfilmofond (por intercambio)

El hombre de la cámara de cine comienza
con el operador saliendo de la "cabeza" de la
cámara. Seguidamente hay un humorístico y
caleidoscópico recorrido por ciudades sovié-
ticas que traza paralelos entre el cineasta y
el obrero y revela el proceso de producción de
una película. En un momento Vertov presenta a un hombre circulando en motocicleta, y a continuación nos sorprende con
planos del operador filmando la moto y del
montador editando esos planos. Utilizando
todas las estrategias cinematográficas de la
época –incluidas la superposición, las pantallas partidas y las variaciones de velocidad–
Vertov revolucionó el arte del cine con su
desafiante desconstrucción del rodaje y las
reglas dramáticas.

Vertov, cuyo apellido es un seudónimo
que significa "peonza", afirmó:
"¡Proclamamos que las viejas películas,
basadas en lo novelesco, películas teatrales
y demás, son… mortalmente peligrosas!
¡Contagiosas!". Bajo la influencia de las teorías artísticas de los futuristas y su confianza en la máquina, el estudiante de
medicina Denis Kaufman se cambió de nombre y empezó a experimentar con el registro
de sonido y el montaje. Tras la revolución
bolchevique hizo películas con su mujer
como montadora y su hermano como operador, y polemizó reclamando la muerte del cine
y el recurso al artificio y el drama. Como otros
de su generación, Vertov pretendía reempla-
zar el ojo humano por el *kinoki*, un ojo cinematográfico objetivo, para contribuir a edificar
una nueva sociedad proletaria.

Aleksandr Rodchenko

Rusia, 1891–1956

Reunión para un desfile.

1928–1930

Copia en papel gelatina de plata,
49,5 × 35,3 cm

Mr. and Mrs. John Spencer Fund

Hoy vivimos rodeados de fotografías tomadas desde arriba, desde abajo o desde ángulos extraños, en los anuncios de revistas y de televisión, por ejemplo, pero para Rodchenko y sus contemporáneos eran un descubrimiento reciente. Para Rodchenko representaban la libertad y la modernidad porque invitaban a ver y considerar de distinto modo los objetos familiares. Este patio sin duda le era familiar, pues está visto desde el balcón de su casa de Moscú.

La fotografía logra un equilibrio perfecto entre profundidad de vértigo y dibujo plano – dos formas más oscuras flanqueando una más clara– y entre ese esquema sencillo y las muchas irregularidades que lo vivifican. El control de Rodchenko sobre la imagen se deduce de su particular punto de vista: para que el balcón que tenía debajo no introdujera su forma oscura en la claridad del patio tuvo que asomarse peligrosamente sobre la barandilla de su balcón.

Sergei Eisenstein Rusia, 1898–1948

El acorazado Potemkin (Bronenosets Potemkin). 1925

Película de 35 mm, blanco y negro y color a mano, muda, 75 minutos (aprox.)
Adquirida del Reichsfilmarchiv

Eisenstein se sirvió de los acontecimientos de la insurrección de 1905 contra las tropas zaristas en el puerto de Odessa para dar sentido a la revolución rusa de 1917. *El acorazado Potemkin* se compone de cinco grandes secuencias: la rebelión de la marinería del barco por el mal estado de la comida, el motín en el alcázar, la exhibición del cuerpo del mártir en el muelle, la matanza de civiles en la escalinata de Odessa y la salida triunfal del acorazado al encuentro de la escuadra. En todas ellas se aprecia la elaborada manipulación del medio fílmico que caracterizó a Eisenstein. Una de las tomas más memorables incluidas en la secuencia de la escalinata de Odessa, por ejemplo, capta el horror de la matanza en un primer plano de una mujer que grita tras ser herida por el avance de los soldados. El montaje percutiente, las tomas detalladas, las repeticiones, los contrastes, las compresiones y expansiones del tiempo y las colisiones de imágenes contrariaban la tendencia a una ilusión de la realidad sin suturas que se manifiesta en otros cines nacionales de los años veinte.

Con esta película el cine soviético se colocó en el centro de la escena mundial, a pesar de ser censurada y hasta prohibida en muchos países por su glorificación del ideal comunista. A raíz de la revolución los directores jóvenes habían buscado un estilo cinematográfico que destruyendo la tradición contribuyese a alumbrar una sociedad nueva. En películas de contenido revolucionario abandonaron la estructura usual, experimentaron con nuevas técnicas y explotaron el montaje. Eisenstein en particular creía en la yuxtaposición de imágenes para sacudir al espectador y convertirle en agente cinematográfico activo.

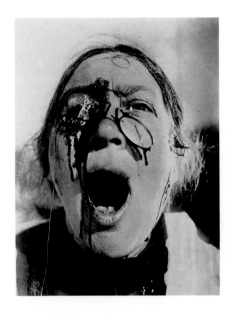

Käthe Kollwitz   Alemania, 1867–1945

La viuda I, Las madres y **Los voluntarios,** de la carpeta **Guerra.**
1922–1924

Xilografías, hoja: cada una 46,7 × 66 cm (aprox.)
Editor: Emil Richter, Dresde. Edición: 200
Donación de la familia Arnhold en memoria de Sigrid Edwards

Estos grabados expresan el tremendo sufrimiento que la guerra inflige a la humanidad. En *La viuda I* la mujer se abraza a sí misma con angustia; su forma redondeada y el tierno contacto de sus enormes manos sobre el pecho y el abdomen insinúan que puede estar embarazada, haciendo más lacerante aún su situación. En *Las madres* un grupo de mujeres estrechamente abrazadas se consuelan unas a otras, y bajo su aglomeración protectora asoman dos niños asustados. En *Los voluntarios* cuatro jóvenes, en cuyos rostros afligidos y puños

cerrados se lee su presentimiento de un destino fatal pero también su determinación, se aprestan a combatir siguiendo a un tambor con la máscara de la muerte. Son imágenes repletas de dolor y tormento, gráficamente transmitidos por los brutales tajos del medio xilográfico.

Guerra es una de las carpetas que artistas alemanes dedicaron a los horrores de la Primera Guerra Mundial. Pero Kollwitz, más que mostrar las atrocidades de los combates y los bombardeos que viven los soldados, retrata las respuestas emocionales de los civiles. Aunque su sentimiento de pérdida era muy personal –su hijo menor Peter murió luchando en Flandes– Kollwitz presenta visiones universales de la aflicción infinita que engendra la guerra para los que sobreviven.

Kurt Schwitters Gran Bretaña, nacido en Alemania, 1887–1948

Merzbild 32A (El cuadro de las cerezas). 1921

Lienzo, madera, metal, tela, papeles recortados y pegados, corcho, aguada, óleo y tinta sobre cartón, 91,8 × 70,5 cm
Mr. and Mrs. A. Atwater Kent, Jr. Fund

Este animadísimo cuadro está dominado por rectángulos de papel que cubren la superficie. Schwitters creó la ilusión de profundidad poniendo los papeles con componentes más oscuros por detrás de los de aspecto más claro. El más claro de todos, en el centro de la composición, ostenta un llamativo racimo de cerezas y los nombres de esa fruta impresos en alemán y francés.

En el invierno de 1918 Schwitters recogió pedazos de papel de periódico, envoltorios de caramelo y otros desechos y empezó a hacer los *collages* y ensamblajes por los que hoy se le conoce. *El cuadro de las cerezas* pertenece a un grupo de esas obras que tituló *Merz*, una palabra sin sentido acuñada al cortar un fragmento de periódico: era la segunda sílaba del vocablo alemán *Kommerz*, "comercio".

En 1921 Schwitters llevaba diez años pintando en serio, casi siempre en distintos estilos naturalistas. Había aprendido así que todo arte se basa en la medida, el ajuste y la manipulación de un número variable pero finito de elementos pictóricos. Nunca olvidó esas enseñanzas, que forman un puente entre su obra representacional anterior y la manipulación puramente formal de materiales encontrados en los cuadros *Merz*.

Hannah Höch
Alemania, 1889–1978

Bailarina india: de un museo etnográfico. 1930

Papel impreso recortado y pegado y lámina metálica sobre papel, 25,7 × 22,4 cm
Frances Keech Fund

En este *collage* Höch alude oblicuamente a Juana de Arco, la heroína andrógina que batalló vestida de hombre, fue acusada de herejía y quemada en la hoguera y más tarde considerada mártir. La máscara que tapa la boca y uno de los ojos se puede interpretar como un intento de refrenar a la figura, mientras que los cubiertos de la corona hacen hincapié en el papel doméstico que suelen desempeñar las mujeres. El papel que enmarca la cabeza cortada simula una presentación museológica. En esta imagen extraña y poderosa, el objeto en exhibición no es un artefacto colonizado sino la mujer moderna.

La mujer retratada en la fotografía es la actriz Renée (Maria) Falconetti en el papel principal de la película de Carl Theodor Dreyer *La Pasión de Juana de Arco* (1928).

Sobre ese rostro dolorido Höch pegó un fragmento de foto de una máscara africana de madera, y arriba un tocado de papel y papel metálico, adornado con cuchillos y cucharas recortados en silueta. Esta obra pertenece a una serie de fotomontajes titulada *De un museo etnográfico* (1924–1934), en su mayoría imágenes de mujeres y reproducciones de arte primitivo tomadas de revistas. Höch citaba la visita a un museo de esa clase como influencia en la concepción de la serie, pero el material etnográfico le sirvió básicamente como punto de partida para comentar la situación de las mujeres en la sociedad alemana de la época.

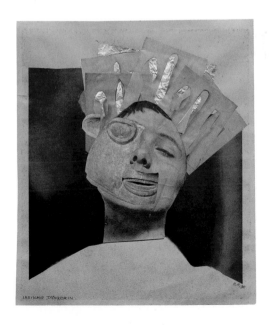

Paul Klee Alemania, nacido en Suiza. 1879–1940

Máquina gorjeadora. 1922

Acuarela y pluma y tinta sobre calco de óleo
sobre papel, montado sobre cartón,
63,8 × 48,1 cm
Compra

El gorjeo del título se refiere sin duda a los
pájaros, mientras que la máquina está insi-
nuada por la manivela. Los dos elementos
son literalmente una fusión de lo natural con
el mundo industrial. Todos los pájaros tienen
el pico abierto, como preparados para anunciar el momento en que el neblinoso azul frío
de la noche dé paso a la claridad rosácea
del amanecer. La escena evoca una pastoral
abreviada; pero los pájaros están encadenados a su percha, que a su vez está conec-
tada a la manivela.

Un examen más atento, sin embargo,
produce una sensación de amenaza percep-
tible. Estos seres reducidos a una línea fina
y nerviosa sólo tienen de pájaro el pico y
una silueta de plumas; más bien parecen
deformaciones de la realidad. La manivela
alumbra la sospecha de que esta "máquina"
sea una caja de música, donde los pájaros

funcionen como señuelo para atraer a las
víctimas al foso sobre el que planea la
máquina. Cabe imaginar la endiablada cacofonía que harían con sus gritos, a la vez que
sus patas se tensan resistiendo a la
máquina a la que están soldados.

El arte de Klee, con su facilidad técnica
y su color expresivo, induce a la comparación con la caricatura, el arte infantil y la técnica de dibujo automático de los
surrealistas. En *Máquina gorjeadora* su afini-
dad con las sensibilidades contrastantes del
humor y la monstruosidad converge con elementos formales para engendrar una obra
enigmática por su composición técnica y por
su multiplicidad de significados.

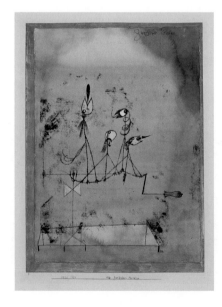

Oskar Schlemmer Alemania, 1888–1943

Escalera de la Bauhaus. 1932

Óleo sobre lienzo, 162,3 × 114,3 cm
Donación de Philip Johnson

El fundador y director del Museum of Modern Art, Alfred H. Barr, Jr., visitaba Stuttgart en la primavera de 1933 cuando supo que una exposición de Schlemmer se había cerrado tras una reseña brutal e intimidatoria en un periódico nazi. Su reacción fue telegrafiar a Philip Johnson, ya donante frecuente al MoMA, pidiéndole que adquiriese *Escalera de la Bauhaus* para una futura donación.

Schlemmer pintó *Escalera de la Bauhaus* a los tres años de abandonar su puesto docente en la Bauhaus, la famosa escuela de arte, arquitectura y diseño modernos. La estructura en cuadrícula de la obra honra los principios de diseño de la Bauhaus, y su movimiento ascendente, incluido el hombre de puntas arriba a la izquierda (Schlemmer había trabajado en la danza), evoca el anterior optimismo de la escuela. La participación del espectador en esa actitud está alentada por la orientación de las figuras en la misma dirección, algunas seccionadas por el marco, como si compartieran nuestro espacio. Sus formas simplificadas, casi modulares, les prestan un carácter de humanidad anónima que entra en el cuadro y sube por la escalera.

Las varias escenas de escalera de Schlemmer en los primeros años treinta reflejan quizá un deseo de remontar un momento crítico en la historia de Alemania. Ésta en concreto la expuso poco después de saber que los nazis habían clausurado la Bauhaus.

Marcel Breuer   Estados Unidos, nacido en Hungría. 1902–1981

Sillón Club (B3). 1927–1928

Tubo de acero cromado y lona,
71,4 × 76,8 × 70,5 cm
Fabricante: atribuido a Standard Möbel,
Alemania
Donación de Herbert Bayer

Breuer montaba en bicicleta cuando fue profesor de la Bauhaus, y esa afición le condujo
a lo que quizá sea la innovación más importante del diseño de muebles en el siglo XX:
el empleo de tubo de acero. El del manillar
de su bicicleta era fuerte y ligero, y se pres-
taba a la fabricación en serie. Breuer razonó
que si era posible doblarlo para hacer un
manillar también se le podrían dar las formas de un mueble.

El modelo de este sillón es la tradicional butaca mullida, pero lo único que queda
es su mero perfil, una elegante composición
trazada en reluciente acero. El asiento, el respaldo y los brazos de lona parecen flotar en
el espacio. El cuerpo del usuario no toca la
armazón metálica. Breuer habló de este
sillón como "mi obra más extrema la menos
artística, la más lógica, la menos 'acoge-
dora' y la más mecánica". Podría haber añadido que fue también la más influyente.
Diseñó una versión anterior en 1925, y en
menos de un año diseñadores de todo el
mundo experimentaban con tubo de acero,
un material con el que el mobiliario tomaría
un rumbo radicalmente nuevo. Este sillón se
llamó "Wassily" por el pintor Kandinsky,
amigo de Breuer y como él profesor en la
Bauhaus, que elogió el diseño en su primera
aparición.

Wilhelm Wagenfeld Alemania, 1900–1990
Carl J. Jucker Suiza, 1902–1997

Lámpara de mesa. 1923–1924

Vidrio y metal cromado, 45,7 × 20,3 cm
diám., 14 cm diám. de la base
Fabricante: Metallwerkstätte, Staatliches
Bauhaus, Alemania
Donación de Philip Johnson

Este objeto, conocido como la "lámpara de
la Bauhaus", materializa una idea esencial,
la de que la forma se deduce de la función,
propuesta por la influyente Bauhaus, una
escuela fundada en 1919 por el arquitecto
Walter Gropius, donde se impartía una sínte-
sis moderna de las artes bellas y aplicadas.
Mediante el empleo de figuras geométricas
simples –peana circular, fuste cilíndrico y
pantalla esférica– Wagenfeld y Jucker lograron "la máxima sencillez y la mayor economía de tiempo y materiales". Las partes
útiles de la lámpara están a la vista; la pantalla de vidrio opaco, de un tipo que hasta
entonces sólo se usaba en la iluminación
industrial, ayuda a difundir la luz.

Esta lámpara se fabricó en el taller de
metales de la Bauhaus, reorganizado bajo la
dirección del artista László Moholy-Nagy en
1923. El taller promovió el empleo de materiales nuevos y favoreció la producción en
serie desde un enfoque más colaborativo
que individualista.

Los primeros intentos de comercializar
la lámpara en 1924 fracasaron, básicamente
porque en la Bauhaus el montaje de casi
todos sus componentes se seguía haciendo
a mano. Hoy la fabrica en cantidad la firma
Technolumen de Bremen (Alemania), y ha
venido a ser un icono del moderno diseño
industrial.

Grete Schütte-Lihotzky Austríaca, 1897–2000

urbana Ernst May, la denominada "nueva Fráncfort" se constituyó en terreno de pruebas para modernas formas arquitectónicas, nuevos materiales y métodos innovadores de construcción.

La Cocina de Fráncfort se diseñó como laboratorio o fábrica, con arreglo a las teorías contemporáneas sobre eficiencia, higiene y flujo de trabajo. El objetivo principal de Schütte-Lihotzky era reducir la carga del trabajo femenino en el hogar. Mientras planificaba el diseño llevó a cabo detallados estudios de movimiento y tiempo, así como entrevistas con amas de casa y grupos de mujeres. Todas las cocinas incluían un taburete giratorio, estufa de gas, armarios empotrados, tabla de planchar plegable, luz cenital ajustable y cajón de basura extraíble. Se proporcionaron tarros de aluminio para productos básicos como el azúcar o el arroz, provistos de pitorros para facilitar su uso. Se puso mucho esmero en la elección de los materiales, utilizándose madera de roble en los envases para la harina (a fin de repeler a los gusanos) y de haya en las superficies de corte (para hacerlas resistentes a las manchas y a las marcas de los cuchillos). El resultado fue uno de los espacios de cocina más famosos del modernismo.

Cocina de Fráncfort, de la urbanización Ginnheim-Höhenblick, Fráncfort del Meno, Alemania. 1926–1927

Materiales varios, 266,7 × 391,2 × 208,3 cm
Donación de Joan R. Brewster por intercambio y Fondo para la Adquisición de Arquitectura y Diseño

A finales de los años veinte unas diez mil cocinas diseñadas por Grete Schütte-Lihotzky ocuparon la posición central de un ambicioso programa de modernización de la vivienda y las infraestructuras públicas en Fráncfort, Alemania. La inflación y la guerra habían precipitado una crisis de la vivienda en todas las ciudades alemanas importantes. Bajo la dirección del jefe de arquitectura

Ludwig Mies van der Rohe
Estados Unidos, nacido en Alemania, 1886–1969

Proyecto de rascacielos para la Friedrichstrasse, en el centro de Berlín, Alemania. 1921

Perspectiva de los lados norte y este: carbón y lápiz sobre papel marrón, montado sobre tablero, 173,4 × 121,9 cm
Mies van der Rohe Archive. Donación del arquitecto

Este proyecto de torre de cristal carecía de precedentes en 1921. Se basaba en la idea inédita de que un esqueleto de acero pudiera liberar a los muros exteriores de su función sustentante y permitiera dar al edificio una superficie más translúcida que opaca. Mies van der Rohe determinó las formas prismáticas y facetadas de sus tres torres unidas experimentando con reflejos de luz sobre un modelo de vidrio. El diseño anuncia su futura predilección por el acero y el vidrio, pero aquí un carácter fuertemente expresionista se acusa más que cualquier intención racionalista.

Líder del revolucionario movimiento moderno en la arquitectura, Mies van der Rohe diseñó una serie de cinco proyectos asombrosamente innovadores a comienzos de los años veinte, cada uno de los cuales tuvo profunda influencia sobre arquitectos avanzados de todo el mundo. Uno de ellos fue este proyecto presentado bajo el nombre en clave "Panal" al concurso de un rascacielos para la Friedrichstrasse, y distinguido por su audaz empleo del vidrio, símbolo del amanecer de una nueva cultura, y por una forma expresiva que no parece deber nada a la historia.

László Moholy-Nagy
Estados Unidos, nacido en Hungría. 1895–1946

Cabeza. Hacia 1926

Copia en papel gelatina de plata, 37 × 27 cm
Donación anónima

El término "abstracción" según se suele aplicar a la fotografía es engañoso. Las fotografías totalmente indescifrables son muy raras,
y suelen ser muy aburridas. Más frecuentes e
interesantes son las de este tipo, en las que
una configuración formal poco corriente se
disputa nuestra atención con lo que tende-
mos a identificar como tema, en este caso el
rostro de la mujer. Esa competencia es el
verdadero asunto de la obra.

Moholy-Nagy enseñó en la Bauhaus alemana entre 1923 y 1928. Empezó siendo
pintor, pero a mediados de los años veinte
llegó a ver en la fotografía el lenguaje visual
universal de la era moderna, porque era
mecánico e impersonal y en consecuencia
objetivo, por muy inesperados que pudieran
ser sus resultados. Quizá fuera precisamente la imprevisibilidad de la fotografía lo
que Moholy-Nagy estimaba, porque desve-
laba experiencias nuevas.

En 1925 publicó un libro de imágenes
titulado *Pintura, fotografía, cine*, que ilustraba
las muchas maneras en que la fotografía
impugnaba los viejos modos de ver: mostrando cosas muy lejanas o muy pequeñas,
por ejemplo, o mirando hacia arriba o hacia
abajo. La gran mayoría de las ilustraciones
eran obra de científicos, periodistas, aficionados e ilustradores, no de artistas. El mensaje estaba claro: la fotografía había
revolucionado la visión moderna sin ayuda
del "arte".

Eileen Gray Irlanda, 1879–1976

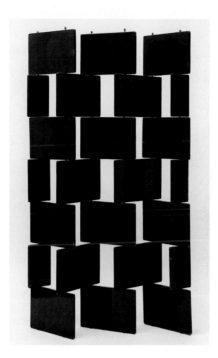

Biombo. 1922

Madera lacada y varillas de latón,
189,2 × 135,9 × 2 cm
Hector Guimard Fund

Este biombo de madera lacada en negro, formado por siete hileras horizontales de
tablas unidas verticalmente por varillas de
latón, no es sólo un tabique portátil que
sirve para delimitar el espacio, sino también
una escultura constituida por macizos y huecos con una influencia cubista subyacente.
Se cuenta entre las creaciones más notables y elegantes de Gray, que fue una de las
figuras más importantes del diseño de París
después de la Primera Guerra Mundial. Gray
popularizó y perfeccionó el arte del mueble
lacado, y su preferencia por el acabado
impecable revela una predilección por materiales exóticos, en particular los empleados
en las artes decorativas japonesas.

Basado en una versión mayor que Gray
diseñó en 1922 para el piso parisiense de
madame Mathieu-Lévy, este biombo de bloques exento se puede interpretar como un
puente entre el mobiliario, la arquitectura y
la escultura. Gray fue también una notable
diseñadora textil y arquitecta. Su primer gran
proyecto arquitectónico, la Casa E-1027 de
Roquebrune-Cap-Martin (Francia), era un conjunto de espacios y muebles multiuso, y fue
muy admirado por el arquitecto suizo-francés
Le Corbusier. La flexibilidad intrínseca de
ese proyecto prolongaba lo que había sido la
fascinación primordial de Gray en sus diseños anteriores: partes giratorias y elementos
móviles que transforman a la vez el objeto y
el espacio.

Theo van Doesburg Holanda, 1883–1931
Cornelis van Eesteren Holanda, 1897–1988

Proyecto Contra-Construcción.
1923

Proyecto de vivienda: dibujo axonométrico,
aguada sobre papel, 57,2 × 57,2 cm
Edgar Kaufmann, Jr. Fund

Van Doesburg, pintor, escritor, editor y arquitecto, fundó e impulsó el movimiento De
Stijl, centrado en Holanda a finales de la
década de 1910 y comienzos de la
siguiente. El arquitecto Cornelis van
Eesteren se unió al grupo en 1922. En la
revista de van Doesburg *De Stijl* colaboraron
artistas y otros que aspiraban a crear un
nuevo orden armónico tras la Primera Guerra
Mundial. Su idea era edificar una solidaridad
utópica entre el arte y la vida bajo el influjo
de las primeras teorías del neoplasticismo
de Piet Mondrian, que postulaban que la
esencia del mundo imaginado y visto sólo se
podía comunicar a través de un sistema de

abstracción lógica basado en la línea, el cuadrado y el rectángulo y los colores primarios
junto con el negro y el blanco.

Según van Doesburg había que dar un
planteamiento radicalmente distinto a la
arquitectura, que acabaría desembocando
en un agregado universal de arquitectura,
escultura y pintura de caballete. Como indica
este dibujo axonométrico, una de varias
ideas que no pasaron de esta fase, la arquitectura, animada por colores planos, debía
ser económica y dinámica, con elementos
planares equilibrados asimétricamente en
torno a un núcleo abierto. Ese tipo de
estructura permitiría al individuo moderno
alcanzar la armonía con su entorno.

Anni Albers
Estados Unidos, nacida en Alemania. 1899–1994

Diseño para una alfombra de Esmirna. 1925

Acuarela, aguada y lápiz sobre papel,
20,6 × 16,7 cm
Donación de la diseñadora

Albers fue una de las alumnas más estimadas del taller textil de la Bauhaus, donde estudió de 1920 a 1922 y después enseñó hasta 1929. A menudo iniciaba sus proyectos textiles con bocetos de diseño como este dibujo para una alfombra. En este estudio exploró el tema de la construcción de horizontales y verticales empleando el color, la forma, la proporción y el ritmo. El diseño revela su admiración por la obra del pintor Paul Klee, que también enseñaba en la Bauhaus.

Del taller textil comentó más tarde Albers: "Se adquiría la técnica cuando era necesario y como base para ensayos futuros. Sin la rémora de consideraciones prácticas, aquel juego con los materiales daba resultados asombrosos, tejidos llamativos por su novedad, su plenitud de color y textura, y que en muchos casos poseían una belleza realmente bárbara".

Albers empleó el tejido como su medio artístico de preferencia durante casi cuarenta años, experimentando directamente con materiales innovadores y creando prototipos para la producción industrial. Llegó a ser tan aclamada por sus actividades docentes y sus escritos sobre el diseño y la tejeduría como por sus diseños textiles. Siguió explorando las relaciones entre el color y la línea muy especialmente a partir de 1963, cuando su interés viró hacia la gráfica.

Man Ray (Emmanuel Rudnitzky) Estados Unidos,
1890–1976

Rayografía. 1922

Copia en papel gelatina de plata, 23,9 × 30 cm
Donación de James Thrall Soby

Un fotograma es una imagen obtenida en papel fotográfico sin ayuda de una cámara. Para obtener éste, Man Ray expuso el papel a la luz al menos tres veces. En cada ocasión actuó como máscara un conjunto de objetos diferente: dos manos, dos cabezas besándose y dos bandejas de cuarto oscuro que parecen casi besarse con sus picos de esquina. Cada exposición oscureció el papel en la parte descubierta.

"Es imposible descubrir qué planos de la obra hay que interpretar como más próximos o más alejados en el espacio. La obra es una invención visual: una imagen sin un modelo en la vida real con el que podamos compararla", señala el conservador John Szarkowski. Un surrealista podría haber dicho, por el contrario, que desvela una realidad tanto más preciosa por ser invisible de otro modo.

Man Ray afirmaba haber inventado el fotograma poco después de emigrar de Nueva York a París en 1921. Aunque de hecho esta práctica existía desde los primeros tiempos de la fotografía, Man Ray tenía razón en el sentido artístico, porque en sus manos el fotograma no fue una copia mecánica sino una aventura pictórica imprevisible. Él llamaba a sus fotogramas "rayografías".

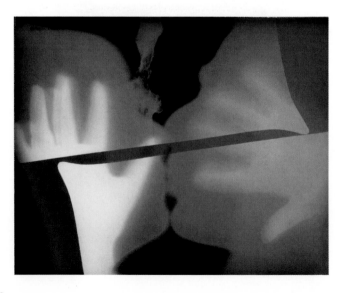

Josef von Sternberg
Estados Unidos, nacido en Austria. 1894–1969

El ángel azul (Der blaue Engel).
1930

Película de 35 mm, blanco y negro, sonora,
109 minutos
Adquirida de Twentieth Century-Fox
Marlene Dietrich

En *El ángel azul*, que fue rodada en versiones inglesa y alemana, Marlene Dietrich interpreta a la cabaretera Lola-Lola, que canta y actúa en un local de ínfima categoría: Der blaue Engel. La provocativa sirena cautiva a un respetado maestro, Immanuel Rath (Emil Jannings), y lo arrastra de su mundo ordenado, seguro y predecible a la vida airada de ilusionistas, payasos y actores de baja estofa. Fascinado y seducido por el aura carismática de Lola-Lola, el viejo profesor se casa con ella, trocando su posición docente por la de siervo de su mujer. Pasan los años, hasta que la relación pública de Lola-Lola con un joven asesta el golpe final al humillado Rath.

Meticulosamente iluminadas y embellecidas con trajes y atrezzo extravagantes, las actuaciones de Lola-Lola en el escenario son tan magnéticas para el público de la película como para Rath; se podría decir que el profesor encarna el deseo masoquista del espectador de sucumbir a los destructivos encantos de Dietrich, que canta: "Los hombres revolotean en torno a mí como mariposas en la llama. / si se abrasan yo no tengo la culpa".

Basada en la novela de Heinrich Mann *Professor Unrat* (1905), fue ésta la primera de las siete películas en las que colaboraron von Sternberg y Dietrich entre 1930 y 1935. Catapultó a la actriz alemana al estrellato, la convirtió en una de las más inolvidables mujeres fatales del cine y le abrió el camino hacia Hollywood.

George Grosz Estados Unidos, nacido en Alemania. 1893–1959

"El presidiario": el ingeniero John Heartfield después de que Franz Jung intentase ponerlo en pie.
1920

Acuarela, postales pegadas, mediotono y lápiz sobre papel, 41,9 × 30,5 cm
Donación de A. Conger Goodyear

En esta obra Grosz combina la acuarela tradicional de delicadas tonalidades con reproducciones fotomecánicas pegadas en un espacio irreal, inspirado en la obra del pintor italiano Giorgio de Chirico. Esos recursos pictóricos transmiten la ideología satírica que compartía con su modelo el artista John Heartfield, amigo y compañero en el Dadá berlinés y colaborador frecuente. Heartfield aparece como un hombre calvo de facciones duras, con los puños cerrados y un corazón mecánico: la personificación del antiautoritario políticamente desafiante, postura que informaba su propio arte.

El uniforme y la monotonía de paredes y suelo sugieren la idea de un preso en su celda, y la imagen segmentada de un edificio lejano, como visto a través de un ventanuco,

lleva la inscripción mordaz "Mucha suerte en tu nueva casa". Los engranajes mecánicos indican la identidad de Heartfield como ingeniero o constructor *(monteur)* de fotomontajes. De hecho Heartfield se calificaba a sí mismo de *monteur-dada* más que artista, y concebía sus ensamblajes como imágenes únicamente destinadas a la reproducción industrial en revistas, cubiertas de libros y carteles.

Otto Dix
Alemania, 1891–1969

El doctor Mayer-Hermann. 1926

Óleo y temple sobre tabla, 149,2 × 99,1 cm
Donación de Philip Johnson

Cuando Dix pintó esta imagen del destacado médico berlinés Wilhelm Mayer-Hermann, era un retratista predilecto de la bohemia cultural de Alemania y sus mecenas. Su mirada, sin embargo, podía ser inmisericorde. Combatir en la Primera Guerra Mundial fue para él una experiencia formativa crucial: "Es necesario haber visto a personas en ese estado de descontrol para saber algo acerca del hombre", declaró, y salió de la guerra empeñado en "pintar las cosas como son". En 1920 abandonó sus primeros ensayos en el expresionismo y otros estilos modernos para adoptar un enfoque y una técnica inspirados en el arte alemán de los siglos XV y XVI. Se le identificó entonces con el movimiento llamado Neue Sachlichkeit (Nueva objetividad), que propugnaba un realismo purgado de sentimentalidad en el tratamiento de la vida moderna.

Dix quizá retratase al médico con rigor, pero la actitud y el entorno parecen buscados para subrayar su redondez. Todo en él es redondo: la cara, las ojeras, la papada, los hombros, la posición de los brazos, la panza. Lleva sobre la frente una lámpara redonda, y el aparato de rayos X circular que tiene detrás refleja una vista redonda de la habitación. También a sus espaldas hay una esfera de reloj redonda y un enchufe redondo. Con toda su precisión, la imagen bordea lo satírico.

111

Jean Renoir Francia, 1894–1979

La gran ilusión (La grande illusion). 1937

Película de 35 mm, blanco y negro, muda, 93 minutos
Donación de Janus Films
Erich von Stroheim, Pierre Fresnay, Jean Gabin

La gran ilusión es la película más famosa de Renoir y una de las más personales. Incluye recuerdos de su experiencia de la Primera Guerra Mundial en la aviación francesa y rinde homenaje a uno de sus primeros maestros, Erich von Stroheim, que aparece como el comandante elegante y refinado de un campo de prisioneros alemán de máxima seguridad. La fuga de dos oficiales franceses se presenta como un juego intelectual que depende de la cooperación de soldados de diferentes nacionalidades; la separación de los otros prisioneros, indicada por una emotiva serie de despedidas, domina la película.

Aunque se pueda considerar la película antibélica por excelencia, el contenido de *La gran ilusión* es mucho más general y universal, y plantea interrogantes sobre la existencia humana que dan mucho que pensar. La obra es una declaración apasionada de la fe de Renoir en la comunidad de todos los seres humanos, por encima de la raza, la clase o la nación, que llegaría a ser un principio constante en su carrera. Es esa pasión, esa intensidad emocional, lo que da un carácter tan inconfundible a toda su producción. Ya sea que sus películas traten del amor conyugal, la naturaleza, el teatro, el París desaparecido o los prisioneros de guerra, Renoir hace cómplice al espectador de su devoción obsesiva a sus temas.

August Sander Alemania, 1876–1964

Diputado y primer delegado del Partido Demócrata (Johannes Scheerer). 1928

Copia en papel gelatina de plata,
29,6 × 22,3 cm
Donación del artista

Las obras fotográficas han adoptado a menudo la forma de una serie extensa de fotografías presentadas en un libro o álbum. Entre los proyectos más ambiciosos de la historia de la fotografía se cuenta el brillante e inacabado de Sander *Ciudadanos del siglo XX*, un panorama sistemático de la sociedad alemana a través de retratos de tipos representativos en todos los órdenes de la vida.

Aquí la capa del político asciende en una línea ininterrumpida que se prolonga hasta la punta del paraguas, atributo apropiado para un representante del pueblo, que él sostiene con rectitud típicamente alemana.

En 1929 Sander publicó un libro de sesenta fotografías, al que acompañaba una invitación a suscribirse a lo que en su día sería la publicación completa de la galería de retratos, que el fotógrafo afirmaba haber hecho "sin prejuicios a favor ni en contra de ningún partido, alineación, clase o sociedad". En 1934, al año siguiente de llegar al poder, los nazis secuestraron el libro y destruyeron las planchas.

Walt Disney Estados Unidos, 1901–1966

Steamboat Willie. 1928

Película de 35 mm, blanco y negro, sonora,
8 minutos
Donación del artista
Mickey Mouse

Steamboat Willie es un hito en la historia de la
animación. Fue la primera película de Mickey
Mouse que se estrenó, y la primera de dibujos con sonido sincronizado. Lanzó la animación muda al olvido y puso en marcha un
imperio. Hasta entonces los dibujos animados de Disney se diferenciaban poco de los
de sus competidores; iba camino de la ruina
cuando, en 1927, Alan Crosland cautivó a
los Estados Unidos con *El cantante de jazz* y
sus largas secuencias de música y diálogos.
Disney, presintiendo que el cine sonoro iba a
ser un gran negocio, decidió jugárselo todo a
su ratón parlante. La película se estrenó en
el Colony Theater de Nueva York el 18 de
noviembre de 1928, fecha que desde entonces sería el cumpleaños de Mickey.

El público quedó asombrado por la vitalidad de los personajes. Disney, sin los problemas de emplear nuevo equipo con

actores vivos, supo fundir tecnología y artesanía, naturalismo y abstracción, con un
talento que a lo largo del tiempo le acredita-
ría de gran artista. Tan fuerte fue la
demanda de taquilla para *Steamboat Willie*
que dos semanas después del estreno
Disney la reestrenó en la mayor sala de cine
del mundo, la Roxy de Nueva York. La crítica
llegaría a ver en el ratón Mickey una mezcla
de Charlie Chaplin en su defensa del débil,
Douglas Fairbanks en su espíritu de pícaro
aventurero y Fred Astaire en su gracia de
movimientos y su emancipación de las leyes
de la gravedad.

© Disney

Buster Keaton Estados Unidos, 1895–1966

Clyde Bruckman Estados Unidos, 1894–1955

El maquinista de la "General" (The General). 1927

Película de 35 mm, blanco y negro, muda, 80 minutos (aprox.)
Buster Keaton

Keaton, con el oído pegado al cañón, parece estar siempre escuchando el sonido del silencio. Su "cara de piedra" es ya bastante elocuente en reposo, pero si abre la boca es muchas veces con mudo asombro ante las cosas de un mundo que rebasa la comprensión de un hombre sensato. En muchas de sus películas la maquinaria tiene voluntad propia y las personas tienden a seguirla sin saber del todo por qué.

El maquinista de la "General" se considera la obra maestra de Keaton, quizá porque su aventura, tomada de un episodio de la Guerra de Secesión, tiene una fuerza de empuje que da cabida a todos los ingeniosos apartes cómicos ideados por Keaton y el codirector Clyde Bruckman sin perder el hilo narrativo. El personaje de Keaton, un

ingeniero de la Confederación, persigue a una mujer; pero ésta es sobre todo la historia de amor de un muchacho con su tren, el medio de transporte, compañero y amigo mudo ideal.

El mejor colaborador de Keaton no fue ni un actor ni un director ni un guionista, sino la cámara de cine, con la que perfeccionó la belleza material de la comedia muda y expandió sus posibilidades emotivas. Sus notables interpretaciones tienen sus raíces en su experiencia infantil como acróbata cómico, zarandeado en el escenario de vodevil por sus padres actores. Al acabar los años veinte, el tirano recién nacido, el cine sonoro, silenció su genio.

Charles Chaplin Gran Bretaña, 1889–1977

La quimera del oro (The Gold Rush). 1925

Película de 35 mm, blanco y negro, muda,
66 minutos (aprox.)
Charles Chaplin

La quimera del oro fue la última película que
hizo Chaplin antes de que el espectro del
"sonoro" empezara a acosarle. Sus pasajes
más brillantes –el personaje de Chaplin, el
Pequeño Vagabundo, bailando la danza de
los panecillos, el hambriento Mack Swain
confundiendo al Vagabundo con un pollo
gigante, Swain y el Vagabundo comiéndose
un zapato de éste y la cabaña oscilando al
borde del abismo– son piezas indispensables en cualquier antología de los momentos
clásicos del cine mudo de humor. Aunque
todas las películas mudas de Chaplin son un
tanto episódicas, su unidad se sostiene gracias a sus sublimes interpretaciones y su fér-
til imaginación.

    La quimera del oro es la película más
famosa de Chaplin, pero es atípica de su producción en varios aspectos. Los desiertos

nevados están muy lejos de sus habituales
escenarios urbanos y rurales. El canibalismo
y el asesinato parecen asuntos peculiar-
mente oscuros para una comedia hecha en
mitad de la década más optimista del siglo
XX. La película tiene además un final
extraño, en el que el Vagabundo se casa y
se hace millonario. *La quimera del oro*
retrató a Chaplin en una época de relativo
contento: uno de los grandes genios del siglo
en un momento de confianza en su capacidad de controlar su destino y su arte. De
todos modos, en tres películas posteriores
regresó tan libre y menesteroso como
siempre.

Edward Hopper Estados Unidos, 1882–1967

Casa junto al ferrocarril. 1925

Óleo sobre lienzo, 61 × 73,7 cm
Donación anónima

El pasado y el presente se unen en este cuadro de Hopper: el ferrocarril, símbolo de la industria moderna, traspasa una América rural encarnada en una triste mansión victoriana. La que antaño fuera residencia opulenta se yergue alta pero vacía, aislada contra el cielo, y su terraza, concebida para la contemplación ociosa de la naturaleza, ahora se asoma a las vías de acero que cruzan el primer término, oscureciendo a la vez el horizonte y los cimientos de la casa en la tierra. No hay presencia humana, pero las persianas, unas cerradas y otras entreabiertas, sugieren que la casa quizá no esté abandonada. El misterio y el drama aumentan con la luz que cae desde la izquierda, reflejando un blanco casi cegador en parte de la casa pero dejando el resto en honda sombra.

Como pintor tercamente realista en un siglo de innovación estética, Hopper tenía algo en común con el edificio de *Casa junto al ferrocarril*, anticuado en un mundo cambiante. Pero el color y la construcción de la pintura de Hopper son precisos y perdurables, y su variedad de realismo posee una emoción indeleble. Hopper descubre algo patético en la grandiosidad un tanto rebuscada de esa arquitectura vetusta, que, a diferencia de la vía del tren, no va a ninguna parte.

Alfred Stieglitz
Estados Unidos, 1864–1946

Manzanas y hastial, Lake George.
1922

Copia en papel gelatina de plata, 11,6 × 9,1 cm
Donación anónima

Esta imagen se puede leer como un símbolo: de la tentación de Eva en el Jardín del Edén quizá, o de la armonía entre la naturaleza y la humanidad. Pero se presenta como una experiencia sensual e inmediata. Casi dan ganas de extender la mano para arrancar las manzanas cubiertas de rocío.

Stieglitz tenía cincuenta y ocho años cuando hizo esta fotografía en la propiedad familiar de Lake George (Nueva York), donde veraneó desde la infancia hasta la vejez. En el cambio de siglo pensaba que para ser artística la fotografía debía emular a las otras artes, y por lo tanto moderar o disimular su terrenal realismo. Más tarde, en los años veinte, ayudó a demostrar a través de sus propias obras que batallar con la terca especificidad del medio fotográfico era ya de por sí una de las Bellas Artes.

Georgia O'Keeffe   Estados Unidos, 1887–1986

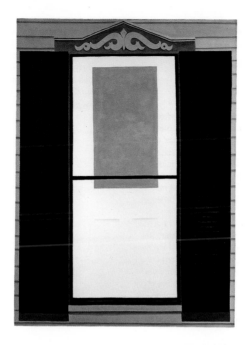

Ventana y puerta de una granja.
1929

Óleo sobre lienzo, 101,6 × 76,2 cm
Adquirido a través del legado Richard D. Brixey

Ventana de Lake George muestra un detalle de la granja de Lake George, al norte del estado de Nueva York, donde O'Keeffe y su marido el fotógrafo Alfred Stieglitz pasaron muchos veranos. La estructura de la ventana, los postigos que la flanquean y el frontón ornamental se reconocen en muchas de las fotografías de la casa que hizo Stieglitz, pero O'Keeffe las concentra en una imagen que es a la vez una esencia de lo estadounidense y casi una abstracción. Contemplando la ventana de frente y de cerca, regulariza y achata sus formas; enmarcándola estrechamente de modo que apenas se vea la pared de alrededor, casi elimina su contexto. La composición pasa a ser una disposición geométrica de rectángulos, rota por las curvas decorativas y el triángulo del frontón.

Las líneas netas y los ángulos rectos de *Ventana de Lake George* reflejan un lado precisionista de la obra de O'Keeffe, que en otras ocasiones hace gala de una respuesta sensual a las formas orgánicas y una lujuriante delicadeza del color. Pero la austeridad de los planos chatos y la paleta limitada de esta pintura oculta un enigma conceptual: los postigos anuncian una ventana pero al parecer encierran también una puerta, con cuarterones rectangulares abajo y un panel de cristal —el rectángulo verde— arriba. Estos elementos parecen plantear una broma sobre la transparencia, mientras que el verde enlaza el "interior" con el aplacado externo. O'Keeffe era capaz de ver un universo de color en un pétalo, pero a través de este claro cristal descubre una densa opacidad.

Dorothea Lange   Estados Unidos, 1895–1965

Mujer de las High Plains, Panhandle de Texas. 1938

Copia en papel gelatina de plata,
31,5 × 25,4 cm
Compra

Vista ligeramente desde abajo, la mujer de esta fotografía se ha convertido en una figura monumental, que se recorta sobre el cielo abierto y la tierra implacable. Su gesto está cargado de sufrimiento, pero no nos dice nada concreto sobre su vida o sus afanes. Sin embargo, el sol cae sobre la carne palpable de una persona y la tela raída de su vestido.

Esta imagen es un ejemplo del talento excepcional de Lange para dar el salto del hecho inmediato al símbolo general sin dejar atrás la realidad. La hizo para la Farm Security Administration, un organismo del gobierno cuya unidad de fotografía fue encargada de documentar la pobreza rural en los años treinta. Las obras de Lange establecieron una imagen duradera de la Gran Depresión, y también robustecieron el nexo entre el estilo descriptivo de la fotografía documental y el ideal del compromiso social, pasando a ser una piedra de toque para los fotógrafos que pensaban que su trabajo no consistía sólo en registrar las condiciones sociales, sino en tratar de persuadir a mejorarlas.

Robert J. Flaherty   Estados Unidos, 1884–1951

Nanuk el esquimal (Nanook of the North). 1922

Película de 35 mm, blanco y negro y teñido de color, muda, 56 minutos (aprox.)
Adquirida del artista; conservada con financiación del Celeste Bartos Film Preservation Fund y la National Endowment for the Arts

Al comprometerse a rodar una película de base narrativa que pusiera de relieve el carácter y la grandeza de los inuit de la bahía de Hudson (Canadá), Flaherty escogió como protagonista a un reverenciado cazador. Durante un año acompañó a aquel hombre, llamado Nanuk en la película, y a su familia extensa de iglú en iglú, de cacería en cacería. La inventiva técnica y la colaboración de los inuit fueron decisivas para el éxito de la obra. Cuando, por ejemplo, no se pudo filmar la matanza real de una foca, los inuit arrastraron una foca muerta bajo el hielo y recrearon su lucha por la vida.

Flaherty, explorador de la tundra canadiense para intereses mineros y ferroviarios, llevó consigo por primera vez una cámara de cine en una expedición de 1913, para tomar apuntes visuales. En seguida el cine pasó a ser su ocupación primordial. *Nanuk el esquimal* fue financiada por una firma francesa de peletería, Revillon Frères, y distribuida por el gigante del cine francés Pathé. Las grandes compañías del cine americano la habían rechazado, pero fue un enorme éxito de crítica y de taquilla y madre de todo el cine documental posterior. Renunciando al distanciamiento típico en los documentales de viajes, *Nanuk el esquimal* combinaba imágenes realistas, rotundas y bien compuestas, con cierta línea argumental y un personaje central fuerte. Además, con la ficcionalización de hechos reales y la óptica romántica que Flaherty aplicó a su tema, la película sigue suscitando preguntas sobre la objetividad del género documental.

Charles Sheeler Estados Unidos, 1883–1965

Paisaje americano. 1930

Óleo sobre lienzo, 61 × 78,8 cm
Donación de Abby Aldrich Rockefeller

Fotógrafo además de pintor, Sheeler fue contratado en 1927 por la empresa publicitaria de la Ford Motor Company en Filadelfia para fotografiar la planta Ford en River Rouge (Michigan), a las afueras de Detroit. *Paisaje americano* procede de una de aquellas fotografías. Sheeler escogió un detalle y lo siguió muy de cerca, pero el diferente encuadre crea una clara estructura pictórica de bandas horizontales regularmente divididas por las verticales de la chimenea, la grúa y sus reflejos en el agua.

El aspecto limpio y nítido de la pintura refleja la fe de Sheeler en la necesidad de una estética de la era maquinista. En el siglo XX, sostenía, "la industria afecta a la mayoría. El Lenguaje de las Artes debe estar en consonancia con el Espíritu de la Época". Había estudiado el cubismo y conocía la imaginería maquinista de Marcel Duchamp y Francis Picabia, pero quería "hacer que el

método de la pintura deje de ser un obstáculo para ver". Con esa idea él y otros artistas concibieron un estilo liso, diáfano, casi fotográfico, que recibió el nombre de precisionismo, para reflejar el panorama industrial de América.

Sheeler muestra la planta Ford como algo literalmente impersonal, vacío de personas. Salvo la figura diminuta de la vía, no hay rastro de operarios, ni menos de la complejidad de las relaciones laborales en la industria pesada. La planta se presenta también con una limpieza inverosímil, aunque es verdad que su pulcritud impresionaba a los visitantes de la época.

Le Corbusier (Charles-Édouard Jeanneret)

Francia, nacido en Suiza. 1887–1965

con **Pierre Jeanneret** Suiza, 1896–1967

Villa Savoye, Poissy-sur-Seine, Francia. 1929–1931

Maqueta: madera, aluminio y plástico,
36,8 × 80 × 86,4 cm
Autor de la maqueta: Theodore Conrad (1932)
Compra

Villa Savoye, residencia de fin de semana a las afueras de París, es quizá lo mejor de la primera etapa de Le Corbusier, que ayudado por su primo Pierre ideó la composición entera como una sucesión de efectos espaciales. Al llegar en coche, el visitante pasa por debajo de la casa, dando una vuelta hasta la entrada principal. Desde la puerta sube por la escalera de caracol o por la rampa a las habitaciones del piso principal. La rampa continúa desde el patio abierto central hasta la terraza del nivel superior, que resguardada del viento por paramentos de colores alegres es una solana perfecta para gozar del sol, el aire fresco y la naturaleza.

En su famoso libro del año 1923 *Vers une architecture*, quizá el libro de arquitectura más influyente del siglo XX, Le Corbusier declaró que las casas eran "máquinas de habitar". Villa Savoye, un volumen blanco de líneas rectas en un paisaje llano, celebra su convicción de que las formas ideales universales, aunque arraigadas en la tradición clásica, eran apropiadas para la arquitectura de la era maquinista. El diseño posee los "cinco puntos de arquitectura" que Le Corbusier consideraba indispensables: *pilotis* (columnas de hormigón armado), planta libre, fachada libre, bandas de ventanas corridas y azotea ajardinada.

Esta maqueta formó parte en 1932 de la primera exposición de arquitectura del Museum of Modern Art, que documentó las tendencias que vendrían a ser conocidas como Estilo Internacional.

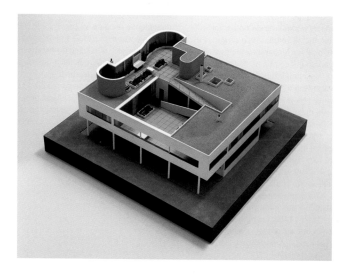

Leo McCarey Estados Unidos, 1898–1969

Sopa de ganso (Duck Soup). 1933

Película de 35 mm, blanco y negro, sonora,
70 minutos
Adquirida de Paramount Pictures
Groucho Marx

Por su brillante combinación de pantomima
muda y pirotecnia verbal, *Sopa de ganso* es
el destilado de los mejores elementos que se
encuentran en las comedias de los hermanos Marx. Bajo la jefatura del inolvidable primer ministro Rufus T. Firefly (Groucho Marx),
Freedonia va a la guerra con la vecina
Sylvania sin ningún motivo. Entre las escenas más famosas de la película están el
momento en que Groucho confunde a Harpo
con su propia imagen en el espejo y el bombardeo de naranjas y pomelos que soporta
Margaret Dumont al cantar el himno nacional
en el enloquecido final. Inolvidables son los
diálogos y las confusiones del juego verbal:
dobles sentidos, absurdos y retruécanos. Los
hermanos Marx y McCarey presentan un
mundo en el que los grupos organizados, los
partidos políticos, las naciones y las clases
sociales parecen necios y los bufones
cuerdos.

Para críticos y aficionados de todo el
mundo, *Sopa de ganso* es una de las mejores comedias de los Marx, pero su estreno
en 1933 fue tal fracaso que la Paramount les
rescindió el contrato. Con la economía estadounidense hundida, el ascenso de Hitler en
Alemania y la democracia tambaleándose en
muchos países, el público no estaba de
humor para una sátira política que no se
paraba en barras ni dejaba títere con
cabeza. Aunque *Sopa de ganso* era lo bastante provocadora para que Mussolini la pro-
hibiera en Italia, McCarey insistió en que su
único mensaje político era "reírse de los
dictadores".

George Stevens Estados Unidos, 1904–1975

En alas de la danza (Swing Time).
1936

Película de 35 mm, blanco y negro, sonora,
103 minutos
Adquirida de RKO
Fred Astaire, Ginger Rogers

No existe un icono más emblemático del
musical de Hollywood que las figuras danzantes de Fred Astaire y Ginger Rogers. En esta
película de Stevens la danza sirve para
expresar una trama romántica, como fue
típico en los musicales de los años treinta.
Lucky Garnett (Fred Astaire), bailarín y jugador ocasional, llega tarde a su boda con
Margaret Watson (Betty Furness) y se
encuentra con que el furioso padre de ésta,
que es también el juez (Landers Stevens), ha
suspendido el enlace. El juez reta a Lucky a
ir a Nueva York y ganar 25.000 dólares si
quiere recuperar la mano de Margaret. En
Nueva York Lucky conoce a Penny (Ginger
Rogers), una profesora de baile que pierde el
trabajo como consecuencia de su encuentro
fortuito. Pero los dos hacen una prueba en
la sala de fiestas Silver Sandal, deslumbran

y consiguen un contrato. Cuando Margaret
llega a Nueva York para decirle a Lucky que
se ha enamorado de otro hombre, Lucky y
Penny quedan en libertad para seguir formando pareja en el amor y en la pista.

En alas de la danza marca la introducción de efectos especiales en los números
de baile de Astaire. En "Bojangles" baila con
grandes sombras de sí mismo. Para lograr
ese efecto se filmó el baile dos veces en diferentes condiciones de iluminación. Después
la versión de la sombra fuerte se triplicó ópti-
camente en el laboratorio y se combinó con
la secuencia rodada bajo iluminación
normal.

Stuart Davis Estados Unidos, 1892–1964

Odol. 1924

Óleo sobre cartón, 60,9 × 45,6 cm
Legado Mary Sisler (por intercambio) y compra

Davis dijo que sus cuadros tenían "su impulso de origen en el impacto del ambiente americano contemporáneo". En las primeras décadas del siglo XX, ese ambiente era atrevida e innovadoramente moderno, más que sus homólogos europeos, refrenados por la historia, la tradición y una infraestructura material más antigua. Pero, al mismo tiempo que artistas franceses como Fernand Léger veían a los Estados Unidos como modelo de la modernidad, los innovadores en el arte eran ellos; así que americanos como Davis buscaron en la obra de europeos las maneras de asimilar la experiencia de su propia sociedad.

Odol ejemplifica ese tráfico bidireccional: Davis ha aplicado la sencillez monumentalizante y los planos geometrizados de Léger, así como el interés cubista por los logotipos y envoltorios de los nuevos productos de consumo, a un estudio del diseño comercial americano. La botella de una marca popular de elixir bucal aparece entre una caja transparente sesgada y un dibujo de cuadros en verde y blanco. Ese espacio anónimo enmarca y acentúa la rotulación de la botella y su forma peculiar, pensadas para la comodidad y para el reclamo incisivo en un mercado movido por la publicidad moderna.

El producto elegido por Davis, destinado a la higiene personal, podría ser un eco sibilino de la retórica vanguardista de limpiar y eliminar los desechos de la historia. Había sostenido que la obra de arte tenía que ser "positiva y directa"; *Odol* no sólo lo es, sino que además *It Purifies*, "purifica".

Sven Wingquist Suecia, 1876–1959

Rodamiento de bolas de autoalineación. 1907

Acero cromado, 4,4 × 21,6 cm (diám.)
Fabricante: SKF Industries, Inc., EEUU
Donación del fabricante

Eficiente y agradable a la vista, el rodamiento de bolas podría ser un emblema de lo que a menudo se ha llamado la era maquinista, las décadas de 1920 y 1930, cuando tanto los diseñadores industriales como los consumidores manifestaron un interés renovado por el aspecto y el estilo de los productos comerciales. Hasta los elementos de máquinas podían ser apreciados por su belleza, que emanaba de la pureza de la geometría abstracta. Para los modernos el buen diseño era esencial para la mejora de la sociedad, y en 1934 este rodamiento de bolas fue una de las primeras obras que entraron en la colección de diseño del Museum of Modern Art.

Diseñado por Wingquist, este robusto rodamiento de acero está formado por una doble serie de bolas en un anillo. Este tipo era estructuralmente superior al rodamiento deslizante, que malgasta energía en realinear los árboles de máquinas desalineados en la cadena de montaje de un proceso de fabricación. La autoalineación del rodamiento de bolas hacía de él un producto superior porque admitía cierto grado de desalineamiento sin perder resistencia.

Edward Weston
Estados Unidos, 1886–1958

México, D.F. 1925

Copia al platino, 24,3 × 18,3 cm
Donación del artista

Sería difícil imaginar un desnudo más austero. Aislado sobre un fondo oscuro y vacío, el cuerpo ha pasado a ser una forma simple y simétrica. La fotografía no puede aproximarse más a lograr una imagen de forma ideal, sin las complicaciones de la experiencia terrenal. Y, sin embargo, se ve al instante que es un cuerpo humano con volumen y peso, una presencia física innegable.

Y, sin embargo, se ve al instante que es un cuerpo humano con volumen y peso, una presencia física innegable.

La obra de Weston en los años veinte, especialmente sus desnudos y fotografías de hortalizas, caracolas y otras formas orgánicas, sentó un criterio nuevo y exigente para la fotografía moderna. Nada quedaba al azar en sus imágenes, ningún detalle distraía de la fuerza y la claridad del conjunto. Al mismo tiempo eran descripciones inequívocamente directas de cosas concretas. La enorme influencia de la estética de Weston se basó en su capacidad de descubrir el

ideal abstracto en lo absolutamente real. El título de esta fotografía alude a la Ciudad de México –México, Distrito Federal– donde Weston residía cuando la hizo.

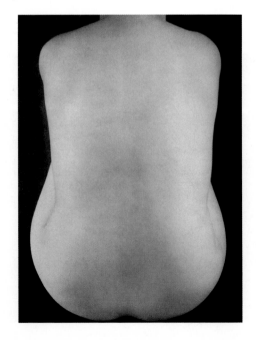

Alvar Aalto Finlandia, 1898–1976

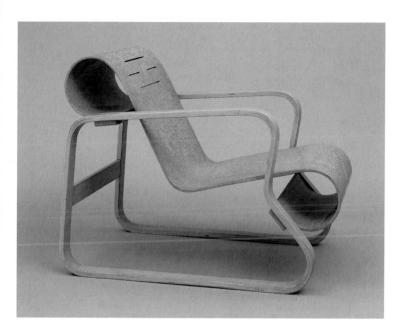

Butaca Paimio. 1931–1932

Contrachapado curvado, abedul laminado
curvado y abedul macizo, 66 × 61 × 87,6 cm
Fabricante: Oy Huonekalu-ja
Rakennustyötehdas Ab, Finlandia
Donación de Edgar Kaufmann, Jr.

Admirada por su presencia escultórica tanto
como por su comodidad, la Butaca Paimio es
un *tour-de-force* que parece poner a prueba
los límites de la fabricación en contrachapado curvado. La armazón se compone de
dos cercos de madera laminada que forman
los brazos y las patas, entre los cuales se
sostiene el asiento, una delgada tabla de
contrachapado fuertemente curvada arriba y
abajo en sendas volutas que le dan mayor
flexibilidad. Aalto se inspiró en el Sillón Club
que Marcel Breuer había hecho en 1927–
1928 con tubo de acero, pero escogió la
madera de abedul por su tacto natural y sus
propiedades aislantes y desarrolló una
forma más orgánica.

La Butaca Paimio, el más conocido de
sus muebles, toma su nombre de la ciudad
del suroeste de Finlandia para la que Aalto
diseñó un sanatorio antituberculoso con
todos sus enseres. En esta butaca, desti-
nada a la sala de estar de los pacientes, el
ángulo del respaldo está proyectado para
facilitar la respiración del usuario.

Los muebles de madera curvada de
Aalto tuvieron una gran influencia en los
diseñadores estadounidenses Charles y Ray
Eames y en el finlandés Eero Saarinen. En
1935 se creó en Finlandia la firma Artek
para producir en serie y comercializar muebles de madera diseñados por Aalto y su
esposa Aino. Casi todos sus modelos se
fabrican todavía.

Salvador Dalí España, 1904–1989

Persistencia de la memoria. 1931

Óleo sobre lienzo, 24,1 × 33 cm
Donación anónima

Persistencia de la memoria es un título bien puesto para una escena inolvidable. En este paisaje onírico, yermo e infinito, los objetos duros se reblandecen inexplicablemente y el metal atrae a las hormigas como carne putrefacta. Dalí, maestro en lo que él llamó "los habituales trucos paralizantes del trampantojo", pintaba con "la precisión más imperialista", pero sólo para, según él, "sistematizar la confusión y contribuir al descrédito total del mundo de la realidad". Es la ambición surrealista clásica, pero aquí también se incluye algo de realidad literal: los dorados acantilados de la lejanía son la costa de Cataluña, hogar del artista.

Esos relojes blandos tienen la consistencia del queso pasado, "el camembert del tiempo", en palabras de su autor. Aquí el tiempo tiene que perder todo significado. Con él se va la permanencia: las hormigas, tema común en la obra de Dalí, representan la descomposición, particularmente cuando atacan un reloj de oro que se convierte en algo grotescamente orgánico. La monstruosa criatura fofa tendida sobre el centro de la pintura es a la vez desconocida y familiar: aproximación al perfil del propio Dalí, sus largas pestañas parecen inquietantemente insectiles o incluso sexuales, lo mismo que lo que puede ser o no una lengua que brota de la nariz como una gruesa babosa.

El año antes de hacer esta pintura Dalí formuló su "método paranoico- crítico", que cultivaba las alucinaciones psicóticas autoinducidas para crear arte. "La diferencia entre un loco y yo", afirmó, "es que yo no estoy loco."

Meret Oppenheim
Suiza, nacida en Alemania. 1913–1985

Objeto (Le Déjeuner en fourrure).
1936

Taza, plato y cuchara forrados de piel; taza,
diám. 10,9 cm; plato, diám. 23,7 cm;
cuchara, longitud 20,2 cm; altura total 7,3 cm
Compra

La taza forrada de piel de Oppenheim es
quizá el más célebre de los objetos surrealistas. La inspiración de su sutil perversidad
fue una conversación entre Oppenheim,
Pablo Picasso y la fotógrafa Dora Maar en un
café de París: Picasso, admirando las pulse-
ras ribeteadas de piel de Oppenheim,
comentó que casi cualquier cosa se podía
recubrir de piel. "Hasta esta taza y este
plato", repuso Oppenheim.

En los años treinta muchos artistas
surrealistas dispusieron objetos encontrados
en combinaciones extravagantes que desafia-
ban a la razón y suscitaban asociaciones
inconscientes y poéticas. *Objeto* –titulado *Le
Déjeuner en fourrure*, "El almuerzo vestido de
pieles", por el dirigente surrealista André
Breton– es una taza con su plato, compra-
dos en unos almacenes de París y forrados
con piel de gacela china. La obra explota las
diferencias entre variedades del placer sensual: la piel puede agradar al tacto pero

repele a la lengua. Y una taza y una cuchara
están hechas, claro está, para llevarlas a la
boca.

En cuanto pequeño objeto cóncavo
cubierto de pelo, *Objeto* puede encerrar también una connotación e intención sexual: trabajando en un mundo artístico dominado por
los hombres, quizá Oppenheim se burlara de
la "masculinidad" dominante en la escultura,
que por convención adopta una sustancia
dura y una orientación vertical que podrían
tomarse como casi absurdamente autorrefe-
rentes. Chic, sarcástico, y al mismo tiempo
atractivo e inquietante, *Objeto* es astuto y
calladamente agresivo.

Henri Cartier-Bresson Francia, 1908–2004

Sevilla. 1933

Copia en papel gelatina de plata,
23,4 × 34,5 cm
Donación del artista

Esta fotografía presenta a un grupo de niños como personas de carne y hueso y como formas que contrastan con los boquetes de las paredes ruinosas, y su vitalidad brota de la relación recíproca entre esas dos maneras de contemplar el mundo. De hecho sólo dos de los niños están en movimiento, pero la fuerza gráfica de la composición infunde a la imagen entera la energía traviesa de los pocos años. Cartier-Bresson acuñó una expresión para el instante en el que la confluencia de contenido humano y forma fotográfica puede dar esta clase de sorpresas: lo llamó "el momento decisivo".

Más tarde, siendo reportero gráfico después de la Segunda Guerra Mundial, Cartier-Bresson se ganaría la envidia de sus colegas por su facultad de hacerse invisible y captar los sucesos sin turbarlos con su presencia. En muchas de sus primeras fotografías, por el contrario, sus modelos le veían y hasta actuaban para él, como aquí el niño de arriba a la derecha. Es como si el teatro impredecible de la calle se hubiera coreografiado sólo para el fotógrafo.

Esta imagen se ha malinterpretado como documento de la guerra civil española, pero la antecede en tres años. No obstante, su dimensión social –la identificación del fotógrafo con los pobres y los marginados– es auténtica.

Walker Evans Estados Unidos, 1903–1975

Muestrario de fotos de carnet, Savannah, Georgia. 1936

Copia en papel gelatina de plata,
21,9 × 17,6 cm
Donación de Willard Van Dyke

En el escaparate del fotógrafo de Savannah hay quince bloques de quince fotografías cada uno, 225 retratos en total, menos los que oculta el rótulo. Casi todos los modelos aparecen por lo menos dos veces, pero en conjunto hay más de un centenar de hombres, mujeres y niños diferentes: una comunidad.

Evans exploró los Estados Unidos de los años treinta –su gente, su arquitectura, sus símbolos culturales (incluidas las fotografías)– con la mirada desinteresada del arqueólogo que estudia una civilización antigua. *Muestrario de fotos de carnet* se podría interpretar como una celebración de la democracia o una condena de la conformidad. Evans no se pronuncia.

La fotografía tiene mucho de imagen moderna: nítida, planar y decididamente autónoma. Pero, en lugar de reafirmar un ideal intemporal, como en general habían pretendido hacer los fotógrafos estadounidenses con ambiciones artísticas antes de Evans, se ocupa de una particularidad contemporánea que es producto de la historia. Y proclama la lealtad de Evans al sencillo lenguaje vernáculo de fotógrafos vulgares como el retratista de Savannah que hizo las fotos de este escaparate.

Joaquín Torres-García Uruguayo, 1874–1949

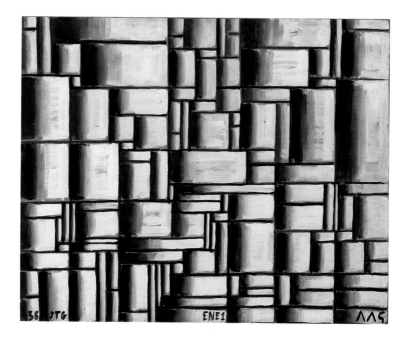

Construcción en blanco y negro.
1938

Óleo sobre papel montado sobre madera,
80,7 × 102 cm
Donación de Patricia Phelps de Cisneros en
honor de David Rockefeller

Torres-García rechazaba la oposición entre
figuración y abstracción, prefiriendo considerar
"constructiva" su pintura e incidiendo más
en la factura que en la imagen final. En este
ejemplo, el contraste del negro y el blanco
es el único medio que utiliza para construir
una cuadrícula sincopada que parece salir
hacia fuera tanto como retroceder al interior
del plano pictórico. El efecto causado por el
volumen y la geometría irregular evoca
estructuras arquitectónicas primigenias
como las de esos trabajos incas de piedra
que interesaban especialmente a
Torres-García.

A finales de los años treinta Torres-
García elaboró una filosofía personal sobre
el arte a la que denominó Universalismo

Constructivo. Canalizó a través de ella su
enfoque del arte como medio para organizar
el mundo natural y la experiencia humana
con arreglo a las leyes universales de la unidad. En sus ideas influyó mucho la abstracción geométrica practicada por los artistas
del círculo Cercle et Carré (Círculo y
Cuadrado), que contribuyó a fundar en París
en 1930. Cuando Torres-García regresó a su
Uruguay natal en 1934, se esforzó en sintetizar el modernismo europeo con las tradiciones indígenas. La inscripción AAC que
aparece en la parte inferior derecha alude a
la Asociación de Arte Constructivo, creada
por el artista para difundir el arte moderno
en Sudamérica y adaptarlo a las tradiciones
locales.

Alexander Calder   Estados Unidos, 1898–1976

Gibraltar. 1936

Construcción de palo santo, nogal, varillas de
acero y madera pintada,
131,7 × 61,3 × 28,7 cm
Donación del artista

Aunque *Gibraltar* sea una obra abstracta, es
fácil asociar su base, un pesado trozo de
madera tropical, con el peñón mediterráneo
que le da nombre. Esa masa de madera es
tosca y sólida, y aparentemente informe. Más
delicados y más claramente marcados por el
artificio humano son el plano inclinado de
nogal, la bola de madera pintada y las dos
varillas de acero que sostienen una media
luna y una esfera. *Gibraltar* recuerda las formas biomórficas del arte surrealista, sobre
todo las de Joan Miró, que influyó mucho en
Calder. Pero hay también un humorismo poético que es privativo del escultor americano.
La escultura es contradictoria en sus
cualidades. Las varillas son finas y lineales,
y expresan un aéreo empuje ascendente y
un equilibrio excéntrico; el palo santo es
pesado, terrenal, sólido. También las superficies presentan distintos tratamientos en los
distintos materiales, desde la acción mecánica hasta el pulimiento manual y la ausencia de toda manipulación. Esas disyunciones
son muestras de un ingenio jovial que no
eclipsa la gracia de la obra. Calder afirmó
que "el sentido de la forma subyacente" en
su producción era "el sistema del Universo",
y *Gibraltar*, con su sol, su luna y su pesada
tierra, es un sistema solar en miniatura, un
sistema que se revela como un ajustado
equilibrio de contrarios.

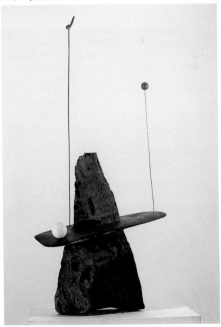

Pierre Bonnard Francia, 1867–1947

Desnudo en cuarto de baño. 1932

Óleo sobre lienzo, 121 × 118,1 cm
Legado Florene May Schoenborn

El escenario es el cuarto de baño de la casa
de Bonnard y la mujer desnuda aseándose
es la esposa del artista, Marthe. La elección
de espacio y figura es, pues, intensamente
personal, y la obra conserva un aire de intimidad y hasta de reclusión. Aunque Marthe
aparece en muchas pinturas de Bonnard,
pocas veces se le ve la cara: aquí agacha la
cabeza. La contraventana aísla del mundo
exterior. Una pintura en la que los blancos
de la bañera y del taburete son más lumino-
sos y vibrantes que las barras de luz natural
sugiere claustrofobia además de privacidad,
aunque el color pintado de Bonnard expresa
la riqueza de la vida doméstica e interior.

La composición de Bonnard es asimétrica, más oscura por la derecha que por la
izquierda, y su sujeto humano está descentrado y desenfocado. La técnica y el uso del
color proceden del impresionismo, pero
proclaman la independencia de la calidad
pictórica y la superficie respecto de la forma.
De hecho la intensidad de la obra como
campo de color puede pesar más que su
descriptividad: planos traslapados, motivos
indistintos, zonas equilibradas de frío y calor
y valores cromáticos próximos entre sí determinan una borrosidad de los bordes y las
texturas, un parpadeo. Por detrás de las formas curvas del primer término, parrillas sis-
temáticas de rectángulos y rombos crean
una estructura de eminente lógica.

Pablo Picasso España, 1881–1973

Muchacha frente a un espejo.
1932

Óleo sobre lienzo, 162,3 × 130,2 cm
Donación de Mrs. Simon Guggenheim

Muchacha frente a un espejo muestra a la
joven amante de Picasso Marie-Thérèse
Walter, uno de sus temas favoritos a comienzos de los años treinta. Su perfil de suave
rosa pastel aureolado de blanco aparece
sereno. Pero se suelda con una vista frontal
del rostro pintada con más aspereza: un creciente como de luna pero tan amarillo como
el sol, y maquillado con colorete, color de
labios y sombra de ojos verde. Quizá la pintura sugiera la personalidad diurna de Walter
y su personalidad nocturna, su calma y su
vitalidad, pero también la transición de
muchacha inocente a mujer mundana y consciente de su sexualidad.

Es también una variante compleja de la
Vanitas tradicional, la imagen de una mujer
frente a su mortalidad en un espejo que la
refleja como calavera. A la derecha el reflejo
sugiere una radiografía sobrenatural del
alma de la muchacha, su futuro, su destino.
La cara está oscurecida, los ojos son cuen-
cas vacías, y el cuerpo intensamente femenino está contrahecho y retorcido. La figura
del espejo parece más vieja y más angus-
tiada; la muchacha le tiende las manos
como si quisiera unir sus "identidades" diferentes. El papel de pared de rombos
recuerda el traje de Arlequín, el personaje
cómico de la *commedia dell'arte* con quien
Picasso se identificó a menudo, aquí testigo
silencioso de las transformaciones psíquicas
y físicas de la muchacha.

Pablo Picasso Español, 1881–1974

La mujer que llora, I, estado VII.
1937

Punta seca, aguatinta, aguafuerte y espátula,
plancha: 69 × 49,5 cm
Editor: el artista, París. Tirada: 15
Adquirido gracias a la generosidad de David
Rockefeller, Steven A. y Alexandra M. Cohen,
Debra y Leon Black, Jo Carole y Ronald S.
Lauder, Sue y Edgar Wachenheim III, Joan H.
Tisch, Alice y Tom Tisch, Marlene Hess
y James D. Zirin, Marie-Josée y Henry Kravis,
Katherine Farley y Jerry Speyer, Mary M.
Spencer, Donald B. Marron y Agnes Gund en
memoria de Joanne M. Stern

La mujer que llora, I es la elaboración de una
de las figuras centrales del famoso mural
Guernica, realizado por Picasso varios meses
antes. Al igual que *Guernica*, este grabado se
creó como reacción al bombardeo de la inde-
fensa población de Guernica que tuvo lugar
el 26 de abril de 1937 durante la Guerra Civil
española. La imagen sirve de símbolo de la
patria del artista, desgarrada por el enfrentamiento, y, de manera más universal, de los
horrores de la guerra.

El retrato hace referencia también a la
conflictiva vida amorosa de Picasso y parece
mezclar los rasgos de dos mujeres con las
que mantenía entonces relaciones sentimen-
tales. Dora Maar, célebre por su tempera-
mento volátil, está representada por el pelo
negro y lustroso, las uñas afiladas y el
estado lacrimoso en que Picasso solía mos-
trarla. Marie-Thérèse Walter resulta reconocible por su nariz y su frente características,
rasgos que el artista pintó frecuentemente
en los años treinta. La imagen se compone
de formas bulbosas, contorsionadas y dilata-
das y de un verdadero campo de batalla de
líneas enmarañadas que realzan la sensación de emoción explosiva. Picasso aprove-
chó asimismo las posibilidades que le
brindaban el aguafuerte y la punta seca para
crear detalles agudamente incisos como
esas lágrimas semejantes a uñas y esos
dedos como tijeras que refuerzan la idea del
dolor infligido. Otorgaba gran importancia a
este gran aguafuerte, que desarrolló y rehizo
a lo largo de siete etapas o estados independientes. Este es el estado séptimo y
definitivo.

Max Beckmann Alemania, 1884–1950

Partida. 1932–1933

Óleo sobre lienzo; tríptico, hoja central,
215,3 × 115,2 cm; hojas laterales,
cada una 215,3 × 99,7 cm
Donación anónima (por intercambio)

En la hoja derecha de *Partida*, dijo
Beckmann en una ocasión, "te ves a ti
mismo intentando encontrar el camino en la
oscuridad, iluminando el vestíbulo y la escalera con un miserable quinqué, arrastrando
atado a ti, como parte de tu ser, el cadáver
de tus recuerdos". El tríptico está lleno de
contenido personal y también de misterios.
Los peces repetidos, por ejemplo, son símbolos antiguos de la redención, pero también
pueden connotar la sexualidad. Quizá la
mujer torturada mire proféticamente a una
bola de cristal, pero lo que parece ver es el
periódico del día. A los hombres no se les ve
la cara: la tienen vuelta en las hojas laterales, tapada en el centro. ¿Es la suerte de la
misma pareja lo que se narra en las tres
imágenes?

Lo que Beckmann cuenta en *Partida* es
fragmentario, y en cualquier caso pensaba
que "si la gente no lo entiende por sus propios medios no tiene sentido exhibirlo". Pero
la obra, aunque enigmática en los detalles, es
clara en su conjunto: pintada en un
momento oscuro de Alemania (el de la
ascensión de Hitler al poder), habla de duras
cargas y brutalidades sádicas, a través de
las cuales el espíritu humano, regiamente
coronado, puede de algún modo navegar
sereno. Beckmann llamó "La vuelta a casa"
a la hoja central, y dijo de ella: "La Reina
lleva el mayor tesoro, la Libertad, como hijo
suyo en el regazo. La libertad es lo único que
importa: es la partida, el nuevo comienzo".

Brassaï (Gyula Halász) Francia, nacido en Hungría. 1899–1984

Kiki cantando, Cabaret des Fleurs, Montparnasse. 1933

Copia en papel gelatina de plata,
39,7 × 29,8 cm
David H. McAlpin Fund

Kiki era célebre entre los artistas de vanguardia que en los años veinte frecuentaban los bares y cabarets de Montparnasse, su barrio de París. Aquí está retratada en todo el esplendor de su personalidad profesional, como auténtica descendiente de las procaces heroínas del poeta del siglo XV François Villon. No sabemos quién es el acordeonista que la contempla con admiración y afecto.

Las fotografías de Brassaï son la última gran expresión de una tradición de retrato de la cultura popular parisiense que pasa por maestros como Edgar Degas y Henri de Toulouse- Lautrec. Cuando se tomó esta imagen esa tradición estaba teñida de nostalgia del pasado, y no tardaría en sucumbir a los motores de la modernidad y el negocio del turismo.

Las fotografías directas y contundentes de Brassaï, en las que a menudo el tema quedó fijado por el escrutinio insensible de un flash, fueron pronto y siguen siendo un modelo de la curiosidad feroz de la fotografía y una prueba del misterio del dato fotográfico sin adornos: un cimiento de lo que vendría a conocerse como la tradición documental.

Balthus (Baltusz Klossowski de Rola) Francia,
1908–2001

La calle. 1993

Óleo sobre lienzo, 195 × 240 cm
Legado James Thrall Soby

Aunque ambientada en un lugar real –la rue
Bourbon-le-Château de París– *La calle* tiene
la intensidad de un sueño. Las figuras de
esta extraña danza paralizada están cuidadosamente alineadas a modo de friso, pero
no existe interacción entre ellas, si se excep-
túa la pareja que forcejea a la izquierda. El
cocinero de alto gorro ni siquiera es un ser
humano, sino el anuncio de un restaurante
puesto en la acera; pero no resulta más
rígido que los restantes personajes, que,
estilizados y macizos, más parecen posar
que andar.

Parte de la tensión de la obra se debe a
la heterogeneidad de las tradiciones que
aglutina. La perspectiva arquitectónica en
disminución emula la geometría renacen-
tista, porque Balthus era un gran admirador
de artistas del Quattrocento, y en particular
de Piero della Francesca. Pero otra influencia
muy distinta lo enlaza con sus colegas
surrealistas: mucho después de pintar *La
calle* seguía diciendo que nunca había
dejado de ver las cosas como las veía de
niño. Conocía bien libros infantiles como las
historias de "Alicia" de Lewis Carroll, con
sus ilustraciones de John Tenniel, y se ha
dicho que la niña sorprendida en medio del
trajín sería la propia Alicia; el jovencito
del centro se parece a Tweedledum o
Tweedledee, y el hombre del tablón podría
ser el carpintero de Carroll sin la compañía
de la morsa, aunque su semejanza simultá-
nea con una figura de la *Invención de la Cruz*
de Piero en Arezzo (hacia 1455) insinúa un
registro simbólico distinto.

Aristide Maillol Francia, 1861–1944

El río. 1938–1943

Plomo (vaciado en 1948), 136,5 × 228,6 ×
167,7 cm, sobre un plinto de plomo diseñado
por el artista, 24,8 × 170,1 × 70,4 cm
Mrs. Simon Guggenheim Fund

La audaz inestabilidad y la torsión de *El río*
son raras en la escultura de Maillol. Lejos de
querer emular el dinamismo de la vida del
siglo XX como tantos artistas de su tiempo,
Maillol buscó casi siempre la serenidad y la
quietud, la nobleza y la simplicidad del arte
clásico. Todavía en 1937 observaba: "Para
mi gusto, en la escultura debería haber el
menor movimiento posible". Sin embargo,
más o menos un año después ya había concebido *El río*, una obra en la que el movimiento es casi temerario.

   Al recibir el encargo de un monumento a
un notable pacifista, el escritor francés Henri
Barbusse, Maillol imaginó una obra sobre el
tema de la guerra: una mujer que cae apuña-
lada por la espalda. Cuando el encargo se

canceló, transformó aquella idea en *El río*.
Rompiendo con las fórmulas establecidas de
la escultura monumental, la figura yace a ras
de tierra, al parecer precariamente apoyada
en el plinto, derramándose incluso más
abajo del borde. Agitada y retorcida, con los
brazos alzados como contra la presión de
una corriente poderosa, esta mujer es la personificación del agua en movimiento.

Manuel Álvarez Bravo México, 1902–2002

La hija de los danzantes. 1933

Copia en papel gelatina de plata, 23,5 × 17 cm
Compra

En ésta como en muchas fotografías de Álvarez Bravo, nuestra experiencia comienza con el tema de mirar: hay que preguntarse que será lo que está viendo, o buscando, esta muchacha. Se ha señalado que la torpe postura de sus pies, uno montado encima del otro al empinarse, evoca las figuras de relieves y esculturas mexicanas anteriores a la conquista española, y que la muchacha, que viste el traje tradicional, se podría interpretar como una representación de México que busca su pasado a través del óculo de ese muro desgastado. Está claro que es una imagen preparada, y sabemos que el fotógrafo ha provocado deliberadamente nuestra curiosidad.

La fotografía tiene una fuerza intrínseca para crear misterio porque sólo describe aspectos de las cosas y nunca cuenta toda la historia. En las manos de un fotógrafo hábil esa capacidad de intrigar puede ser el cimiento de una estética, una manera de trabajar. A lo largo de sus setenta y cinco años de carrera, el fotógrafo mexicano Álvarez Bravo hizo siempre fotografías muy humanas cargadas de enigmas.

Robert Capa (nacido Endre Friedmann), estadounidense, nacido en Hungría.
1913–1954

Muerte de un miliciano de la República, frente de Córdoba (España). Finales de agosto a principios de septiembre de 1936

Copia a la gelatina de plata, 18,1 × 23,8 cm
Donación de Edward Steichen

La fotografía que hizo Robert Capa de un miliciano español detenido en mitad de su caída, tomada en el preciso instante en que acaba con él una bala franquista, figura entre las imágenes de guerra más famosas captadas por una cámara. La obra de Capa tiene una fuerza plástica innegable: el soldado aparece aislado sobre una extensión de cielo pavorosamente serena, con el brazo extendido en una postura que recuerda a una crucifixión y el fusil escapando de su agarre debilitado.

Capa tenía veintidós años cuando realizó esta fotografía mientras documentaba los primeros años de la Guerra Civil española. Antes de que se tuviese amplio acceso a las emisiones de televisión, el público conocía las imágenes de la guerra fundamentalmente a través de publicaciones impresas, y ésta de Capa, que gozó de amplia difusión tras publicarse inicialmente en el número del 23 de septiembre de 1936 de la revista francesa *Vu*, supuso toda una revelación. La fotografía de Capa resume perfectamente la relación única de su medio con los hechos, conmemorando y dramatizando, y en este caso inmortalizando el momento exacto de la muerte como nunca se había logrado hasta entonces. No obstante, desde mediados de los setenta, hay estudiosos, fascinados por los detalles que faltan en torno a la imagen, que vienen discutiendo acerca de la identidad del miliciano anarquista y del lugar en que fue disparado, apuntando una inquietante relación entre la verdad y la ficción en la fotografía de guerra.

Diego Rivera México, 1886–1957

El caudillo agrarista Zapata. 1931

Fresco, 238,1 × 188 cm
Abby Aldrich Rockefeller Fund

En los años veinte, tras el final de la revolución mexicana, Rivera fue uno de los pintores que desarrollaron un arte de murales públicos para celebrar la cultura indígena de México y aleccionar a la nación sobre su historia y sobre los sueños del nuevo gobierno para el futuro. Rivera había vivido en París y conocía bien la pintura moderna. También había estado en Italia para estudiar los frescos renacentistas, porque en México tanto artistas como políticos reconocían el valor de esta forma mural como vehículo de educación e inspiración. Vuelto a su país en 1921, acometió una notable serie de frescos (pinturas hechas sobre mortero húmedo, en las que los pigmentos se funden con el mortero al secarse éste).

El caudillo agrarista Zapata, que Rivera creó para su exposición de 1931 en el Museum of Modern Art, replica parte de un fresco que en 1930 había pintado en el Palacio de Cortés en Cuernavaca. Emiliano Zapata fue un héroe de la revolución mexicana que murió en 1919, víctima de las luchas intestinas de los revolucionarios. Rivera le muestra con el traje regional de Cuernavaca y un machete de cortar caña de azúcar. También sus seguidores llevan las toscas armas de una milicia de campesinos. Pero el jinete enviado para hacer frente a ese ejército harapiento yace en el fango, y Zapata se ha adueñado de su caballo, cuya figura Rivera tomó de una obra del pintor florentino del siglo XV Paolo Uccello.

David Alfaro Siqueiros   México, 1896–1974

Suicidio colectivo. 1936

Esmalte sobre tabla con secciones aplicadas,
124,5 × 182,9 cm
Donación del Dr. Gregory Zilboorg

Suicidio colectivo es una visión apocalíptica
de la conquista española de Mexico, cuando
muchos de los habitantes indígenos se quita-
ron la vida antes que someterse a la esclavi-
tud. Siqueiros muestra soldados españoles
con armadura avanzando a caballo, y delante
de ellos un cautivo que se arrastra encade-
nado. La estatua derribada de un dios refleja
la ruina de la cultura indígena. Indígenas chi-
chimecas, separados de sus verdugos por una
fosa ardiente, matan a sus propios hijos, se
ahorcan, se atraviesan con lanzas o se des-
peñan. Formas montuosas crean un telón de
fondo coronado por cumbres turbulentas,
como de fuego o de sangre.

Siqueiros, uno de los muralistas mexica-
nos de los años veinte y treinta, preconizó lo
que él llamaba "un arte monumental,
heroico y público". Activista y propagandista
de la reforma social, su politización llegaba
incluso a la elección de materiales y formatos: rechazando el "arte burgués de caballete", empleaba pinturas y métodos
comerciales e industriales. *Suicidio colectivo*
es una de sus relativamente escasas pinturas de caballete, pero también aquí utilizó
pistola y estarcidos para las figuras, y dejó
estratégicamente que los pigmentos –esmal-
tes comerciales– se mezclaran sobre el
lienzo. *Suicidio colectivo* es a la vez un
memorial a las culturas prehispánicas con-
denadas de las Américas y un grito de combate contra regímenes contemporáneos.

Alberto Giacometti   Suiza, 1901–1966

El palacio a las cuatro de la mañana. 1932–1933

Construcción de madera, vidrio, alambre y cuerda, 63,5 × 71,8 × 40 cm
Compra

Arquitectura vacía de un andamiaje de madera, *El palacio a las cuatro de la mañana* desmantela ideas convencionales sobre la masa escultórica. Desde muy pronto, escribió Giacometti, había luchado por describir una "nitidez" que veía en la realidad, "una especie de esqueleto en el espacio"; los cuerpos humanos, añadía, "nunca fueron para mí una masa compacta, sino como una construcción transparente". Aquí extiende esa visión para hacer un edificio que es como un escenario fantasma.

Escenario fantasma y para fantasmas, porque hay quien vive en el palacio: formas y figuras aisladas habitan sus espacios. El enigma de su relación carga ese aire que es el principal material de la escultura. Giacometti era surrealista cuando hizo *El palacio*, que posee la consiguiente extrañeza. Era su costumbre, declaró, realizar "esculturas que se presentaban a mi mente totalmente cuajadas. Yo me limitaba a reproducirlas sin preguntarme qué querrían decir".

Pero Giacometti sí relacionaba *El palacio a las cuatro de la mañana* con una época que había pasado con una mujer que le hechizaba, y con la cual había construido "un fantástico palacio de noche, un palacio de fósforos muy frágil". No sabía por qué había puesto la columna vertebral ni el ave esquelética, aunque asociaba ambas cosas con ella. En cuanto al "objeto rojo delante de la tabla, lo identifico conmigo mismo".

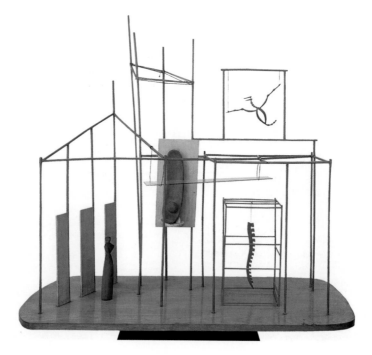

Joseph Cornell Estados Unidos, 1903–1972

El joyero de Marie Taglioni. 1940

Caja de madera con cubos de hielo de cristal,
joyas, etc., 12 × 30,2 × 21 cm
Donación de James Thrall Soby

La forma artística que Cornell hizo suya fue
la caja de contenido cuidadosamente compuesto para evocar un estado de ánimo o
una historia. Estas obras pueden recordar
juguetes con los que el artista jugó de niño,
pero también tienen antecedentes en el arte
surrealista (que Cornell conoció bien) y,
antes, en la pintura de Giorgio de Chirico. En
El joyero de Taglioni cubitos de vidrio se
ordenan en el interior de una caja de
madera. Bajo ellos y protegidos con vidrio
azul, collares, arena, cristal y brillantes falsos
descansan sobre un espejo. Esta romántica
escena de hielo y joyas se relaciona con un
suceso de la vida de la legendaria bailarina
del siglo XIX Marie Taglioni.

Un rótulo en la tapa de la caja cuenta la
historia: "En una noche de luna del invierno
de 1835 el coche de Marie TAGLIONI fue
detenido por un salteador de caminos ruso,
y aquella encantadora criatura obligada a
bailar para aquel único espectador sobre
una piel de pantera tendida en la nieve bajo
las estrellas. De aquel hecho real nació la
leyenda de que para mantener vivo el
recuerdo de aquella aventura para ella tan
entrañable, TAGLIONI adquirió la costumbre
de poner un trozo de hielo artificial en su
joyero o tocador, donde, mezclado con las
rutilantes piedras, evocaba algo de la atmósfera de los cielos estrellados sobre el paisaje cubierto de hielo".

Ansel Adams Estados Unidos, 1902–1984

Otoño, Yosemite Valley. 1939

Copia en papel gelatina de plata, 18,4 × 24,1 cm
Donación de Albert M. Bender

Entre finales de los años veinte y finales de
los sesenta, Adams hizo cientos de fotografías del Yosemite Valley, a menudo queriendo
evocar su vastedad y su sublime grandeza.
Muchas, sin embargo, son intimistas. En
esta vista, por ejemplo, la pared de roca no
parece alzarse por encima de nosotros, sino
formar, con los árboles y los reflejos del
agua, una gasa de detalles centelleantes,
que adquiere vida con la luz.

La devoción de Adams a la naturaleza
agreste hizo que los ecologistas le tomaran
por patrono, y su dominio de la técnica le
convirtió en un héroe para muchos incapa-
ces de distinguir entre el arte y el oficio de la
fotografía. Pero todo eso sería mucho después; cuando hizo esta fotografía Adams era
aún prácticamente desconocido. Su amor a
la naturaleza era cuestión de sentimiento
personal, no de convicción política, y su atención al oficio no era cuestión de obediencia
servil a fórmulas y reglas. Era necesaria para
su arte, en el que la más efímera fluctuación
del tiempo atmosférico o de la luz podía ser
todo un acontecimiento.

Maya Deren

Estados Unidos, nacida en Rusia. 1917–1961

Mallas de la tarde (Meshes of the Afternoon). 1943

Película de 16 mm, blanco y negro, muda, 14 minutos
Adquirida de la artista
Maya Deren

Mallas de la tarde es una de las obras más influyentes del cine experimental estadounidense. Obra no narrativa, se la ha considerado un ejemplo clave de la "película de trance", en la que un protagonista aparece en un estado de ensoñación y la cámara transmite su enfoque subjetivo. La figura central de *Mallas de la tarde*, interpretada por Deren, vive en sintonía con su inconsciente y atrapada en una red de sucesos soñados que se desbordan sobre la realidad. A lo largo de la película recurren objetos simbólicos, como una llave y un cuchillo; los sucesos se truncan y no terminan. Deren explicó que su intención era "llevar al cine la sensación que un ser humano experimenta de un incidente, en lugar de registrar el incidente con exactitud".

Realizada por Deren con su marido el operador Alexander Hammid, *Mallas de la tarde* estableció el movimiento de vanguardia independiente en el cine estadounidense, lo que se conoce como Nuevo Cine Americano. Sirvió de inspiración directa a obras tempranas de Kenneth Anger, Stan Brakhage y otros cineastas experimentales de primera fila. Bellamente filmada por Hammid, que antes de trasladarse a Nueva York había sido un destacado cámara y autor de documentales en Europa (donde utilizó el apellido Hackenschmied), la película hace un uso nuevo y sorprendente de procedimientos habituales como la edición de montaje y los efectos de mascarilla. Deren fue la voz más destacada del cine de vanguardia en los años cuarenta y primeros cincuenta a través de sus películas, sus conferencias y sus extensos escritos.

Howard Hawks   Estados Unidos, 1896–1977

Luna nueva (His Girl Friday). 1940

Película de 35 mm, blanco y negro, sonora,
92 minutos
*Rosalind Russell, Cary Grant, Billy Gilbert,
Clarence Kolb*

Ágil y furiosamente cómica, *Luna nueva* combina dos fórmulas populares en Hollywood a finales de los años treinta: la sátira mordaz de la corrupción política y la comedia romántica y alocada. Walter Burns (Cary Grant) es el director gerente de un periódico que se apropia sin remilgos de una exclusiva escondiendo a un fugitivo en la casa de su mejor redactora, Hildy Johnson (Rosalind Russell), que es también su ex mujer. Mientras Burns y Johnson chocan en el plano romántico y en el profesional, está escrito que ni él ni el periódico pueden estar sin ella. A la comicidad contribuyen el novio de Johnson (Ralph Bellamy), que la corteja con amable ineptitud, y el mensajero del gobernador (Billy Gilbert), cuyo rechazo del soborno es el más perverso momento de la verdad del filme.

En *Luna nueva* no se permite que nada entorpezca el frenético ritmo impuesto por los actores, que rivalizan en interrumpirse unos a otros. El diálogo es chispeante; la conversación superpuesta de periodistas curtidos y secuazes del alcalde es inteligente, real y malvada. Como la obra de teatro en la que está basada, *The Front Page*, de Ben Hecht y Charles MacArthur, la película parece simple pero produce un efecto de constricción, de claustrofobia incluso, una impresión que Hawks consiguió también en sus películas de acción, donde se ponen a prueba la camaradería y el honor de los hombres. La comedia hawksiana, que aquí tiene su mejor expresión, es una batalla de los sexos en la que se invierten los papeles para hacer sitio a mucha humillación y triunfo por ambos lados.

Helen Levitt   Estados Unidos, nacida en 1913

Nueva York. 1938

Copia en papel gelatina de plata,
14,9 × 18,7 cm
Grace M. Mayer Collection

Levitt ha dedicado toda una vida de energía
creativa a fotografiar la poesía y el drama de
las calles de Nueva York. Esta imagen pertenece a una serie hecha en los últimos años
treinta y primeros cuarenta, cuando la fotógrafa aún no tenía treinta años. Transmite
las emociones irreprimidas que brotan en
los gestos espontáneos de niños, que fueron a menudo su tema. El niño desengañado
de la chaqueta cruzada fue descrito así por
un amigo de Levitt, el escritor James Agee:
"Compendia para todos los seres humanos
de todos los tiempos el momento en el que
se apartan las máscaras". Es verdad que él
y su escéptico compañero parecen un dúo
entre bastidores, descansando entre actuaciones agotadoras.

Los fotógrafos habían empezado a
explorar la poética de la calle a mediados de
los años veinte, con la llegada de las cámaras pequeñas de mano, algunas de las cuales utilizaban película en rollo que permitía
tomar una serie de imágenes en rápida
sucesión. La portabilidad y comodidad de la
cámara pequeña cambiaron la manera de
hacer fotografías, y por consiguiente cambiaron lo que se podía fotografiar. Los hechos
vulgares de la vida de todos los días podían
transformarse en arte, como Levitt demostró
tan elegantemente.

Orson Welles   Estados Unidos, 1915–1985

Ciudadano Kane (Citizen Kane).
1941

Película de 35 mm, blanco y negro, sonora,
119 minutos
Adquirida de RKO
Joseph Cotten, Orson Welles, Everett Sloane

Aunque su valor documental e histórico es indiscutible, *Ciudadano Kane,* el primer largometraje de Welles, parece nuevo cada vez que se ve. Toca tantos aspectos de la vida americana –la política y el sexo, la amistad y la traición, la juventud y la vejez– que ha llegado a ser una película para todas las mentalidades y generaciones. Libremente basada en la biografía del magnate de la prensa William Randolph Hearst, *Ciudadano Kane* es la saga de la ascensión al poder de "un pobre niño rico" hambriento de cariño, como lo fue el propio Welles tras la muerte prematura de sus padres. Es también una meditación sobre la codicia emocional, lo fácil que es amasar riqueza y lo difícil que es sostener el amor.

Cuando Welles la terminó tenía veinticinco años. Es la obra de un director joven, lleno de confianza en sí mismo, rebelde a las finas tradiciones de la narración cinematográfica sin fisuras e impaciente por saquear otros medios, que se apropia del ritmo entrecortado de los noticiarios, la agilidad del discurso radiofónico y la teatralidad de la luminotecnia. A través de su astuto formato de *flashback*, la película muestra que el futuro es tan inevitable como inconocible. *Ciudadano Kane* es un *tour de force* clásico, en el que Welles no sólo escribió, dirigió y montó, sino que también interpretó el papel estelar.

Weegee (Arthur Fellig)

Estados Unidos, nacido en Austria.

1899–1968

Harry Maxwell muerto a tiros en un coche. 1941

Copia en papel gelatina de plata, 35,4 × 26,6 cm
Donación del artista

El fotógrafo de prensa Weegee tomó su nombre de guerra de la tabla de uija, como manera de anunciar su misteriosa habilidad para encontrarse siempre en el lugar y el momento de la noticia. Esta vez, sin embargo, no parece que fuera el primero en llegar al escenario de los hechos. En lugar de un primer plano truculento del cadáver, nos da una vista generosa del epílogo del crimen: para los policías no es ninguna novedad, y pasan el tiempo aburridos mientras los fotógrafos hacen su trabajo.

La fotografía empezó a aparecer en los periódicos en el tránsito del siglo XIX al XX, y el periodismo gráfico no se consolidó hasta la década de 1920. Pero a partir de entonces se asentaron pronto los ingredientes básicos del oficio: ganadores y perdedores, héroes y malvados, catástrofes y celebraciones, dramas intemporales revitalizados a diario por la especificidad del dato fotográfico. El género tuvo su expresión más pura en los periódicos populares, que buscando a toda costa el sensacionalismo prescindían de la fachada del pudor periodístico. Sin embargo, como señala el escritor Luc Sante: "En manos de Weegee ese descaro es tan extremo que llega a ser casi un tipo de inocencia".

Frida Kahlo México, 1907–1954

Autorretrato con el pelo cortado.
1940

Óleo sobre lienzo, 40 × 27,9 cm
Donación de Edgar Kaufmann, Jr.

Kahlo pintó el *Autorretrato con el pelo cortado* poco después de divorciarse de su marido infiel, el artista Diego Rivera. Autora de muchos autorretratos, se había mostrado a menudo con el atuendo tradicional de la mujer mexicana y larga cabellera suelta; ahora, al renunciar a Rivera, se representa con pelo corto y vistiendo camisa, zapatos y un traje de hombre demasiado grande (presumiblemente de su ex marido).

Kahlo conoció el arte europeo y americano innovador, y su propia obra fue aclamada por los surrealistas, cuyo líder André Breton la describió como "una cinta alrededor de una bomba". Pero sus inspiraciones estilísticas eran ante todo mexicanas, particularmente la pintura religiosa del siglo XIX, y afirmaba: "En realidad no sé si mis cuadros son surrealistas o no, pero sí sé que representan la expresión más franca de mí misma". También los mechones de pelo recién cortado de esta pintura, que parecen repulsivamente vivos, se relacionan con su alejamiento de Rivera (con quien se volvió a casar al año siguiente) y tienen el carácter onírico del surrealismo. Kahlo ha escrito en el cuadro la letra de una canción mexicana: "Mira que si te quise fue por tu pelo; ahora que estás pelona, ya no te quiero".

Jacob Lawrence Estados Unidos, 1917–2000

La serie Migración. 1940–1941

Número 58 de una serie de 60 obras
(30 en el MoMA): temple sobre gesso sobre
aglomerado, 30,5 × 45,7 cm
Donación de Mrs. David M. Levy

En la primera mitad del siglo XX la expansión
de las industrias modernas en las ciudades
del norte de los Estados Unidos desenca-
denó una demanda creciente de mano de
obra, y gran número de afroamericanos vie-
ron en aquellos puestos de trabajo la ocasión de escapar de la pobreza y la
discriminación del sur rural. Sólo entre 1916
y 1930 se trasladaron al norte más de un
millón de personas. Los padres de Lawrence
formaron parte de esa migración, y él se crió
oyéndola contar; siendo ya un joven artista
de Harlem, vio en ella un tema épico. Este
ciclo de imágenes, en un principio llamado
La migración del negro pero retitulado por el
artista en 1993, traza la crónica de un gran
éxodo y arribo.

Visualmente el ciclo alterna entre paneles de mucha acción y otros casi abstractos
y vacíos. Empleando perspectivas exageradas, construcciones rítmicas, colores

astringentes y figuras angulosas, Lawrence
supedito las formas decorativas al cometido
histórico y puso el realismo social en armonía con el arte moderno. Pero nunca abdico
de la tarea de relatar una historia compleja
en términos claros y accesibles. Los afroamericanos que dejaban atrás los infortunios
del sur no siempre eran bien recibidos en el
norte; junto con la posibilidad de trabajar,
votar y estudiar, la nueva vida también aca-
rreaba condiciones de vida insalubres, dis-
turbios raciales y otras tribulaciones que el
ciclo de Lawrence documenta, junto con la
perseverancia heroica con que su comunidad las afrontó. Cada parte de la historia
tiene un rótulo; el de esta imagen dice: "En
el norte el negro tenía mejor acceso a la
educación".

Joan Miró España, 1893–1983

El pájaro bello descifrando lo desconocido a una pareja enamorada. 1941

Gouache, aguada de óleo y carboncillo sobre papel, 46 × 38 cm
Adquirido a través del legado Lillie P. Bliss

Este dibujo forma parte de un célebre grupo de veinticuatro que se conoce con el título colectivo de Constelaciones, y que Miró hizo en un período de crisis personal desencadenada por la Guerra Civil española y la Segunda Guerra Mundial. Atrapado en Francia de 1936 a 1940, el artista acometió estas obras sobre papel, de una meticulosidad obsesiva, buscando la comunión con la naturaleza y huyendo de los trágicos sucesos cotidianos. A pesar de su modesto formato, serían lo más importante de su carrera hasta entonces, como él mismo no tardó en comprender.

Las once primeras Constelaciones fueron ejecutadas en Normandía entre diciembre de 1939 y mayo de 1940. Aunque siempre sus motivos son los del repertorio clásico de Miró, en las primeras obras los fondos lavados están más saturados, los motivos son mayores y las composiciones son más sueltas que en las posteriores. En las trece últimas, realizadas en Palma de Mallorca en 1940–1941, de las que *El pájaro bello descifrando lo desconocido a una pareja enamorada* es un ejemplo modélico, los fondos son casi opalescentes, y los motivos familiares son más pequeños y se aprietan en una red de líneas continua. Por su poesía esquiva que coexiste con un control riguroso, esta obra no sólo encarna la personalidad artística de Miró, sino que también refleja las sendas luminosas de las constelaciones en un cielo nocturno despejado.

Piet Mondrian   Holanda, 1872–1944

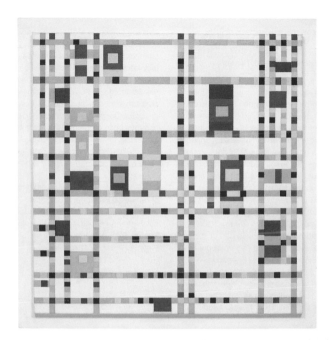

Broadway Boogie Woogie.
1942–1943

Óleo sobre lienzo, 127 × 127 cm
Donación anónima

Mondrian llegó a Nueva York en 1940, entre los muchos artistas europeos que emigraron a los Estados Unidos huyendo de la Segunda Guerra Mundial. Inmediatamente se enamoró de la ciudad. Se enamoró también de la música de *boogie-woogie*, que conoció en su primera noche neoyorquina, y en seguida empezó, según sus propias palabras, a poner un poco de *boogie-woogie* en sus pinturas.

La doctrina estética de Mondrian, el neoplasticismo, restringía los medios del pintor a los tipos de línea más básicos, esto es, las rectas horizontales y verticales, y a una gama cromática igualmente limitada: la tríada primaria de rojo, amarillo y azul, más el blanco, el negro y los grises intermedios. Pero *Broadway Boogie Woogie* prescinde del blanco y fragmenta las barras de color que antes habían sido uniformes en segmentos multicolores. Rebotando unos en otros, esos pequeños bloques parpadeantes de color crean un ritmo vital y palpitante, una vibración óptica que salta de intersección en intersección como las calles de Nueva York. Al mismo tiempo, el cuadro está cuidadosamente calibrado, alternando sus colores con bloques grises y blancos en un extraordinario equilibrismo.

La afición de Mondrian al *boogie-woogie* se debió en parte a que aquella música le parecía perseguir objetivos que eran también los suyos: "destrucción de la melodía, que es destrucción de la apariencia natural; y construcción a través de la oposición continua de medios puros, un ritmo dinámico".

Arshile Gorky
Estadounidense, nacido en Armenia. 1904–1948

Diario de un seductor. 1945

Óleo sobre lienzo, 126,7 × 157,5 cm
Donación de William A. M. Burden y su esposa

El conservador museístico William Rubin consideró a Gorky "padrino" de los expresionistas abstractos, grupo no estructurado de artistas estadounidenses que trabajaban en Nueva York en los años cuarenta y cincuenta a quienes unían más sus ambiciones que sus estilos pictóricos. Como tantos de su generación, Gorky inició su actividad como pintor figurativo tradicional, descubriendo más tarde la obra de maestros modernos como Cézanne y Picasso. En el estilo de madurez de Gorky influyó claramente el continuo compromiso del artista con el surrealismo, conexión que vino deparada por las circunstancias históricas. Cuando la Segunda Guerra Mundial asolaba Europa, acudieron en masa a Nueva York artistas exiliados, entre ellos los surrealistas André Breton, Max Ernst, Yves Tanguy, André

Masson y Roberto Matta, con varios de los cuales Gorky trabaría estrecha amistad. Los cuadros de Gorky, al igual que los de ellos, incluían formas biomórficas y evocaban el cuerpo, el paisaje y los impulsos inconscientes del artista. No obstante, incluso en una obra tan atmosférica como *Diario de un seductor*, Gorky mantuvo un espacio pictórico muy poco profundo, dirigiendo la atención hacia la superficie del lienzo y la materialidad de la pintura al óleo, práctica en la que coincidirían muchos expresionistas abstractos.

Gorky era un dibujante consumado. A pesar de su espíritu improvisador, *Diario de un seductor*, como tantos otros cuadros suyos de esa época, se basó en dibujos realizados en la granja que tenía su familia en Virginia.

Louise Bourgeois
Estadounidense, nacida en Francia. 1911–2010

Quarantania I. 1947–1953; reensamblado por la artista en 1981

Madera pintada sobre base de madera
206,4 cm de alto, incluyendo la base de
15,2 × 69,1 × 68,6 cm
Donación de Ruth Stephan Franklin

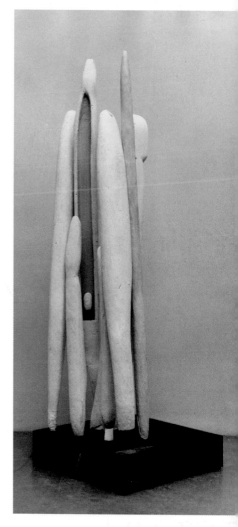

A diferencia de muchos escultores modernos, Louise Bourgeois nunca abandonó la figuración. *Quarantania I* tiene un carácter explícitamente antropomórfico. Cada uno de sus elementos se realizó inicialmente como obra autónoma. La figura central, *Mujer con paquetes* (1947–1949), aparece rodeada por cuatro variaciones de *Mujer lanzadera*, la escultura de Bourgeois. La íntima disposición sugiere una reunión de amigos íntimos o familiares conversando. De tamaño algo superior al real, las cinco "mujeres" se dirigen al espectador de manera tanto física como simbólica. Sus contornos erguidos recuerdan a las formas de las lanzaderas de madera para tejer, instrumentos tradicionales que se asocian a la rueca y a la artesanía de la confección y reparación de tapices con la que se ganaban la vida los padres de Bourgeois.

Las figuras individuales de *Quarantania I* son representativas de las esculturas totémicas de madera pintada –sus primeras obras tridimensionales– que Bourgois produjo en los años cuarenta y cincuenta y que posteriormente denominaría *Personajes*. Pese a su proximidad formal a las obras surrealistas y primitivas con las que estaba familiarizada, la artista sostenía que los *Personajes* "no tenían nada que ver con la escultura". Consideraba estas obras "manifestaciones de la añoranza" que sentía por determinados aspectos de la vida que había conocido antes de mudarse desde París a Nueva York en 1938, año en que comenzó a realizarlas.

Wifredo Lam   Cuba, 1902–1982

La jungla. 1943

Aguada sobre papel montado sobre lienzo,
239,4 × 229,9 cm
Inter-American Fund

En esta pintura a la aguada, monumental y
temáticamente compleja, figuras enmascara-
das aparecen y desaparecen entre un follaje
espeso de caña de azúcar y bambú. La presentación multiperspectiva de esas figuras
refleja el vocabulario cubista, mientras que
el fantástico escenario que rodea a estos
seres monstruosos, medio humanos medio
animales, que emergen de una jungla primi-
genia bajo la luz de la luna evoca el reino de
los surrealistas. Lam refuerza el aspecto
surrealista de la obra buscando expresar el
espíritu de la cultura afrocubana, en particular el de los africanos deportados "que traje-
ron su cultura primitiva, su religión mágica
con un lado místico en estrecha correspon-
dencia con la naturaleza".

Nacido en Cuba, Lam pasó en Europa
dieciocho años (1923–1941) que afectaron
profundamente a su visión artística. Allí hizo
amistad con Pablo Picasso y fue miembro
importante del movimiento surrealista. Las
tradiciones artísticas y culturales de su
patria convergieron con las europeas cuando
regresó a Cuba y renovó el trato cotidiano
con su luz, su vegetación y su cultura. En *La
jungla* la presencia de la mujer caballo, que
en el misticismo afrocubano alude a un espíritu en comunicación con el mundo natural,
refleja el diálogo crítico del propio Lam con
el pretendido primitivismo de la pintura europea avanzada. Su obra es un ejemplo de esa
confluencia de dos culturas.

Alfred Hitchcock Estadounidense, nacido en Gran Bretaña. 1899–1980

Recuerda. 1945

Película de 35 mm en blanco y negro,
sonora, 111 minutos.
Donación de ABC Pictures International

Recuerda es un tenso *thriller* psicológico realizado por el Maestro del Suspense cuando
llevaba seis años y nueve películas de su
larga e ilustre carrera como director en
Hollywood. Hitchcock ambientó este film en
un hospital psiquiátrico privado en el que la
jubilación del anciano doctor Murchinson
propicia la llegada de su sucesor, el doctor
Edwards (Gregory Peck). Edwards es espe-
rado con avidez por los demás médicos, en
especial por la experta Constance Peterson
(Ingrid Bergman), pero el guapo recién incor-
porado no tarda en verse aquejado de cata-
tonia cada vez que ve líneas paralelas sobre
un fondo blanco. Seguidora de *La interpretación de los sueños* de Sigmund Freud, la doctora Peterson somete al doctor Edwards a
psicoanálisis a fin de tratar su neurosis.
Analizando los sueños del doctor Edwards, la
doctora Peterson llega a la conclusión de
que su nuevo colega es un impostor y podría
haber asesinado al verdadero doctor
Edwards.

Siempre meticuloso en lo visual,
Hitchcock quiso representar el estado onírico
con un realismo mayor de lo que podía conse-
guirse mediante el típico tratamiento a base
de desenfoques. Junto a su productor, David
O. Selznick, también analizante freudiano,
eligió a Salvador Dalí para que diseñara la
secuencia crucial. Célebre por la icónica película surrealista *Un perro andaluz* (1929) y
su escena inicial en la que un ojo es rajado
con una navaja de afeitar, Dalí llevó a cabo
en la secuencia onírica de *Recuerda* unas
alusiones oculares parecidas que acaban
explicando el origen de la amnesia del doctor Edwards.

Roberto Matta (Roberto Sebastián Antonio Matta Echaurren) Chile, 1911–2002

El vértigo de Eros. 1944

Óleo sobre lienzo, 195,6 × 251,5 cm
Donación anónima

Las pinturas de Matta no describen el mundo que vemos cuando abrimos los ojos. Tampoco son las escenas de sueño o fantasía de sus colegas surrealistas Salvador Dalí y René Magritte, que incluyen objetos vulgares de la vida de vigilia; las formas de Matta sugieren muchas cosas pero no se pueden identificar firmemente con ninguna. A finales de los años treinta y principios de los cuarenta hizo lo que él denominaba "paisajes interiores", paisajes inventados que imaginaba como proyecciones de estados psíquicos. *El vértigo de Eros* evoca un espacio infinito que sugiere tanto las profundidades de la psique como la vastedad del universo.

En un continuo de luz penumbrosa flota una galaxia de formas que insinúan líquido, fuego, raíces y partes sexuales. Es como si las formas de Matta se remontaran más allá del nivel del sueño hasta la fuente central de la vida, proponiendo una iconografía de la conciencia antes de que ésta cristalice en las coordenadas reconocibles de la experiencia cotidiana. Hay una sensación de suspensión en el espacio, y de hecho el título de la obra enlaza con la idea de Freud de que la conciencia humana está atrapada entre Eros, la fuerza vital, y Tánatos, el deseo de muerte. Desafiado por Tánatos, Eros produce vértigo. El problema humano consiste en alcanzar un equilibrio material y espiritual. En francés el título es un juego de palabras: *Le Vertige d'Eros* suena igual que *Le Vert tige des roses*, "el verde tallo de las rosas".

Clyfford Still
Estados Unidos, 1904–1980

1944-N N.º 2. 1944

Óleo sobre lienzo sin imprimar,
264,5 × 221,4 cm
The Sidney and Harriet Janis Collection

Pintura 1944–N es un poderoso ejemplo temprano del estilo de madurez de Still. La superficie es un empaste negro vivificado con marcas de espátula. Una línea roja quebrada parte el lienzo por arriba, y se cruza con dos formas verticales, irregulares y afiladas, antes de despeñarse hasta el borde inferior. El tamaño de pinturas como ésta, su extensión en gran medida vacía y el carácter de rayo de la línea de Still han llevado a algunos a ver en su obra una visión de los anchurosos espacios de las praderas del Oeste donde se crió. Pero él opinaba que esa clase de asociaciones sólo empequeñecían su obra.

Still fue maestro en un nuevo género de abstracción, libre de símbolos descifrables.

La superficie alquitranosa de *Pintura 1944–N* concentra la atención sobre ella misma, negando la ilusión de profundidad, y el color intensamente saturado tiene fuerza emocional sin necesidad de imágenes asociativas. De un modo más programático que ningún otro expresionista abstracto, Still trató de borrar de su pintura toda huella del arte moderno europeo y forjar un arte nuevo apropiado para el Nuevo Mundo. "El pigmento sobre lienzo", decía, "pone en marcha reacciones convencionales. Tras esas reacciones hay una suma de historia madurada en dogma, autoridad, tradición. La hegemonía totalitaria de esa tradición yo la desprecio, sus presunciones las rechazo."

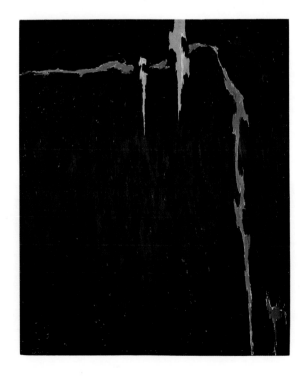

Barnett Newman   Estados Unidos, 1905–1970

Vir Heroicus Sublimis. 1950–1951

Óleo sobre lienzo, 242,2 × 541,7 cm
Donación de Mr. y Mrs. Ben Heller

Puede parecer que Newman se concentra en la
forma y el color, pero él insistía en que sus
telas estaban cargadas de sentido simbólico. Como Piet Mondrian y Kazimir Málevich
antes que él, creía en el contenido espiritual
del arte abstracto. El título mismo de esta
pintura, que traducido sería "Hombre heroico
y sublime", apunta a afanes de
trascendencia.

El expresionismo abstracto se denomina a menudo "pintura de acción", pero
Newman fue uno de los expresionistas abstractos que eliminaron las huellas de la mano
del pintor, prefiriendo trabajar con extensiones amplias y uniformes de color fuerte. *Vir
Heroicus Sublimis* es lo bastante grande
para crear, como su autor pretendió, un
ambiente envolvente para el espectador que
se aproxima, un vasto campo rojo roto por
cinco finas rayas verticales. Newman admiraba
las esqueléticas figuras humanas del escultor Alberto Giacometti, y sus rayas, que él
llamaba *zips*, se pueden interpretar como
figuras en un vacío. Aquí varían en anchura,
color y firmeza de los bordes: la blanca a la
izquierda del centro, por ejemplo, parece casi
como un resquicio entre planos separados,
mientras que la marrón a su derecha parece
internarse ligeramente en el rojo. Estas verticales sutilmente diferenciadas establecen

una división del lienzo asimétrica y
sorprendentemente compleja; justo en el
centro de la pintura, sin embargo, delimitan
un cuadrado perfecto.

Jackson Pollock Estados Unidos, 1912–1956

Uno (número 31, 1950). 1950

Óleo y esmalte sobre lienzo sin imprimar,
269,5 × 530,8 cm
Sidney and Harriet Janis Collection Fund
(por intercambio)

Uno es una obra maestra de la técnica del
goteo o *drip*, el método radical que Pollock
aportó al expresionismo abstracto.

Moviéndose en torno a una tela tendida
en el suelo, Pollock arrojaba y vertía regueros
de pintura sobre la superficie. *Uno* es una de
las obras de mayor tamaño que ostentan la
huella de esos gestos dinámicos. Es una
tela donde la energía palpita: hilos y madejas
de esmalte, mate o brillante, se entretejen y
corren en una intrincada red de ocres, azules y
grises acuchillados con negro y blanco. La
disposición del pigmento sobre el lienzo
puede sugerir velocidad y fuerza, y la imagen
total es densa y suntuosa, pero en sus detalles hay una filigrana de encaje, delicadeza,
lirismo.

La entrega de los surrealistas al azar
para puentear la mente consciente inspiró la
experimentación de Pollock con los efectos
aleatorios de la gravedad y la inercia del pigmento al caer. Pero, aunque obras como *Uno*
no tengan ni un punto focal concreto ni una
repetición ni pauta palpable, dan la sensación de un orden subyacente. Eso y la materialidad del método de Pollock han llevado a
compararlo con la coreografía, como si la

obra fuera el rastro de una danza. Algunos
ven en pinturas como *Uno* la nerviosa intensidad de la ciudad moderna, otros los ritmos
primarios de la naturaleza.

Mark Rothko   Estados Unidos, nacido en Letonia. 1903–1970

N.º 3/N.º 13. 1949

Óleo sobre lienzo, 216,5 × 164,8 cm
Legado de Mrs. Mark Rothko a través de The
Mark Rothko Foundation, Inc.

N.º 3/N.º 13 sigue una estructura compositiva que Rothko exploró durante veintitrés
años a partir de 1947. Bloques de color rectangulares, poco espaciados, planean superpuestos sobre un fondo de color. Sus bordes
son blandos e irregulares, de modo que a
veces, cuando Rothko utiliza tonos muy
próximos, los rectángulos parecen apenas
coagulados de las concentraciones básicas de
su sustancia. La barra verde de *N.º 3/N.º 13,*
en cambio, vibra contra el naranja que la
rodea, creando un centelleo óptico. De
hecho la tela tiene un suave movimiento:
los bloques avanzan y retroceden, las superficies respiran. Así como los bordes tienden
a desvanecerse, los colores nunca son
totalmente planos, y sus tenues variaciones
de intensidad, además de insinuar el procedimiento del artista al tender capa sobre
capa, movilizan una ambigüedad, un vaivén
entre la solidez y la profundidad impalpable.

La sensación de ausencia de límites en
la pintura de Rothko se ha relacionado con
la estética de lo sublime. Para él el notable
colorido de sus pinturas no era sino un
medio hacia un fin de mayor entidad: "A mí
sólo me interesa expresar emociones humanas básicas: la tragedia, el éxtasis, la perdi-
ción", afirmó. "Si lo único que te emociona
son las relaciones cromáticas es que no lo
has entendido."

Yasujiro Ozu Japón, 1903–1963

Cuentos de Tokio (Tokyo monogatari). 1953

Película de 35 mm, blanco y negro, sonora, 135 minutos
Adquirida de Dan Talbot
Chiyeko Higashiyama, Setsuko Hara

Cuentos de Tokio es una de las grandes obras maestras del cine japonés. Su director, Ozu, está más firmemente anclado en el siglo XX que ningún otro del Japón. Sus películas no se basan en el espectáculo histórico exótico, el vestuario suntuoso ni historias de honor y conquista. Es también el cineasta más comprometido con los valores tradicionales de instituciones como la familia. En *Cuentos de Tokio* no hay exotismo, ni acción arrolladora, ni caballos ni reconstrucciones históricas, sólo hay personas. Pero al espectador le compensa la intensidad de sentimiento que emanan los dramas domésticos de Ozu y la sinceridad de su mensaje. Personas sentadas bebiendo té verde; personas sentadas en casas de comidas; personas sentadas en oficinas. La cámara contemplativa de Ozu se mueve pocas veces, y sus actores no suelen exteriorizar sus emociones.

Las actuaciones comedidas de los bien escogidos actores de esta película complementan la serenidad de la atmósfera de Ozu y la parquedad de su diálogo naturalista. La película explora la dinámica de la familia y el conflicto entre lo tradicional y lo contemporáneo a través de la visita de una pareja de edad a sus hijos adultos que viven en la ciudad. Aunque *Cuentos de Tokio* habla de la pérdida tangible, su radiante espiritualidad trasciende la muerte.

Andrew Wyeth Estadounidense, 1917–2009

Christina's World (El mundo de Christina). 1948

Temple sobre panel, 81,9 × 121,3 cm
Adquisición

Este notable paisaje posee una atmósfera misteriosa y melancólica. Una mujer vestida con un vestido de casa doméstico de color rosa polvoriento aparta la mirada de nosotros para contemplar dos casas situadas inhóspitamente al otro lado de un campo árido. La composición se inspira en Anna Christina Olson, vecina tullida de Wyeth, que aparece también en otros tres cuadros del artista. Olson era cincuentona cuando se pintó *El mundo de Christina*, pero su edad apenas resulta evidente. Aunque Wyeth pintó las manos de la figura nudosas y artríticas, el resto del cuerpo lo asemejó al de su joven esposa. Refiriéndose a lo que pretendía plasmar en *Christina's World*, el artista escribió: "Si he conseguido hacer sentir al espectador que el mundo de ella tiene limitaciones físicas pero en modo alguno espirituales, entonces he logrado mi propósito".

El estilo naturalista del cuadro remite a obras de pintores estadounidenses del siglo XIX como Thomas Eakins y Winslow Homer. Sin embargo Wyeth, de manera mucho más acusada que sus precursores, plasmó con gran meticulosidad cada brizna de hierba y cada hebra de pelo, logrando un efecto hiperrealista. El artista trabajó a partir de múltiples bocetos para realzar el dramatismo de la composición. Como llegó a decir, "cuando se pierde sencillez, se pierde dramatismo y es el dramatismo lo que me interesa". El MoMA adquirió este cuadro un año después de que fuera pintado y desde entonces goza de la predilección del público.

John Ford
Estados Unidos, 1895–1973

Pasión de los fuertes
(My Darling Clementine). 1946

Película de 35 mm, blanco y negro,
sonora, 97 minutos
Adquirida de Twentieth Century-Fox;
restaurada con financiación de la
National Endowment for the Arts
Henry Fonda

Uno de los mejores *westerns* de Ford y una
de las más grandes películas por su sentido
de la tragedia poética, *Pasión de los fuertes*
está impregnada de un sentimiento de pérdida: pérdida de la familia, el hogar, el honor
y la autoestima. El héroe a su pesar, Wyatt
Earp (Henry Fonda), no encuentra jamás la
paz que las devotas familias de pioneros le
pagan para que establezca. Parece retraído,
reservado o reprimido. Su amigo y aliado
Doc Holliday (Victor Mature) es un dentista
convertido en jugador que arrastra un peso
trágico. El dolor de Earp es más callado,
más introspectivo. Sus tranquilos intentos
de lograr el equilibrio en una soleada
mañana de domingo ofrecen uno de los
momentos más sublimes del cine.

Ford dio una resonancia particular a un
panorama solitario. Ningún otro cineasta se
identifica tanto con un lugar específico; ninguno ha puesto en un lugar una carga de significado mayor. Sus películas del Oeste son
evocaciones de su fuerte conciencia del
pasado americano; la frontera es su paisaje
de la memoria. *Pasión de los fuertes* es un
triunfo de su incomparable escenificación
del Oeste, su rica caracterización y su deslumbrante fotografía en blanco y negro. El
pueblo de Tombstone, un asentamiento en
medio de la nada, es un universo en sí. El
pueblo representa la civilización del hombre
blanco, sin que la nación india tenga importancia. Los problemas vienen de la codicia y
el alcohol, las lealtades de clan y la sed de
venganza. La película juega libremente con
el mito y la leyenda, apartándose a menudo
de los personajes históricos que inspiran el
relato.

Charles Eames Estados Unidos, 1907–1978
Ray Eames Estados Unidos, 1912–1988

Silla auxiliar (Modelo LCM). 1946
Contrachapado chapeado de nogal y
moldeado, tubo de acero cromado y amortigua-
dores de goma, 69,5 × 56,3 × 64,5 cm
Fabricante: Herman Miller Inc., EEUU
Donación del fabricante

La silla auxiliar LCM (Lounge Chair Metal)
fue concebida por Eames, que formó uno de
los equipos de diseño más influyentes del
siglo XX con su esposa y socia profesional
Ray. Fabricadas por primera vez en 1946, la
LCM y su compañera la silla de comedor
DCM (Dining Chair Metal) cosecharon un
gran éxito comercial y han llegado a ser iconos del diseño moderno. En la LCM el
asiento y el respaldo de contrachapado moldeado se apoyan sobre amortiguadores de
goma en una armazón de acero cromado. El
hecho de que el asiento y el respaldo sean
piezas independientes simplifica la producción y aporta interés visual.

Juntamente con Eero Saarinen, Eames
hizo sus primeros experimentos con contrachapado curvado para un grupo de diseños
que fueron premiados en un certamen sobre
muebles de diseño orgánico convocado por
el Museo de Arte Moderno de Nueva York en
1940. Pero resultaron difíciles de fabricar, y
en su mayoría iban tapizados para hacerlos
más cómodos. Durante el lustro siguiente los
Eames, empeñados en producir muebles de
calidad a un coste asequible, refinaron la técnica del moldeado para lograr curvas compuestas en tableros finos de contrachapado.
Esta silla fue fabricada inicialmente por la
Evans Products Company, y en 1949 la casa
Herman Miller Inc. adquirió su exclusiva.

Ladislav Sutnar
Estadounidense, nacido en Bohemia (actual República Checa), 1897–1976

Prototype for Build the Town building blocks (Prototipo de bloques de construcción para Construye el pueblo). 1940–1943

Bloques de madera pintados, 29 unidades, formas y tamaños variados
Donación de Ctislav Sutnar y Radoslav Sutnar

Entre 1940 y 1943 Sutnar realizó diversos prototipos para un juego de bloques de construcción de madera pintada denominado *Build the Town*, último de una serie de juguetes de construcción que había iniciado en 1922 y que ocupaba una posición central en sus ideas acerca del diseño y la vida moderna. Situado como diseñador a la vanguardia del modernismo de entreguerras en Checoslovaquia, consideraba que unos juguetes bien diseñados constituían una manera importante de conformar los valores de una nueva generación que vivía en un mundo moderno. Incluso después de que Sutnar emigrase a Estados Unidos en 1939, mantuvo vivas sus ideas de realizar un juego de construcciones que resultase popular. Al

igual que muchos reformistas del diseño y la educación del siglo XX, creía en la capacidad cognitiva de un lenguaje plástico enraizado en formas y colores elementales.

Como sus juegos de bloques anteriores, *Build the Town* se inspiraba en las fábricas estadounidenses contemporáneas y en las comunidades planificadas que con frecuencia se ubicaban alrededor. Para Sutnar, construir ciudades en miniatura por medio de bloques lograba que los niños fueran conscientes de la forma y de la estructura –en este caso, las formas y estructuras de la arquitectura moderna y funcionalista– y percibieran también las fuerzas que dan forma a una comunidad. Aunque no consiguió encontrar un fabricante fiable para que el proyecto de los bloques interesase a las tiendas, Sutnar continuó trabajando con éxito en el campo del diseño gráfico y se convirtió en un importante defensor de los principios modernistas en el diseño comercial de la posguerra.

Arthur Young Estados Unidos, 1905–1995

Helicóptero Bell-47D1. 1945

Aluminio, acero y acrílico,
281,3 × 302 × 1271,9 cm
Fabricante: Bell Helicopter Inc., EEUU
Marshall Cogan Purchase Fund

Más de tres mil helicópteros Bell-47D1 se
hicieron en los Estados Unidos y se vendie-
ron en cuarenta países entre 1946 y 1973,
año en que dejaron de fabricarse. Aunque el
Bell-47D1 es un aparato estrictamente utili-
tario, su diseñador, Young, que era también
poeta y pintor, yuxtapuso conscientemente la
burbuja de plástico transparente y la estructura abierta de la cola para crear un objeto
cuya delicada belleza es inseparable de su
eficiencia. El estar hecha la burbuja de una
sola pieza y no de secciones unidas por
metal distingue al Bell-47D1 de otros helicópteros. El resultado es un aspecto más
limpio y más unificado.

La burbuja también presta un aspecto
insectil al Bell-47D1 en vuelo, que le ganó el
sobrenombre de "el helicóptero ojo de
insecto". Parece apropiado, pues, que una
de sus principales aplicaciones fueran las
tareas de fumigación en la lucha contra las
plagas. También se ha empleado en vigilancia de tráfico y para el transporte de correo y
mercancías a lugares apartados. En la guerra de Corea sirvió como ambulancia aérea.

El Bell-47D1 obtuvo, de la Civil
Aeronautics Administration (ahora FAA), la
primera licencia de helicóptero civil que se
dio en el mundo. Pesa 625 kilos, alcanza
una velocidad máxima de 150 km/h, tiene
una autonomía de 310 kilómetros y puede
planear como una libélula a alturas de hasta
3.000 metros.

David Smith Estados Unidos, 1906–1965

Australia. 1951

Acero pintado, 202 × 274 × 41 cm; sobre
base de bloque cilíndrico, 35,6 × 35,6 cm
Donación de William Rubin

En *Australia* Smith emplea varillas finas y
placas de acero, delicadas y fuertes a la vez,
para dibujar en el espacio. Tradicionalmente
la escultura ha tomado fuerza de la solidez y
la masa, pero *Australia* es lineal, un esqueleto. Los constructivistas fueron los primeros en explorar este tipo de penetración de
la escultura por el espacio vacío. Smith lo
conoció en fotografías de esculturas solda-
das de Pablo Picasso; él había empezado
pintando, pero sabía soldar (había trabajado
como remachador en la industria automovi-
lística) y las obras de Picasso lo liberaron
para empezar a trabajar con acero.

Como una pintura o un dibujo, *Australia*
debe ser vista de frente para captar su
forma. Se ha interpretado como abstracción
de un canguro, y sus líneas tienen la salta-
rina vitalidad de ese animal; pero más que
ningún tipo de representación es un ensayo
sobre la tensión, el equilibrio y la forma. Al
titularla *Australia* es posible que Smith pen-
sara en los pasajes que hablan de ese país
en la novela de James Joyce *Finnegans
Wake*. También pudo pensar en una ilustración de revista con dibujos rupestres de abo-
rígenes australianos que el crítico Clement
Greenberg le mandó en septiembre de 1950
con la anotación: "El del guerrero me
recuerda particularmente algunas de tus
esculturas".

Akira Kurosawa   Japonés, 1910–1998

Rashomon. 1950

Película de 35 mm, en blanco y negro, sonora,
88 minutos.
Donación de James Mulvey

"Rashomon" alude a un lugar verdadero, más
concretamente a una antigua puerta que
estuvo situada a la entrada de Nara, la antigua capital de Japón. Pero "rashomon" es ya
algo más que un topónimo. Ha entrado en la
lengua inglesa (y seguramente también en
otros idiomas) como vocablo que designa la
naturaleza curiosa y múltiple de la verdad. El
término "efecto rashomon" alude a la coe-
xistencia de versiones divergentes, contradictorias y, sin embargo, bastante plausibles
de un único hecho.

   Rashomon fue la duodécima película de
Kurosawa y la primera japonesa en recibir
aclamación internacional en Occidente después de la Segunda Guerra Mundial.
Cimentó a Kurosawa como uno de los grandes autores de cine narrativo. Adaptada a
partir de dos relatos de Ryunosuke

Akutagawa ("Rashomon", que proporcionó el
marco en que se desarrolla la película, y "En
un bosque", que aportó las "historias"), el
fluido tratamiento que Kurosawa da a cuatro
relatos contradictorios sobre lo que ocurrió
en un bosque donde un hombre resultó asesinado y una mujer violada constituye todo un
paradigma de lo que es la narración cinematográfica. Bajo la dirección de Kurosawa, la
gracia y rapidez de los movimientos de
cámara, la luz moteada, refulgente y llena de
sombras a la vez, diversos ritmos visuales y
auditivos y un excelente reparto de actores
contribuyen en conjunto a la creación de una
película de lo más plástico y relevante.

Franz Kline Estados Unidos, 1910–1962

Chief. 1950

Óleo sobre lienzo, 148,3 × 186,7 cm
Donación de Mr. y Mrs. David M. Solinger

En consonancia con la denominación de "pintura de acción" que se aplica a veces al expresionismo abstracto, los cuadros de Kline suelen sugerir gestos amplios, firmes y rápidos que parecen reflejar los impulsos espontáneos del artista. Pero Kline pocas veces trabajaba así. A finales de los años cuarenta, proyectando casualmente algunos de sus muchos dibujos sobre la pared, descubrió que sus líneas ganaban en abstracción y fuerza dinámica al ser ampliadas. Ese descubrimiento inspiró toda su pintura posterior; de hecho muchos lienzos reproducen un dibujo a gran escala, fundiendo lo improvisado y lo deliberado, lo minúsculo y lo monumental.

"Chief" era el nombre de una locomotora que el artista recordaba de su infancia, cuando le apasionaban los trenes. Muchos espectadores ven maquinaria en las imágenes de Kline,

y en *Chief* hay líneas que implican velocidad y empuje al precipitarse hasta el borde de la tela, engrosándose y tensándose por el camino. Pero Kline declaró que pintaba "no lo que veo sino los sentimientos que despierta en mí el mirar", y *Chief* es abstracta, una armazón irregular de horizontales y verticales rotas por bucles y curvas. El aspecto cifrado de las configuraciones de Kline y su empleo del blanco y el negro han suscitado comparaciones con la caligrafía japonesa, pero él mismo no se veía pintando signos negros sobre fondo blanco: "Yo pinto el blanco lo mismo que el negro", dijo, "y el blanco es igual de importante".

Harry Callahan Estados Unidos, 1912–1999

Chicago. Hacia 1950

Copia en papel gelatina de plata, 19,4 × 24,3 cm
Compra

Alfred Stieglitz, Edward Weston y otros definieron la estética dominante de la fotografía americana en la década de 1920. El rigor formal y la precisión de sus imágenes instauraron un ideal de pureza y contemplación no contaminado por las complicaciones del mundo moderno. Su aguda percepción del detalle sutil salvó a su obra de un perfeccionismo muerto.

Desde los primeros años cuarenta y durante casi medio siglo, Callahan prolongó esa tradición intensificando sus dos polos. Sus fotografías marcan un extremo de austeridad, pero están cargadas de variedad y experimentación festiva. Como los copos de la nieve, obedecen a un código de normas rígido pero no hay dos iguales.

Esta vista de la orilla del lago Michigan reduce la escala de tonos continua de la fotografía al blanco extremo de la nieve, el negro puro de los árboles y un gris intermedio. Pero la distinción entre agua y cielo se conserva, si bien reducida al mínimo. Y, aunque los troncos de los árboles dibujen fuertes acentos verticales, su grosor y su trazado varían, y se agrupan en parejas como tres figuras preparadas para la acción. Al ramificarse una y otra vez, componen un tapiz: aplanado, entero, ininterrumpido, pero delicado e inagotablemente complejo.

Charles White Estadounidense, 1918–1979

Solid as a Rock (My God is Rock) (Sólido como una roca (Mi Dios es una roca)). 1958

Grabado al linóleo, hoja: 104,5 × 45,2 cm
Inédito
Tirada: 5 ejemplares conocidos
Fondo John B. Turner con apoyo adicional de
Linda Barth Goldstein y Stephen F. Dull

En su intenso retrato de tamaño natural *Solid as a Rock (My God is Rock)* White nos presenta la figura de un afroamericano como forma monumental, plasmando su aspecto escultórico mediante los audaces trazos del grabado al linóleo. Con manos de desmesurado tamaño y pies como los que se asocian a las estatuas clásicas, la figura se eleva firme, mirando hacia fuera y vistiendo los rasgos individuales con una pesada túnica para crear una representación universalizante. Esta obra marca un momento clave para el artista, la transición entre su anterior obra de realismo social producida para la Works Progress Administration y su creciente compromiso con las cuestiones de la raza y del cuerpo negro, que ocupó su actividad artística desde los años cincuenta hasta su fallecimiento en 1979.

El grabado fue siempre un medio importante para este artista nacido en Chicago que consideraba que el arte podía utilizarse como arma "para decir lo que tengo que decir". Empezó a experimentar con la litografía para fines sociopolíticos en el revolucionario Taller de Gráfica Popular del distrito federal de México, donde pasó una temporada a finales de los cuarenta junto a la que era entonces su esposa, la artista Elizabeth Catlett. Después de esa experiencia, White se trasladó a Nueva York y desempeñó un papel activo en el Comité para las Artes Negras y en el Taller de Arte Gráfico antes de afincarse definitivamente en Los Ángeles en 1956. Se convirtió en mentor sumamente influyente para los artistas afroamericanos emergentes de esa ciudad, entre ellos David Hammons.

Willem de Kooning
Estados Unidos, nacido en Holanda, 1904–1997

Mujer, I. 1950–1952

Óleo sobre lienzo, 192,7 × 147,3 cm
Compra

Mujer, I es la primera de una serie de obras de De Kooning sobre el tema de la mujer. En el grupo hay influencias que van desde los fetiches paleolíticos de la fertilidad hasta las vallas publicitarias, y los atributos de esta figura en concreto parecen abarcar desde el poder vengador de la diosa hasta la seducción vacía de la imagen de calendario. Invirtiendo las representaciones femeninas tradicionales, que él resumía como "el ídolo, la Venus, el desnudo", De Kooning pinta una mujer de ojos gigantescos, senos enormes y sonrisa dentona. Su cuerpo está delineado con trazos negros gruesos y finos, que se prolongan en bucles y restregones y goteos, cobrando vida independiente. Trazos angulosos y bruscos de naranja, azul, amarillo y verde se acumulan en múltiples direcciones a medida que se aplican las capas de color, se eliminan rascando y se restauran.

Cuando De Kooning pintó *Mujer, I*, artistas y críticos defensores de la abstracción habían declarado que la figura humana ya no tenía sitio en la pintura. Pero él, en lugar de renunciar a la figura, retomó el tema inveterado con la factura tempestuosa del expresionismo abstracto. ¿Participa esta mujer de la energía de la pincelada para hacernos frente con agresividad, o también ella está atacada, aniquilada casi por el revoltijo de marcas violentas? Quizá lo uno y lo otro; lo cierto es que sigue siendo poderosa e intimidante.

Robert Rauschenberg

Cama. 1955

Combine painting: óleo y lápiz sobre almohada,
colcha y sábana sobre soportes de madera,
191,1 × 80 × 20,3 cm
Donación de Leo Castelli en homenaje a Alfred
H. Barr, Jr.

Cama es una de las primeras *combines* de
Rauschenberg, que acuñó esa denominación
para su técnica de pegar desechos tales
como neumáticos o muebles viejos a un
soporte tradicional. En este caso enmarcó
una almohada, una sábana y una colcha viejas, y sobre ellas garabateó a lápiz y esparció
pintura en un estilo derivado del expresionismo abstracto. Al parodiar la seriedad de
aquel arte ambicioso, Rauschenberg anun-
ciaba una actitud más difundida entre los
artistas de generaciones posteriores: los
artistas pop, por ejemplo, que compartirían
su deleite en los objetos de todos los días.

    Se dice que la ropa de cama utilizada aquí
era la del propio Rauschenberg, que echó
mano de ella cuando le faltó dinero para
comprar un lienzo. Ya que él mismo probablemente durmió bajo esta colcha y esta
sábana, *Cama* es tan personal como un
autorretrato o más, y ese carácter es con-
gruente con sus ideas: "La pintura tiene que
ver con el arte y con la vida (yo intento
actuar en ese hueco entre las dos)". Aunque
aquí los materiales proceden de una cama y
están en la disposición correspondiente,
Rauschenberg los colgó de la pared como
una obra de arte. De ese modo la cama
pierde su función, pero no sus asociaciones
con el dormir, los sueños, la enfermedad, el
sexo: los momentos más íntimos de la vida.
En los tejidos empapados de fluidos, la crítica ha creído ver también connotaciones de
violencia y morbosidad.

Vittorio de Sica Italia, 1901–1974

Ladrón de bicicletas (Ladri di biciclette). 1948

Película de 35 mm, blanco y negro, sonora, 91 minutos
Ceskoslovensky Filmovy Archiv (por intercambio)
Lamberto Maggiorani, Enzo Staiola

En *Ladrón de bicicletas* un trabajador que depende de la bicicleta para ganarse la vida descubre que se la han robado, y pasa un día desgarrador buscándola por las calles de Roma en compañía de su hijo pequeño, que lo adora. La película representa un género del cine italiano conocido como neorrealismo, un estilo enormemente influyente en el que se rodaba en escenarios reales, al aire libre y con luz natural. Cineastas como De Sica, Roberto Rossellini, Giuseppe De Santis y Luchino Visconti emplearon muchas veces a actores no profesionales en sus historias de cómo se adapta la gente del pueblo a las condiciones brutales de una sociedad humillada y empobrecida por la guerra.

De Sica era actor. Dirigió su primera película en 1939, pero no alcanzó fama internacional hasta hacer sus obras maestras neorrealistas de la posguerra, en particular *El limpiabotas*, *Ladrón de bicicletas* y *Umberto D.* A pesar de ser inicialmente censurada en los Estados Unidos, *Ladrón de bicicletas* tuvo tan buena acogida en este país que la Academia de las Artes y las Ciencias Cinematográficas la distinguió con un premio especial dos años antes de que se instituyera el Óscar a la mejor película en lengua extranjera.

Elizabeth Catlett
Estadounidense y mexicana, nacida en Estados Unidos.
1915–2012

Aparcera. 1952, editado en 1968–1970

Grabado al linóleo, composición:
44,8 × 43 cm
Editor: la artista y el Taller de Gráfica Popular, México, D.F.
Edición: prueba al margen de la edición de 60 ejemplares
Fondo Ralph E. Shikes y adquisición

La mujer representada en este grabado alza la cabeza para mirar desde debajo de un sombrero de paja de ala ancha, estirando el tenso cuello. Lleva una chaqueta fina sujeta con un imperdible. Aunque cansado, el rostro de la aparcera denota fuerza y dignidad. Elizabeth Catlett vio en la pisoteada obrera una fuente de energía y creó retratos como este como forma plástica de oponerse a la opresión.

Criada en Washington D.C., Catlett pasó la mayor parte de su vida en México, donde se sintió atraída por el arte populista de Diego Rivera y José Clemente Orozco. Viajó allí por primera vez en 1946 y no tardó en frecuentar el Taller de Gráfica Popular. Dicho taller de grabado apoyaba trabajos artísticos dirigidos al pueblo. Estaba especializado en técnicas como el grabado al linóleo y la litografía, que podían producirse de manera económica y gozar de gran difusión. La agenda del taller de grabado se compaginaba por tanto con la defensa de los trabajadores que llevaba a cabo por su cuenta Catlett.

Los grabados de Catlett transmitían sus convicciones políticas en mayor medida que las esculturas que también producía. "En los grabados pienso en algo social o político", decía, "mientras que en la escultura pienso en la forma. Pero también pienso en las mujeres, en las negras". A caballo entre ambos medios, Catlett bebió de sus propias experiencias personales, mostrando al pueblo cuya causa defendía como un conjunto de personas nobles y fuertes.

Henri Matisse Francia, 1869–1954

El lanzador de cuchillos, de Jazz
de Henri Matisse. 1943–1947

Libro ilustrado con 20 pochoirs, página:
42 × 32,2 cm
Editor: Tériade Éditeur, París. Edición: 270
The Louis E. Stern Collection

La vívida y enérgica forma de color fucsia
que aparece aquí a la izquierda representa
al lanzador de cuchillos, mientras que la
estática forma azul pálida que alza los brazos a la derecha indica su pareja femenina
en el popular número circense. Motivos con
silueta de hojas flotan por la composición,
poniendo en esta visión estética una atmósfera de sueño. "En estas imágenes, con sus
tonos alegres y violentos, cristalizan recuerdos de circos, cuentos populares y viajes":
así decía Matisse en el poético texto que
acompañaba a sus composiciones para Jazz,
un extraordinario libro de artista. El lanzador
de cuchillos es una de las veinte imágenes
de la obra, intercaladas con páginas donde
se reproducen sus palabras escritas a
mano.

Al final de su carrera, tras quedar impedido a consecuencia de una operación quirúr-
gica en 1941, Matisse se dedicó a hacer
collages con papeles pintados. Cortaba a

tijera las formas curvilíneas y luego las disponía en animadas composiciones. El innovador editor Tériade le animó a hacer un
libro con aquellas deslumbrantes creaciones.
El artista escogió la técnica gráfica del
pochoir, notable por la posibilidad de lograr
zonas saturadas de color plano brillante
mediante la aplicación de tintas de aguada
con plantillas.

Ellsworth Kelly   Estados Unidos, 1923–2015

Colores para una pared grande.
1951

Óleo sobre lienzo, montado sobre sesenta
y cuatro paneles de madera; conjunto
239,3 × 239,9 cm
Donación del artista

"A mí nunca me ha interesado el pictori-
cismo", ha dicho Kelly, entendiendo por pic-
toricismo "una escritura muy personal, poner
marcas sobre una tela". No hay escritura
personal en *Colores para una pared grande*,
que se compone de sesenta y cuatro telas
unidas, todas del mismo tamaño y cada una
pintada de un solo color. Ni siquiera se
puede decir que sean personales los colores
ni su posición mutua; Kelly los sacó de
papeles de color comerciales y su ordena-
ción es arbitraria. Considerando que "el trabajo de un vulgar albañil es más válido que
la obra de todos los artistas, con contadas
excepciones", fundó un procedimiento

mecánico con una especie de apolínea indiferencia y erigió el resultado en principio de
composición.

En cuanto acumulación modular y serial
de objetos a la vez discretos y equivalentes,
Colores para una pared grande se anticipa al
minimalismo de los años sesenta, pero se distingue de él por la aleatoriedad sistemática de
la disposición, fundada en el azar. Esta obra,
realizada en el momento álgido del expresionismo abstracto (pero con total independencia
de él, ya que Kelly había dejado Nueva York por
París), posee también la escala mural de ese
estilo, y Kelly meditó mucho acerca de la relación de la pintura con la arquitectura; pero
pocos expresionistas abstractos habrían
podido decir como él: "Quiero eliminar de mi
obra el 'Esto lo hice yo'".

Jean Dubuffet   Francia, 1901–1985

Joë Bousquet en la cama, de **Más guapos de lo que creen.** 1947

Emulsión de aceite en agua sobre lienzo,
146,3 × 114 cm
Mrs. Simon Guggenheim Fund

Joë Bousquet era un poeta que había quedado paralítico en la Primera Guerra Mundial
y vivió impedido durante más de treinta años
en Narbona, en el sur de Francia. Dubuffet le
muestra en la cama, teniendo junto a sí
sobre la colcha dos de sus libros (*La
Connaissance du soir* y *Traduit du silence*),
un periódico, dos cartas dirigidas a él y un
paquete de cigarrillos Gauloises.

El folleto de la exposición que hizo
Dubuffet en París en octubre de 1947 tenía
formato de periódico y declaraba: "Los
humanos son mucho más guapos de lo que
creen. Viva su verdadera figura. Retratos de
parecido extraído, de parecido cocido y confi-
tado en la memoria, de parecido estallado
en la memoria del Sr. Jean Dubuffet, pintor".

En una época en que pocos artistas modernos practicaban el retrato, el siempre
rebelde Dubuffet pintaba a sus amigos intelectuales, pero sin pretensiones de exactitud
descriptiva ni psicológica. Inspirado por el
arte de los niños, los locos y los analfabetos
(todo lo cual coleccionaba bajo el nombre de
art brut), hacía imágenes crudas y caricatu-
rescas, trazadas con toscos arañazos en un
empaste grueso. El conformismo de la vida
moderna le repelía, y esperaba que esa cru-
deza hiciera su obra más auténtica.

Francis Bacon Gran Bretaña, 1909–1992

Estudio de babuino. 1953

Óleo sobre lienzo, 198,3 × 137,3 cm
James Thrall Soby Bequest

Según sus declaraciones, Bacon terminó su primera pintura de madurez en 1944, durante la Segunda Guerra Mundial. A tono con los tiempos, abordó temas no sólo de sufrimiento sino de tormento, y consultó fuentes mitológicas y cristianas para articular temas de venganza violenta. Esa actitud perduraría a lo largo de toda su obra, y ciertamente informa el sombrío *Estudio de babuino*.

Bacon basó a menudo sus imágenes en fotografías, desde fotografías de prensa hasta fotogramas de películas, y en un caso señalado la reproducción de una pintura de Diego Velázquez. Este babuino está copiado de uno de sus libros favoritos, la obra de Marius Maxwell *Stalking Big Game with a Camera in Equatorial Africa*, publicada en 1925. En las láminas de ese libro se ven principalmente animales salvajes de gran tamaño, como elefantes y rinocerontes, pero también hay una llamativa imagen de babuinos encaramados a acacias. Uno de ellos, sentado a la derecha en la bifurcación de un tronco, se parece mucho a éste. Bacon había viajado por África con frecuencia, y se dice que le fascinaba ver a las distintas clases de simios enjaulados en los parques, mientras otros vagaban en libertad por el exterior. *Estudio de babuino* refleja esa ambivalencia de una manera significativa. El babuino está a medias preso y a medias libre. Los barrotes de la jaula, vigorosamente pintados, lo obligan a una incómoda cercanía con el espectador. Su cuerpo es parcialmente transparente y fantasmal, pero la siniestra boca abierta y los relucientes colmillos blancos señalan una presencia muy real. Bacon encierra al espectador en el recinto del feroz animal, sugiriendo una correlación estrecha entre los dos seres.

Alberto Giacometti Suizo, 1901–1966

El carro. 1950

Bronce pintado sobre peana de madera
144,8 × 65,8 × 66,2 cm, bases
24,8 × 11,5 × 23,5 cm
Adquisición

En los años posteriores a la Segunda Guerra
Mundial la producción escultórica de Alberto
Giacometti se ve dominada por figuras ate-
nuadas de delgadez imposible. *Le Chariot*
presenta la delicada plasmación de una
forma femenina situada en pie sobre la plataforma de un carro sin caballo, elevado además por encima del suelo, en equilibrio
sobre dos bloques de madera ahusadas.
Según el artista, *Le Chariot* se inspira en
parte en el recuerdo de un "reluciente carrito
de medicinas" que vio durante un breve
período de hospitalización. Surgió también
de su deseo de ubicar la figura en el espacio
vacío "a fin de contemplarla mejor y situarla
a una distancia precisa del suelo". Alegoría
del equilibrio, el carro y su ocupante aparecen improbablemente inmóviles, sustrayén-
dose al parecer a las leyes de la gravedad,
como si hubieran quedado inmovilizados
para siempre en el tiempo.

Giacometti empezó a reducir y alargar
sus figuras para dar la impresión de que se
contemplaban desde lejos. Los pintores consiguen esa ilusión modificando el tamaño de
los objetos con arreglo a las normas de la
perspectiva. Giacometti reconocía que la
escultura carecía de medios para representar la distancia dentro de una obra en particular, pero, aun así, estaba decidido a
intentarlo. Las formas resultantes adoptaron
una gravedad adicional tras la Segunda
Guerra Mundial. Si bien los cuerpos parcos y
delgados de Giacometti evocan la fragilidad
humana, están reforzados por la solidez de
sus materiales. Aunque moldeadas inicialmente a partir de yeso o arcilla, las obras
que Giacometti realizó en esta época, entre
ellas *Le Chariot*, fueron forjadas en bronce.

Lucio Fontana Italia, nacido en Argentina, 1899–1968

Concepto espacial. 1957

Pluma y tinta sobre papel montado sobre
lienzo, con perforaciones y arañazos,
139,3 × 200,3 cm
Donación de Morton G. Neumann

El elemento visual más fuerte en *Concepto
espacial* es un ancho óvalo irregular de orificios toscos cuyas barbas sobresalen como si
una fuerza pugnara por abrirse paso desde
la oscuridad oculta al otro lado del plano pictórico. Arañazos de tinta negra, casi siempre
cortos y rectos como cerdas, pululan en ráfa-
gas por la superficie; las líneas y los remolinos más claros son abrasiones hechas en el
grueso papel, cicatrices salientes que com-
pensan su relativa debilidad con su violencia. Los Conceptos Espaciales de Fontana,
el primero de los cuales data de 1949, tienen una materialidad concreta que sintoniza
con el talante antiidealista de la Europa de
la posguerra.

Para Fontana los avances científicos exi-
gían innovaciones paralelas en el arte, que
según él debía extenderse al entorno, no
existir en dos dimensiones sino en el

espacio. La escultura, al ser tridimensional,
lo hacía por fuerza, como también el tipo de
instalación ambiental que Fontana exploró
desde muy pronto (desde entonces esa
forma ha llegado a constituir todo un género
artístico). La pintura, en cambio, exigiría una
cirugía radical: desgarrar la planitud del
cuadro.

El soporte de lienzo o de papel es un
cimiento literal de la pintura, el escenario
sobre el que se desarrolla todo lo que acon-
tece en el cuadro. Pinchar ese plano o acu-
chillarlo es una audacia y hasta una
insolencia para un pintor. *Concepto espacial*
transmite con claridad la valentía psicológica
que requirió el gesto de Fontana.

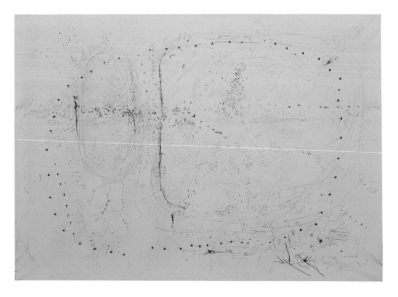

Ludwig Mies van der Rohe

Estados Unidos, nacido en Alemania, 1886–1969

Casa Farnsworth, Plano, Illinois.
1946–51

Versión preliminar, alzado norte, 1946: lápiz y acuarela sobre papel de calco, 33 × 63,5 cm
Mies van der Rohe Archive.
Donación del arquitecto

La casa de fin de semana para la Dra. Edith Farnsworth representada en este dibujo es una de las más claras expresiones de las ideas de Mies van der Rohe sobre la relación de la arquitectura con el paisaje. La nota trascendente de su arquitectura se encarna en la pureza reductora y la claridad estructural de este edificio de acero y vidrio. El espacio de la casa está definido por los planos del suelo y de la cubierta, todo ello sostenido por ocho columnas de acero. Todos los elementos de acero van pintados de blanco. El arquitecto afirmó: "Nuestro objetivo debe ser aglutinar la naturaleza, las casas y las personas en una unidad superior. Cuando se mira la naturaleza a través de las paredes de vidrio de la Casa Farnsworth, toma un significado más profundo que vista desde el exterior. De ese modo se expresa más de la naturaleza: pasa a ser parte de una totalidad mayor".

La casa, situada en una pradera a orillas del río Fox, que tiende a desbordarse, está elevada sobre el terreno. Estéticamente eso contribuye al efecto de ingravidez, reforzado por los planos de suelo y cubierta en voladizo y por la colocación asimétrica de las dos terrazas de travertino que implican una extensión sin fin en el espacio. Esta traducción de un pabellón clásico a un lenguaje totalmente moderno y abstracto –basado en el estudio atento de la proporción y la lógica estructural– es un refrendo sublime de la declaración que se atribuye a Mies van de Rohe: "Menos es más".

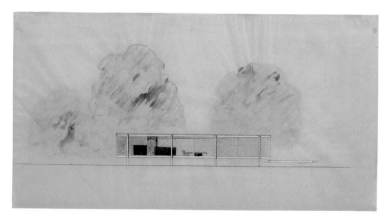

Roberto Burle Marx Brasileño, 1909–1994

PLATE 17

Detalle Parque Ibirapuera, proyecto Jardines Cuatricentenarios, São Paulo, Brasil. 1953

Gouache sobre tablero, 109,2 × 132,4 cm
Fondo Inter-Americano

Burle Marx fue el primer arquitecto paisajístico brasileño en apartarse de los principios clásicos del diseño formal de jardines. Sus planos asimétricos han ejercido influencia en artistas paisajísticos de todo el mundo, como también lo han hecho su empleo de la vegetación autóctona, sus pavimentos de colores y sus cuerpos de agua de formas libres. Sus conocimientos y su cultivo de infinidad de especies vegetales vienen siendo conceptos básicos en sus diseños; al elegir plantas que prosperan de manera natural en el clima y terreno de su ubicación y al incluir siempreverdes y perennes, Burle Marx ha generado jardines que resultan sencillos de mantener y están en consonancia con la naturaleza de la vida moderna.

Su aprendizaje lo hizo como pintor y sus diseños, por su cuidada yuxtaposición de colores, formas y texturas contrastantes, han sido comparados con pinturas o con obras de arte vivas. Caprichosas y recordando en cierto modo a las formas compositivas surrealistas, evocan la obra de Jean Arp, Alexander Calder y Joan Miró.

Burle Marx diseñó el paisajismo del Parque Ibirapuera en colaboración con el arquitecto Oscar Niemeyer. Los arriates, senderos y cuerpos de agua de formas orgánicas pretenden integrar el paisaje y la arquitectura. Burle Marx y Niemeyer ya habían trabajado juntos en varios proyectos destacados. En los años treinta colaboraron con Le Corbusier y Lucia Costa en el edificio del Ministerio de Educación y Sanidad Pública de Río de Janeiro.

Roy DeCarava Estados Unidos, nacido en 1919

Shirley abrazando a Sam. 1952

Copia en papel gelatina de plata,
34 × 25,7 cm
Donación del artista

Esta fotografía se publicó en 1955 en el
libro de DeCarava *The Sweet Flypaper of Life*,
con texto del poeta estadounidense
Langston Hughes. Ese libro ha sido elogiado
por ser una visión positiva de la vida cotidiana en el Harlem neoyorquino, trazada por
dos miembros de la comunidad y no por
sociólogos o reformadores del exterior. El
elogio es razonable, pero no dice nada de la
originalidad de las fotografías que DeCarava
hizo a puerta cerrada, y que describen a sus
amigos con el mismo cariño y calor que
éstos se muestran unos a otros. Ningún
fotógrafo anterior había retratado la vida
doméstica, de negros o de blancos, con una
ternura tan exenta de sentimentalismo.

Para tomar una foto el fotógrafo tiene
que estar presente. Esta simple realidad,
que a menudo se olvida, salvo allí donde
cimas de montaña inaccesibles o
sangrientos campos de batalla evidentemente han exigido recursos o heroísmo, es
una condición fundamental de la fotografía.
Ayuda a explicar la relativa rareza (aparte de
instantáneas familiares) de la fotografía
íntima de la vida doméstica: para hacer
fotos en casa ajena, el fotógrafo tiene que
haber sido invitado a entrar.

Helen Frankenthaler Estados Unidos, 1928–2011

La escala de Jacob. 1957

Óleo sobre lienzo sin imprimar,
287,9 × 177,5 cm
Donación de Hyman N. Glickstein

Junto a un delicado colorido, *La escala de Jacob* presenta en su composición ecos del cubismo y de las abstracciones tempranas de Vassily Kandinsky; pero lo que más influyó en Frankenthaler cuando, en la década de 1950, era una joven artista en Nueva York fue el expresionismo abstracto. Como Jackson Pollock, empleó telas tendidas en el suelo en lugar de apoyadas en el caballete o la pared, una técnica que abría posibilidades nuevas en el manejo de la pintura y en el resultado visual. Derramar el pigmento sobre la tela subrayaba la materialidad del pigmento y del soporte. Frankenthaler admiraba también la escala de las obras de Pollock, y declaró haber tomado de él su "preocupación por la línea, la línea fluida, la caligrafía, y experimentos con la línea no en cuanto línea sino en cuanto forma".

Frankenthaler se apartó de Pollock en la manera de emplear las zonas de color y una característica dilución del pigmento para que empapara la tela sin imprimar. Al estar la imagen tan palpablemente integrada en la tela, la presencia de ésta como lienzo plano pigmentado tiende a imponerse sobre cualquier lectura ilusionista, objetivo que era prioritario en la pintura de la época. Tampoco el título de la obra denota una intención ilustrativa premeditada. "Poco a poco, sobre la marcha, se fue organizando en formas simbólicas de una figura y una escalera exuberantes", dijo su autora; "de ahí *La escala de Jacob*".

Louise Nevelson
Estados Unidos, nacida en Ucrania. 1899–1988

Catedral del cielo. 1958

Ensamblaje: construcción de madera pintada
de negro, 343,9 × 305,4 × 45,7 cm
Donación de Mr. y Mrs. Ben Mildwoff

En cuanto plano rectangular para ser visto
de frente, *Catedral del cielo* posee el carácter
pictórico de un lienzo. Pero esta escultura en
relieve encierra un interior estratificado. Su
complejidad reside tanto en el método de
construcción –cajas poco profundas y abiertas, apiladas y ensambladas a modo de rompecabezas– como en el contenido de esas
cajas, los tarugos y recortes de madera con
que Nevelson llenó muchas de sus obras.
Son pedazos rescatados de molduras, espi-
gas, travesaños, partes de sillas, adornos
arquitectónicos y fragmentos de marquete-
ría. Con ese material Nevelson compone un
alto muro diversificado por el juego de planitud y recesión, líneas rectas y curvas, superposiciones y vacíos, que se ha comparado

con el facetado del cubismo y encierra una
absorbente complejidad visual.

Un artista surrealista habría podido
compartir el deleite de Nevelson en los des-
perdicios curiosos, pero quizá habría organizado una colección así en yuxtaposiciones
llamativas y desconcertantes. Nevelson, por
el contrario, pinta todos los objetos y cajas del
mismo color negro apagado, unificándolos
visualmente y oscureciendo a la vez sus
identidades originales. De ese modo, la
arqueología social que sugieren las particulares historias y funciones de las piezas
queda amortiguada pero no suprimida.

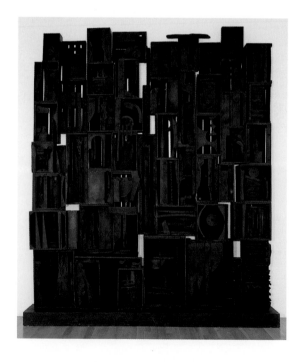

Oskar Fischinger Alemania, 1900–1967

Motion Painting I. 1947

Película de 35 mm, animada, color, sonora,
11 minutos
Donación de la Walt Disney Company

Película de extraordinaria belleza y fuerza rítmica, esta obra maestra en once minutos es una obra abstracta creada pintando al óleo sobre plexiglás. Musicada con un fragmento del *Concierto de Brandeburgo 3* de J. S. Bach, es una exuberante y gozosa serie de intrincadas transformaciones, una cada veinticuatroavo de segundo, que exploran la relación dinámica entre sonido e imagen. Película cuya combinación singular de tonalidades visuales y acústicas no deja de asombrar y encantar en ningún momento, *Motion Painting I* es el testimonio de un artista sobresaliente, apasionado por la experimentación y la invención.

En 1936 Fischinger aceptó una invitación de la Paramount a trabajar en sus estudios de Hollywood. Hasta entonces había sido en Alemania un distinguido inventor, teórico y creador de cortometrajes abstractos e industriales. Una vez en los Estados Unidos, sin embargo, no tardó en disentir de los métodos de producción en serie de los grandes estudios, y luchó por expresarse a través de películas experimentales de financiación independiente. Su mayor logro en ese campo y su último proyecto acabado es *Motion Painting I*. Pero sus promotores financieros no entendieron la obra, y Fischinger no pudo sacar copias para su distribución. En los veinte años siguientes continuó trabajando en distintos proyectos cinematográficos, pero ninguno de ellos se completó.

Sam Francis Estadounidense, 1923–1994

Gran rojo. 1953

Óleo sobre lienzo, 303,2 × 194 cm
Donación de David Rockefeller y su esposa

El sencillo título de este cuadro no está en consonancia con la complejidad visual de la obra. El color rojo domina la monumentalidad del lienzo, pero aparece en capas superpuestas a azules, amarillos y naranjas. Al seguir el movimiento de la pintura hacia arriba, hacia abajo y cruzando el vasto campo de la imagen, el espectador llega a percibir sus matices cromáticos y gestuales. Los tonos vibrantes adquieren coherencia mediante la disposición en cuadrícula de diversos contornos biomórficos, generando una matriz orgánica que se asemeja a una estructura celular. Las metáforas biológicas que operan en *Gran rojo* ilustran el interés que manifestó en cierta ocasión el

artista por utilizar la pintura para crear un estado de "incesante inestabilidad".

Francis se sirvió de la pintura para investigar el color y la energía, enfoque que lo diferenció de pintores de la escuela neoyorquina tales como Jackson Pollock y Clyfford Still, partidarios de la pintura como medio de expresión a través de lo gestual. De hecho, Francis eludió Nueva York. Comenzó a pintar en California tras resultar herido en un accidente de aviación durante la Segunda Guerra Mundial. En 1948 regresó a Berkeley, de donde había sido alumno antes de la guerra, con objeto de estudiar arte. *Gran rojo* fue realizado en París, donde residió el artista durante buena parte de la década de los cincuenta. El cuadro fue enviado a Nueva York para incluirse en la exposición *12 estadounidenses* organizada en 1956 por Dorothy Miller en el MoMA.

Joan Mitchell Estados Unidos, 1926–1992

Mariquita. 1957

Óleo sobre lienzo, 197,9 × 274 cm
Compra

La estructura formal de las pinturas de Mitchell, su materialidad y su reflejo del proceso son prolongaciones del expresionismo abstracto, pero en algunos aspectos esta artista impugnó las doctrinas de la Escuela de Nueva York, ciudad que también abandonó para unirse en París a Sam Francis y otros colegas de su generación. Por abstractas que sean sus pinturas, para ella hablaban de la naturaleza, del mundo exterior más que de la interioridad. Mitchell rechazaba la autoexpresión: su pintura, decía, "no habla de mí, habla del paisaje". Tampoco se consideraba una "pintora de acción", ya que trabajaba más por reflexión que por instinto. "En mi obra la libertad está muy controlada", afirmaba; "yo no cierro los ojos confiando en lo que salga".

Mariquita ensambla colores puros con otros que se mezclan sobre el lienzo, pigmento espeso con goteos líquidos, planitud con relieve. Las zonas vacías de los bordes insinúan un fondo básico que parece continuar bajo la tracería de color, pero ahí las manchas blancas son también pigmento y varían tanto en intensidad como en textura. Luchando por salir entre los trazos cortos, firmes y cortantes de azul, malva, verde, ocre y rojo, los blancos airean esa estructura activada, apareciéndose ambiguamente por debajo y por encima de ella. Ningún paisaje es obvio; la pretensión de Mitchell no era describir la naturaleza sino "pintar lo que me deja dentro".

Vincente Minnelli Estados Unidos, 1903–1986

Cita en San Luis (Meet Me in St. Louis). 1944

Película de 35 mm, color, sonora,
113 minutos
Restaurada en cooperación con Turner
Entertainment Co., con financiación de AT&T
Tom Drake, Judy Garland

Cita en San Luis tuvo su origen en una serie de relatos nada dramáticos –publicados por Sally Benson en la revista *The New Yorker*– sobre su infancia en el Midwest. Los guionistas de la MGM se esforzaron en construir un argumento hasta que Arthur Freed, director del famoso departamento de musicales de la MGM, decidió que la película fuera un vehículo de lucimiento para la ex niña prodigio Judy Garland. Garland interpreta el papel de Esther, hija de la familia Smith de San Luis, que del verano de 1903 a la primavera de 1904 vive cantando los preparativos de la ciudad para la Exposición de la Adquisición de la Luisiana en 1904. Entre sus muchas melodías, Esther canta "La canción del tranvía", descubriendo el *clang, clang, clang* de su corazón porque está enamorada. Minnelli puso de relieve la sencillez y naturalidad de su manera de actuar y cantar, que cautivó al público.

Tras triunfar en los años treinta como director y escenógrafo en los teatros de Broadway, Minnelli pasó a Hollywood como miembro del departamento de Freed en la MGM y aportó un aire nuevo a aquel género popular. Mientras otros se resistían a emplear el Technicolor, Minnelli entendió y adoptó el nuevo proceso, demostrando la deslumbrante brillantez de su colorido. Fue uno de los mejores coloristas de Hollywood y un maestro de la comedia musical cinematográfica. Implantó un nuevo canon del género, insertando hábilmente números de baile en la narración con una mezcla de naturalismo y fantasía en la que personajes realistas descubren y declaran sus esperanzas, sus temores y sus amores. Escondió y reveló a la vez el lado más sombrío de la América doméstica, la fragilidad de su estructura y el terror al cambio.

Irving Penn   Estados Unidos, nacido en 1917

Manga grande (Sunny Harnett), Nueva York. 1951

Copia en papel gelatina de plata,
34,5 × 34,5 cm
Donación del artista

Una fotografía de modas pretende describir un ideal al que los consumidores podríamos aspirar. Es la creación de una ilusión. En esta imagen las formas curvas –la boca de la mujer, su cuello, la forma del sombrero, la manga izquierda y, claro está, el bello despliegue de la manga derecha– están tan exquisitamente equilibradas que aceptamos como inevitable que el fotógrafo se haya atrevido a rebanar la cabeza de la modelo.

Penn se hizo famoso como fotógrafo de modas en 1950. Su estilo característico, austero y elegante a la vez, acabó con la rebuscada escenografía del pasado. Sus fotografías parecían materializar una seguridad y un gusto por la claridad que eran nuevos en los Estados Unidos de la posguerra.

Pero el paso del tiempo y los cambios de la moda no harían variar la economía pictórica y el oficio riguroso de Penn, el aplomo y la gracia de sus imágenes. A lo largo de medio siglo, su empecinada búsqueda de la perfección sí nos ha dado algo a lo que aspirar.

Robert Frank Estados Unidos, nacido en Suiza en 1924

Desfile, Hoboken, Nueva Jersey.
1955

Copia en papel gelatina de plata,
20,6 × 31,2 cm
Compra

En esta fotografía dos ciudadanas contemplan un desfile, y hay una bandera desplegada para celebrar la patriótica ocasión. Pero el clima es sombrío y los rostros están eclipsados, uno de ellos por la propia bandera.

La imagen pertenece al libro de Frank *The Americans*, publicado en Francia en 1958 y al año siguiente en los Estados Unidos. Antes de que la generalidad de los museos y galerías de arte abrieran sus puertas a la fotografía, es decir, antes de la década de 1970, los libros concebidos y editados por fotógrafos desempeñaron un papel fundamental en la difusión pública de la fotografía avanzada. *The Americans*, una de las obras señeras del género, ayudó a asentar la importancia artística de un "conjunto de obra", esto es, una serie de fotografías unificadas por la sensibilidad y la mirada de su autor más que por un tema determinado o por el encargo de una revista.

De hecho el tema nominal de *The Americans* es tan amplio que apenas sirve como principio de organización. La coherencia del libro no está ahí, sino en el talento de Frank para transformar fragmentos de observación en símbolos parlantes, siempre teñidos por una visión cáustica y desesperanzada de su país de adopción. También están engarzadas las imágenes por la repetición de iconos de la identidad nacional, sobre todo la bandera, que aparece y reaparece sobre la escena como el protagonista siniestro de una tragedia.

Robert Rauschenberg   Estados Unidos, 1925–2008

Canto XXXI: La sima central de Malebolge, los gigantes: Ilustración para el Infierno de Dante. 1959–1960

Calcomanía con solvente, lápiz, aguada y lápiz de color sobre papel, 36,6 × 29 cm
Donación anónima

En dieciocho meses Rauschenberg creó treinta y cuatro ilustraciones para el *Infierno* de Dante mediante una técnica de calcomanía y dibujo. Cada ilustración está pensada para ser leída de izquierda a derecha y de arriba abajo como una secuencia de episodios sin solución de continuidad. Los personajes de la alegoría están representados por fotografías, sacadas de los medios de comunicación, de atletas, políticos y astronautas, entre otros. En esta imagen, Dante y su guía, Virgilio, se acercan al octavo círculo del Infierno. Dante aparece en el ángulo superior izquierdo en la figura de un hombre envuelto en una toalla. Los guardianes del Infierno, descritos en el poema como temibles gigantes, son los atletas olímpicos subidos al podio abajo a la derecha. El gran eslabón indica la fuerza de los gigantes, y la circunstancia de que estén encadenados por sus pecados. Abajo las figuras de los dos poetas descienden a la sima. Empleando imágenes reconocibles para relatar el texto, Rauschenberg une lo elevado y lo vulgar, lo real y lo ilusorio, lo pasado y lo presente.

Para crear estas ilustraciones el artista recortó reproducciones de revistas, las cubrió con un solvente químico y las colocó vueltas del revés sobre el papel de dibujo. Frotando con un bolígrafo el reverso de los recortes trasladó las imágenes al papel. Finalmente añadió capas transparentes de aguada y marcas de lápiz para indicar diferentes emociones o estados de ánimo.

Jasper Johns Estados Unidos, nacido en 1930

Bandera. 1954–1955 (fechada en el reverso 1954)

Encáustica, óleo y collage sobre tela montada sobre contrachapado, 107,3 × 153,8 cm
Donación de Philip Johnson en homenaje a Alfred H. Barr, Jr.

Cuando Johns hizo *Bandera* el arte estadounidense estaba dominado por el expresionismo abstracto, que entronizó el uso audaz y espontáneo del gesto y el color para suscitar una respuesta emocional. Johns, sin embargo, había empezado a pintar símbolos comunes, reconocibles a primera vista: banderas, dianas, cifras, letras. Rompiendo con la idea del lienzo como terreno para la expresión personal abstracta, pintaba "cosas que la mente ya conoce". El uso de la bandera, dijo, "me simplificó mucho las cosas porque no tenía que diseñarla". Ganó así "margen para trabajar a otros niveles", centrando su atención en la elaboración de la pintura.

El color, por ejemplo, no está aplicado a la tela sino a tiras de papel de periódico, un material tan corriente que casi pasa inadvertido. Pero al mirar el cuadro de cerca esos retazos de letra impresa son tan difíciles de soslayar como de leer. En lugar de pintura al óleo Johns optó por la encáustica, una mezcla de pigmento y cera fundida que ha dejado una superficie de grumos y churretes; aunque la imagen se reconoce al instante, vista de cerca pasa a ser texturada y compleja. Es a la vez impersonal, o pública, y personal; abstracta y figurativa; fácil de captar y merecedora de estrecha atención.

Frank Stella Estados Unidos, nacido en 1936

Las bodas de la Razón y la Miseria, II. 1959

Esmalte sobre lienzo, 230,5 × 337,2 cm
Larry Aldrich Foundation Fund

En cada mitad de *Las bodas de la Razón y la Miseria, II*, barras envuelven barras formando una U invertida, un dibujo regular autogenerado. Al llenar la tela con arreglo a un programa metódico, Stella sugiere la idea del artista como obrero o trabajador. (También emplea pintura comercial –esmalte negro– y brocha gorda.) El carácter sistemático de las *Pinturas Negras* de Stella se aparta decisivamente de las ideas de acción inspiradas ligadas al expresionismo abstracto, el arte de la generación precedente, y se anticipa al arte minimalista hecho a máquina de los años sesenta. Pero muchas de ellas, como ésta, son sutilmente personales: Stella trabajaba a mano alzada, y las irregularidades de las líneas revelan ligeras vacilaciones de la brocha. También su esmalte insinúa un homenaje al expresionista abstracto Jackson Pollock, que utilizó esa clase de pintura.

El empleo de barras en Stella estaba motivado por la obra de Jasper Johns, particularmente sus pinturas de banderas. "Lo que más me llamaba la atención", ha dicho, "era ver cómo se aferraba al motivo la idea de las barras, ritmo e intervalo; la idea de repetición." Pero Stella llevó más lejos que Johns el "aferrarse al motivo", eliminando la bandera y dejando sólo las barras. "Mi pintura", dijo, "se basa en el hecho de que sólo lo que se ve ahí *está* ahí. Lo que ves es lo que ves."

Satyajit Ray   India, 1921–1992

La canción del camino (Pather panchali). 1955

Película de 35 mm, blanco y negro, sonora, 112 minutos
Adquirida de Edward Harrison
Subir Banerjee

En *La canción del camino*, la historia de una familia pobre que vive en su aldea ancestral de Bengala, Ray empleó actores desconocidos y rodó en escenarios reales. Su uso de técnicas neorrealistas rompió con la forma melodramática de cantos y danzas que caracterizaba al cine indio. En esta película y sus dos continuaciones, *Aparajito* y *El mundo de Apu*, los espectadores ven el mundo por los ojos de un muchacho, Apu, cuya conciencia va madurando en paralelo con el rostro cambiante de una India recién llegada a la independencia.

Ray, un cineasta capaz de apresar los temas esenciales de su cultura evocando al mismo tiempo verdades y valores universales, está reconocido en todo el mundo como un gran realista poético. A comienzos de los años cincuenta trabajaba como artista gráfico cuando decidió hacer una película a partir de un libro que estaba ilustrando, la novela popular por entregas *Pather panchali*. Ray tuvo grandes dificultades de financiación a lo largo de toda la producción, y gran parte del trabajo fue hecha por aficionados. Aunque Ray quedó insatisfecho por sus deficiencias técnicas, *La canción del camino* es admirable por su estilo espontáneo y directo. La prolífica producción cinematográfica de la India, que hoy rivaliza en ambición y popularidad con las de los Estados Unidos y el Japón, debe mucho de su peso internacional a la distinguida carrera de Ray, que tuvo su lanzamiento con esta película.

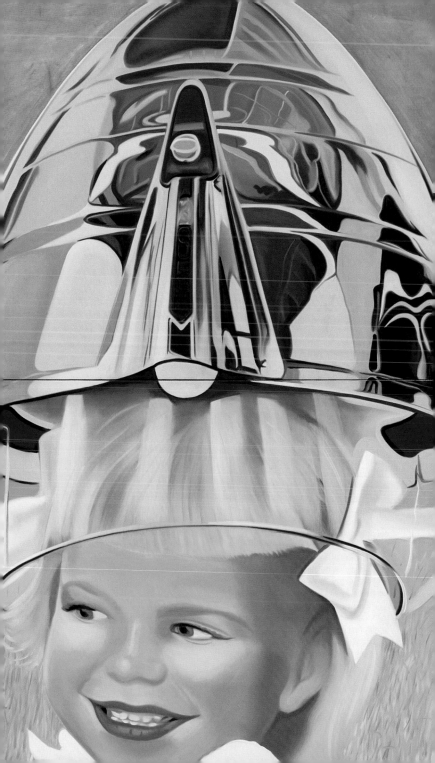

James Rosenquist
Estados Unidos, nacido en 1933

F-111. 1964–1965

Óleo sobre lienzo con aluminio, veintitrés
secciones 304,8 × 2621,3 cm
Donación de Mr. y Mrs. Alex L. Hillman
(por intercambio) y legado
Lillie P. Bliss (por intercambio)

"Seguramente la pintura es mucho más interesante que la publicidad", ha dicho
Rosenquist; "entonces, ¿por qué no hacerla
con la misma fuerza y entusiasmo, con el
mismo impacto?" Como otros artistas pop,
Rosenquist es un apasionado de las imágenes comerciales y cotidianas. Es consciente
del poder que tiene en la publicidad el
empleo de "cosas de tamaño mayor que el
natural" –en una época se ganó la vida pintando carteles de vallas–, y ya en sus primeras abstracciones se apropió la paleta
exageradamente alegre de los anuncios
gigantes. Su paso siguiente fue explorar el
potencial artístico de la escala y el estilo
fotográfico de las vallas publicitarias.

Rosenquist suele aderezar ese estilo
con desconcertantes fracturas y recombina-
ciones de imágenes. *F-111* abruma aún más
por sus dimensiones colosales y su formato
panorámico: está concebida para llenar las
cuatro paredes de una sala, envolviendo y

cercando al espectador, a diferencia de la
valla publicitaria, que a pesar de su magni-
tud se ve de una vez. También a diferencia
de la valla, *F-111* funde imágenes de la pros-
peridad americana con una corriente visual
más oscura. Las burbujas de aire de un
buceador riman con una nube en forma de
hongo; una niñita sonriente tiene encima un
secador de pelo en forma de misil; un mar
de espaguetis resulta desagradablemente
visceral, y por todas estas imágenes discurre
y revolotea el propio F-111, un cazabombar-
dero de la Fuerza Aérea de los Estados
Unidos. Pintada durante la guerra del
Vietnam, *F-111* establece nexos inquietantes
entre el militarismo y la estructura consu-
mista de la economía estadounidense.

Stanley Kubrick Estados Unidos, 1928–1999

2001, una odisea del espacio (2001: A Space Odyssey). 1968

Película de 35 mm, color, sonora, 137 minutos
Adquirida de Turner Entertainment Co.
Keir Dullea

Esta odisea que marcó un hito en la ciencia-ficción se sirve de un viaje espacial futurista para construir una alegoría sobre la naturaleza de Dios, la evolución de la vida sobre la tierra y el papel de la tecnología en la existencia humana. La película, que no intenta responder sino plantear las preguntas metafísicas que acucian al ser humano, empieza con "el amanecer del hombre" cuando éste por primera vez emplea herramientas, y termina al renovarse el ciclo humano en el año 2001.

Unos astronautas son enviados a las profundidades del sistema solar para investigar las ondas acústicas que emanan de un monolito negro descubierto bajo la superficie de la luna. (La misma estructura encuentran en la tierra los primeros homínidos que aparecen al comienzo.) Durante el viaje, el HAL 9000, el ordenador que regula la nave, deja de ser un instrumento para convertirse en un pensador independiente que trata de acabar con los humanos. Uno de ellos sobrevive, desactiva el ordenador y prosigue su camino por el tiempo y el espacio hacia un interior indefinido donde le esperan su yo avejentado y finalmente su muerte y resurrección.

Al principio muchos críticos acogieron con hostilidad una película que obligaba al espectador a pensar y parecía desconcertante. Pero para la mayoría, y sin duda para los grandes públicos que atrajo, era una obra, con sus técnicas innovadoras, sus efectos realistas y su inspirada banda sonora, tan fascinante como inteligente. Hoy *2001, una odisea del espacio* se mantiene tan fresca y estimulante como entonces, y sigue marcando el escalón más alto en el género de ciencia-ficción.

Roy Lichtenstein Estados Unidos, 1923–1997

Muchacha con pelota. 1961

Óleo sobre lienzo, 153 × 91,9 cm
Donación de Philip Johnson

Lichtenstein tomó la imagen de *Muchacha con pelota* directamente de un anuncio de un hotel de los Montes Pocono (Pennsylvania); pero al piratearla la transformó, sometiendo la fotografía del anuncio a las técnicas del dibujante de cómics y del impresor, y transformando también esas técnicas en versiones de pintor. Las simplificaciones resultantes intensifican el artificio de la obra, agriando su cuidadoso sueño de diversión bajo el sol. La boca redonda de la chica es más de muñeca que de mujer; el atractivo sexual que pudiera tener se ha plastificado como la pelota de playa.

Al escoger la materia banal de pinturas como *Muchacha con pelota*, Lichtenstein impugnaba la ortodoxia estética de la época, todavía impregnada por las ambiciones espirituales y conceptuales del expresionismo abstracto. La seriedad moral del arte y su longevidad parecían ajenos a este anuncio barato y efímero del mercado de consumo, un sector de velocísima rotación. De hecho la propia imagen, aunque sorprendente como obra de arte, como publicidad estaba ya anticuada, por lo que la pintura de Lichtenstein confiesa cierta nostalgia. Análogamente, su simulación de un proceso de imprenta despoja a la tecnología del pulimento que ya había conseguido: al exagerar los puntos del proceso Benday y limitar la paleta a los colores primarios, exagera las limitaciones de la reproducción mecánica, que pasa a ser tema de la pintura no menos que la propia chica.

Richard Hamilton   Gran Bretaña, nacido en 1922

Pin-up. 1961

Óleo, celulosa y collage sobre tabla,
121,9 × 81,3 × 7,6 cm
Enid A. Haupt Fund y un fondo anónimo

"Popular (pensada para un público de masas), efímera (solución a corto plazo), desechable (fácilmente olvidada), barata, hecha en serie, juvenil (dirigida a los jóvenes), ingeniosa, *sexy*, efectista, glamorosa, gran negocio". Así describió Hamilton la cultura moderna del consumidor, la cultura a la que él y los demás artistas pop pensaban que tenía que hacer frente el arte. No sorprende, pues, que entre las fuentes de *Pin-up* estén lo que Hamilton llama "fotos de chicas", tanto "las fotografías, sofisticadas y a menudo exquisitas, de *Playboy*" como las imágenes más "vulgares" que ofrecían los "sucedáneos basura" de esa revista. Menos evidentes son las referencias a la historia del arte; los pasajes que según Hamilton "llevan la marca de una mirada atenta a Renoir".

Claro está que el desnudo, o la más provocativa odalisca, es un tema duradero en el arte, y *Pin-up* expone una tesis sobre cómo podría ser un tratamiento contemporáneo apropiado de un tema clásico en la historia del arte. Hamilton cree que ese tratamiento exigiría una "diversificación" de los lenguajes artísticos, y en consecuencia él aborda la tradición de la odalisca desde distintos modos pictóricos: el pelo, por ejemplo, es una caricatura estilizada, los senos aparecen a la vez en dibujo y en relieve tridimensional, y el sostén es una fotografía aplicada como *collage*. "Mezclar idiomas", ha dicho Hamilton, "es virtualmente doctrina en *Pin-up*", una imagen de mal gusto y a la vez extraordinariamente sofisticada.

Yves Klein
Francés, 1928–1962

Antropometría: la princesa Elena.
1960

Óleo sobre papel sobre madera,
198 × 128,2 cm
Donación de Arthur Wiesenberger y su esposa

La antropometría es la ciencia de medir el cuerpo humano. En la serie de Klein que lleva ese título, el artista soslayó la cuantificación científica, prefiriendo dejar constancia de la presencia física del cuerpo por medio de impresiones directas. Produjo estas obras en complejas veladas en las que se sirvió de modelos femeninas para que hiciesen las veces de "pinceles vivos" (el título de este ejemplo alude a una de sus modelos predilectas, Elena Palumbo). Un público observaba cómo las mujeres desnudas se "bañaban" en International Klein Blue, un color patentado por Klein, y dejaban marcada la huella de sus cuerpos sobre grandes hojas de papel. El artista les daba instrucciones provisto de guantes blancos para señalar que sus manos no se mancharían de pintura. Entretanto, los espectadores degustaban cócteles de color azul a juego y unos músicos interpretaban la *Sinfonía monótona* compuesta por Klein en 1949, una única nota tocada durante veinte minutos, seguida de otros veinte minutos de silencio.

El mismo año en que se realizó esta obra Klein firmó un manifiesto redactado por el crítico francés Pierre Restany para un nuevo movimiento de vanguardia, el Nuevo Realismo. La única línea del manifiesto decía: "Los nuevos realistas han cobrado conciencia de su identidad colectiva; Nuevo Realismo = nuevas percepciones de lo real". A la vez que cimentaba su arte en la realidad física de la pintura y los cuerpos, Klein redefinió por entero la relación tradicional existente entre ambos.

Andy Warhol Estados Unidos, 1928–1987

Marilyn Monroe de oro. 1962

Tinta de serigrafía sobre pintura de polímero
sintético sobre lienzo, 211,4 × 144,7 cm
Donación de Philip Johnson

Marilyn Monroe era una leyenda cuando se
suicidó en agosto de 1962, pero retrospecti-
vamente su vida parece un lento martirio por
parte de su público y de los medios de
comunicación. Después de su muerte
Warhol basó muchas obras en una fotografía
suya, siempre la misma, un fotograma de
anuncio de la película de 1953 *Niagara*.
Warhol pintaba el lienzo de un color uniforme
–turquesa, verde, azul, amarillo limón– y después serigrafiaba encima la cara de Marilyn,
unas veces sola, otras duplicada, otras multi-
plicada formando una cuadrícula. El fondo
dorado de *Marilyn Monroe de oro* (la única
de las Marilynes de Warhol donde se utiliza
este color) recuerda las imágenes religiosas
de la historia del arte cristiano, si bien la
obra infunde un atractivo morboso a esa
resonancia.

Al multiplicar esta fotografía de una
heroína compartida por millones de personas, Warhol negaba el concepto de singulari-
dad de la personalidad del artista que
estaba implícito en la pintura gestual de los
años cincuenta. Empleó además una técnica
comercial, la serigrafía, que comunica a la
imagen un aspecto nítido y artificial; al
mismo tiempo que Warhol canoniza a
Monroe, revela que su imagen pública es
una ilusión cuidadosamente estructurada.
La cara de *Marilyn Monroe de oro*, con ese
aire de glamour de los cincuenta, tiene
mucho de coincidente con la propia estrella:
brillo intenso pero pasajero; rotunda pero vulnerable; dominante pero escurridiza. Rodeada
de vacío, es como el fundido final de una
película.

Diane Arbus Estados Unidos, 1923–1971

Muchacho con canotier esperando para participar en un desfile de apoyo a la guerra, Nueva York. 1967

Copia en papel gelatina de plata, 37,5 × 36,8 cm
The Ben Schultz Memorial Collection
Donación de la artista

Arbus se planteó el retrato fotográfico como una vía de dos direcciones, que establece una relación entre el espectador (que ocupa el lugar del fotógrafo) y el sujeto. Experimentar la imagen es entrar en esa relación, cuya franqueza y hondura se pueden evaluar del mismo modo que cada día calibramos la sinceridad de los demás y ellos juzgan la nuestra.

Muchos de los personajes de Arbus son proscritos de un tipo u otro, y en un primer momento sus fotografías repelen o simplemente fascinan al espectador. Sólo después de deponer esas defensas nos damos cuenta de que la vulnerabilidad de sus modelos nos invita a reconocer la nuestra.

Salvo en un puñado de casos, uno de los cuales es éste, Arbus no abordó directamente temas políticos. Pero su veracidad insobornable frente a la flaqueza humana es uno de los grandes logros del arte estadounidense en los años oscuros de la guerra del Vietnam.

Andy Warhol Estados Unidos, 1928–1987

Empire. 1964

Película de 16 mm, blanco y negro, muda,
8 horas, 6 minutos (aprox.)
The Andy Warhol Foundation for the Visual
Arts Film Preservation Program

Empire es un único plano estacionario del
Empire State Building tomado desde el piso
44 del Time-Life Building. El operador fue
Jonas Mekas. El plano fue filmado de las
20.06 del 25 a las 2.42 del 26 de julio de
1964. *Empire* consiste en una serie de
rollos de película de cien pies, separados
entre sí por un destello de luz. Cada segmento
constituye un pedazo de tiempo. La clara
delineación que hace Warhol entre los segmentos se puede equiparar a la repetición
serial de imágenes en sus serigrafías, que
también aluden claramente a su procedimiento y materiales.

    Warhol concibió una nueva relación del
espectador con la película en *Empire* y otras
obras tempranas, que son mudas, exploran
la percepción y establecen un nuevo concepto del tiempo cinematográfico. Con su

frialdad, su falta de montaje y sus largas
inacciones, esas películas pretendían ser
parte de un ambiente más general. También
parodian los objetivos de los contemporáneos vanguardistas de Warhol, que se proponían retratar la psique humana en cine o
utilizaban el medio como metáfora.

Yayoi Kusama
Japonesa, nacida en 1929

F. 1959

Óleo sobre lienzo, 105,4 × 132,1 cm
Fondo Sid R. Bass

Forma parte de una serie de pinturas en blanco sobre blanco que Yayoi Kusama realizó apenas un año después de su llegada a Estados Unidos procedente de Osaka (Japón). En ella, multitud de pequeñas marcas de aspecto parecido y densamente situadas se concretan en formaciones de tipo celular cubriendo el lienzo de un extremo a otro. Kusama llamaba a ese motivo "red del infinito". Inspirado en una alucinación de su infancia, se convertiría en su tema característico.

La capacidad de Kusama para concentrarse durante largos períodos –a veces trabajaba intensamente hasta cincuenta horas seguidas– permitió que pintase el patrón "red del infinito" tanto en soportes del tamaño de habitaciones como en lienzos susceptibles de colocarse sobre un caballete en un intento, según afirmaba, de cubrir el mundo entero. Ese afán la llevaría en 1961 a extender la "red del infinito" y sus variantes, el punto y la protuberancia fálica, a la escultura y, posteriormente, a las instalaciones. Actualmente, transcurridos ya más de cincuenta años desde su primera pintura de la "red del infinito", la octogenaria artista continúa desplegando ese motivo en obras realizadas en todo tipo de medios.

Se pintó para una exposición individual que tuvo lugar en la galería Gres de Washington, establecimiento que era propiedad de una de las primeras mecenas de Kusama, Beatrice Perry. Pintada de manera obsesiva pero no mecánica, coherente pero nada uniforme, la superficie de la obra exhibe campañas bien diferenciadas de gruesas y expresivas pinceladas con las que describe remolinos de formas circulares que generan un patrón asistemático tan variopinto como lo que cabría encontrar en la naturaleza.

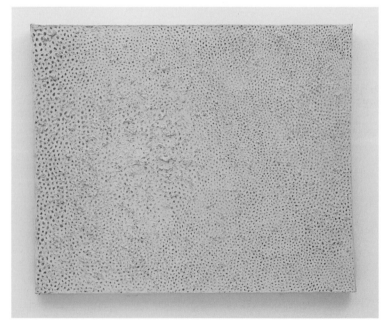

Ad Reinhardt Estados Unidos, 1913–1967

Pintura abstracta. 1963

Óleo sobre lienzo, 152,4 × 152,4 cm
Donación de Mrs. Morton J. Hornick

Para el espectador apresurado *Pintura abstracta* presenta una negrura homogénea. Pero la obra encierra más de una tonalidad de negro, y una mirada más detenida describe una imagen geométrica abstracta. Reinhardt ha dividido la tela en una parrilla de tres por tres cuadrados. En los cuadrados de las esquinas el negro tiene un matiz rojizo; la forma intermedia –una cruz que llena el cuadrado central de la tela y los centrales de cada lado– es de un tono negro azulado en la barra vertical y negro verdoso en la horizontal.

Obras como ésta tuvieron gran influencia en los artistas minimalistas y conceptuales de los años sesenta, que admiraban su rigor sistemático y reduccionista. Pero la poesía de su fina factura y su carácter hondamente contemplativo las unen a la generación del expresionismo abstracto, del que Reinhardt fue miembro aunque disidente. Insistiendo en separar el arte de la vida, Reinhardt quiso eliminar de su obra todo contenido que no fuera el arte mismo. En *Pintura abstracta* y las demás telas negras tardías (para él pinturas "últimas"), intentó hacer "una pintura pura, abstracta, no objetual, intemporal, inespacial, invariable, sin relaciones, desinteresada: un objeto consciente de sí (sin inconsciencia), ideal, trascendente, que no aluda a nada más que al arte".

Robert Motherwell Estados Unidos, 1915–1991

Elegía a la República Española, 108. 1965–1967

Óleo sobre lienzo, 208,2 × 351,1 cm
Charles Mergentime Fund

Elegía a la República Española, 108 describe un augusto desfile de lo orgánico y lo geométrico, lo accidental y lo deliberado. Como a otros expresionistas abstractos, a Motherwell le atrajo el principio surrealista del automatismo –métodos que se sustraían a la intención consciente del artista–, y su pincelada tiene una carga emocional, pero dentro de una estructura general de cierta severidad. De hecho situaba la disposición cuidadosa de colores y formas en el corazón del arte abstracto, al que según él "se despoja de otras cosas para intensificarlo, sus ritmos, sus intervalos espaciales y su estructura cromática".

Las Elegías a la República Española, más de un centenar de pinturas que Motherwell ejecutó entre 1948 y 1967 son una "lamentación o canto funerario" por la guerra civil de España. Aquí el motivo recurrente es un óvalo negro irregular que se repite en distintos tamaños y grados de compresión y distorsión. En lugar de aparecer como agujeros conducentes a un espacio más profundo, estas manchas absorbentes de luz se destacan sobre un fondo de rectángulos verticales relativamente regulares en los que predomina el blanco. Admiten diversas asociaciones, pero el propio Motherwell los relacionó con los testículos del toro muerto en la arena de una plaza de toros.

Motherwell describió sus *Elegías* como su "insistencia personal en que ha habido una muerte terrible que no se debe olvidar. Pero los cuadros", añadía, "son también metáforas generales del contraste entre la vida y la muerte y su interrelación".

Shomei Tomatsu Japón, 1930–2012

Hombre con cicatrices queloides.
1962

Copia en papel gelatina de plata, 33 × 22,4 cm
Donación del artista

Esta fotografía pertenece al primer libro de Tomatsu, *Nagasaki 11:02*, cuyo título recuerda la hora exacta en que la bomba atómica estadounidense devastó Nagasaki el 9 de agosto de 1945, precipitando el final de la Segunda Guerra Mundial. El tema es un hombre que ha sobrevivido pero ha quedado marcado para siempre por la explosión. Tomatsu ha dejado su cara en sombra e iluminado nítidamente sus cicatrices para plasmar una espeluznante forma irregular, llamativa metáfora de la violencia y el sufrimiento. La fotografía está hecha en los años sesenta, durante la extraordinaria recuperación económica del Japón después de la guerra, y se puede interpretar no sólo como un grito de protesta por la bomba sino también como un recordatorio para el pueblo japonés.

La guerra afectó profundamente a los fotógrafos japoneses de la generación de Tomatsu en dos aspectos clave: los obligó a afrontar la catástrofe sin precedentes que se había abatido sobre su país y les dio la posibilidad de hacerlo, ya que la ocupación estadounidense significó desmantelar el estado shintoísta y liquidar el régimen autocrático del emperador. Liberados del peso de antiguas restricciones culturales, Tomatsu y sus contemporáneos crearon un estilo fotográfico muy expresivo, con el que abordar las profundas convulsiones que habían dado forma a sus vidas.

Morris Louis Estados Unidos, 1912–1962

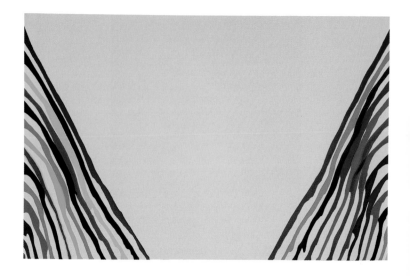

Beta lambda. 1960

Acrílico sobre lienzo, 262,6 × 407 cm
Donación de Mrs. Abner Brenner

Beta lambda pertenece a la serie Unfurled ("Desplegado") de Louis, donde a los lados del cuadro hay bandas oblicuas de pintura separadas por una gran extensión de tela en blanco, un poderoso vacío. Cada banda está compuesta por múltiples regueros de color, que ora se escalonan a lo largo del espectro, ora introducen un contraste abrupto, como el azul de la derecha en *Beta lambda*. La buscada simplicidad de la obra de Louis pone el acento en un empeño de la pintura de la época, el de concentrarse en los elementos esenciales del arte: la línea, el color, el fondo.

Cronológicamente Louis procedía de la generación expresionista abstracta, pero casi siempre mantuvo una distancia geográfica y psicológica respecto a la Escuela de Nueva York; y, aunque uno de los miembros de aquel círculo, Helen Frankenthaler, influyó decisivamente en él, Frankenthaler era algo más joven que sus pioneros. El resultado es que la obra de Louis a la vez refleja ideas del expresionismo abstracto y se aparta de ellas. Como Frankenthaler, Louis utilizaba lienzo sin imprimar, que absorbe la pintura en el tejido y se mantiene presente en la obra acabada. (El lienzo imprimado, por el contrario, recibe la pintura como una capa que recubre y esconde su superficie.) Louis también inventó maneras de aplicar la pintura sin pincel, apoyando la tela en la pared y derramando el pigmento líquido sobre el plano inclinado. El procedimiento desinfla la insistencia del expresionismo abstracto en la mano y la psique del artista, y hace de *Beta lambda* un campo visual de valor autónomo.

Robert Ryman
Estadounidense, nacido en 1930

Twin (Gemelo). 1966

Óleo sobre algodón 192,4 × 192,6 cm
Fondo Charles y Anita Blatt y adquisición

Ryman describe su proceso de trabajo como un intento de "pintar la pintura". Si algo representan sus superficies totalmente blancas es la manipulación de la pintura misma. Restringe sus materiales a diversos tipos de pigmento blanco –gouache, óleo, esmalte, yeso mate, acrílico y encausto, entre otros– diseminados sobre una amplia gama de soportes –hojas de periódicos, gasa, papel cebolla, cartón, lino, yute, etc.– y aplicados con herramientas que van desde pinceles de distinta anchura a paletas y espátulas. En Twin utilizó una brocha de unos treinta centímetros de ancho para pintar bandas horizontales que cruzan la superficie del lienzo.

El grosor uniforme del pigmento oculta la dirección de los brochazos, así como la longitud de cada aplicación de pintura. Las anchas franjas se extienden de borde a borde, sugiriendo la posibilidad de que los gestos del artista continuasen hasta más allá de los límites del cuadro.

Ryman recibe a veces la consideración de pintor minimalista por sus monocromías de aparente ascetismo –de las que no existen dos que sean idénticas–, pero ese calificativo contradice el intrincado carácter pictórico de una obra como Twin. Los sutiles cambios de textura y tono en el cuadro resultan notoriamente difíciles de reproducir en fotografías.

Lee Bontecou Estados Unidos, nacida en 1931

Sin título. 1961

Acero soldado, lienzo, tejido negro,
cuero sin curtir, hilo de cobre y hollín,
203,6 × 266 × 88 cm
Kay Sage Tanguy Fund

¿Pintura o escultura? ¿Orgánico o industrial? ¿Invitación o amenaza? Un rectángulo de lienzo como un cuadro, pero que proyecta desde la pared su boca facetada con equí-voco aspecto de máquina: esta obra sin título es una viva ambigüedad. Lo que muchos han visto en esta clase de obras de Bontecou, con cercos salientes y huecos vacíos, son las nacelas o carcasas de los motores a reacción, y también ella reconoció su influencia: "Aviones en cierta época, reac-tores sobre todo". El interés por los productos aerodinámicos de la modernidad podría relacionar a Bontecou con el arte pop, un

movimiento que se desarrolló en las mismas fechas; pero la paleta oscura y restringida de su obra le confiere una sobriedad alejada de mucho del pop, y Bontecou describe el mundo de una manera más oblicua. Además, en lugar de reproducir las superficies metáli-cas de un motor, cose piezas de tela sobre un esqueleto de acero. Si esto es una máquina, es una máquina blanda; lo cual nuevamente lleva a muchos a pensar en el cuerpo, y sus interiores y aberturas cargados de significación.

El misterio es una de las cualidades que atraen a Bontecou; otras son "el miedo, la esperanza, la fealdad, la belleza". En cuanto a esas cavidades tenebrosas, que son un tema constante, señala: "Me gusta el espacio que no se acaba. El negro es así. Los aguje-ros y las cajas significan secretos y protección".

George Segal Estados Unidos, 1924–2000

El conductor de autobús. 1962

Yeso sobre estopilla; partes de
autobús, incluidas máquina cobradora,
volante, asiento de conductor, asidero,
salpicadero, sobre madera y bloques;
figura, 136 × 68,2 × 114 cm,
conjunto 226 × 131 × 195 cm
Philip Johnson Fund

La idea de *El conductor de autobús* se le
ocurrió a Segal yendo una noche en autobús
de Nueva York a Nueva Jersey. El conductor
era triste, huraño y arrogante, y Segal pensó:
"Dios mío, ¿a este engreído le confío yo mi
vida?". Cuando encontró un autobús abando-
nado en un depósito de chatarra se llevó la
plataforma del conductor. Incorporada a *El
conductor de autobús*, esa armadura metálica sirve de habitáculo a una figura de yeso
vaciada del natural.

En su primera aparición a comienzos de
los años sesenta, los vaciados de personas
en fragmentos de entornos reales de Segal
se consideraron arte pop porque describían
la vida cotidiana de lugares públicos. Pero
mientras que el pop solía centrarse en imágenes de los medios de comunicación y
objetos fabricados en serie, a Segal le interesaba el individuo, sus gestos, su talla, sus
actitudes, y también su estado interior, psicológico o espiritual. Solía dejar los yesos
sin pintar, valorando su blancura por "sus
especiales connotaciones de espíritu desen-
carnado, inseparable de los detalles corpó-
reos carnales de la figura". En el conductor
de autobús (a quien se ha comparado con el
barquero Caronte del mundo de los muertos
en la mitología griega), Segal veía "la dignidad del desvalimiento: un hombretón
rodeado de maquinaria, pero en el fondo un
hombre nada heroico atrapado por fuerzas
que lo superan, que ni controla ni menos
aún comprende".

Cy Twombly Estados Unidos, nacido en 1928

Leda y el cisne. 1962

Óleo, lápiz y lápiz de color sobre lienzo,
190,5 × 200 cm
Adquirido a través del legado Lillie P. Bliss
(por intercambio)

El interés por la forma mural estuvo muy
extendido entre los expresionistas abstractos, que con frecuencia emplearon formatos
mucho mayores que los de la pintura de
caballete. Twombly, miembro de una generación posterior, transpuso ese interés por el
muro a un registro distinto: ningún pintor de
su época se presta con más motivo a ser
asociado con el lenguaje de los *graffiti*. Sus
garabatos caligráficos pueden recordar la
escritura automática del surrealismo, otra
herencia que le llegó a través del expresionismo abstracto, pero también evocan los
rayones y chafarrinones de los vetustos
muros de Roma (donde reside desde 1957).
Roma suministra otra piedra de toque
para Twombly a través de su fascinación por
la antigüedad clásica. Aquí alude al mito en
el que Júpiter, señor de los dioses, tomó el
aspecto de un cisne para forzar a la bella
Leda. (Esta violación acabaría conduciendo
a la guerra de Troya, que se libró por Helena,
hija de Leda.) En su versión de este antiguo
tema artístico, Twombly no ofrece contrastes
de plumas y carne, sino una fusión y confusión orgiástica de energías dentro de furio-
sos rayados superpuestos de lápices de
colores, lápiz negro y pintura roja. De esa
explosión salen despedidos unos cuantos
signos reconocibles: corazones, un falo. Un
comentario más sobrio es el rectángulo
cuarteado como una ventana que hay cerca
del borde superior, indicativo de la dirección
estabilizadora que empezaba a tomar el arte
de Twombly.

Jasper Johns   Estadounidense, nacido en 1930

Diver (Buzo). 1962–1963

Carboncillo, pastel y acuarela sobre papel
montado sobre lienzo, dos paneles
219,7 × 182,2 cm
Donación parcial de Kate Ganz y Tony Ganz
en memoria de sus padres Victor y Sally Ganz
y en memoria de Kirk Varnedoe; fondo del
legado de la esposa de John Hay Whitney;
donación de Edgar Kaufmann, Jr.; donación
de Philip L. Goodwin, legado de Richard S.
Zeisler; y donación anónima (todo por
intercambio). Adquirido por los administradores
del Museum of Modern Art en memoria
de Kirk Varnedoe

Diver es la obra sobre papel de mayor
tamaño y posiblemente de mayor importancia de toda la carrera de Johns, que se prolonga ya a lo largo de más de cincuenta
años. Aunque fechada en 1963, fue comenzada el año anterior, antes de la gran pintura
de igual título que terminó en 1962. Johns
retomaría luego el dibujo y lo terminó después que el cuadro.

El título *Diver* podría aludir al poeta Hart
Crane, cuyo trabajo Johns admiraba mucho y
que se había suicidado en 1932 tirándose
de un barco en el golfo de México. Johns
comentó a la investigadora Roberta
Bernstein que la figura del dibujo se está
zambullendo de cabeza y que el movimiento
direccional de huellas de manos y pies y de
brazos que implican las flechas designa las
distintas etapas de la zambullida. Aunque la
acción esquematizada sugiere los temas de
una emoción comedida pero intensa, de la
pérdida y de la memoria, la convergencia de
las manos en la parte inferior central crea la
imagen de una calavera, motivo de *memento
mori* que se repetiría en el arte de Johns.

Los recursos formales de la obra –su
material y su composición, su marca y su
gesto, su tono y su color– resultan tan ricos
como las cuestiones existenciales que plantea. *Diver* es asombrosa por su audacia y por
sus matices; está hecha para interpretarse
desde muy lejos y también para seducir al
observador invitándolo a un encuentro más
íntimo. Su fuerza y su belleza son un ajuste
de cuentas con lo sublime.

Edward Ruscha   Estados Unidos, nacido en 1937

OOF. 1962–1963

Óleo sobre lienzo, 181,5 × 170,2 cm
Donación de Agnes Gund, la Louis and Bessie
Adler Foundation, Inc., Robert y Meryl
Meltzer, Jerry I. Speyer, Anna Marie y Robert
F. Shapiro, Emily y Jerry Spiegel, un donante
anónimo y compra

"La palabra suelta, su pronunciación monosi-
lábica gutural, eso era lo que me apasio-
naba", ha dicho Ruscha hablando de su
primera etapa. "Las palabras que suenan
fuerte, como *slam, smash, honk*." El aspecto
de cómic de esas palabras refleja la fascinación de los artistas pop por la cultura popular. (Ese interés es aún más explícito en las
imágenes que ha hecho Ruscha de la arquitectura vernácula de Los Ángeles.)
Compuestas no manualmente sino con tipografía, las palabras son netas e impersonales en su forma; a diferencia de los
expresionistas abstractos de las décadas de
1940 y 1950, Ruscha no tenía el menor interés en engendrar una pintura a través de un
proceso introspectivo: "Empecé a ver que
todo consistía en hacer una imagen precon-
cebida. Fue una enorme libertad, tomarme
el arte con premeditación".

Palabras inglesas como *oof, smash* y
honk son onomatopeyas de sonidos fuertes
y bruscos. También, como dice Ruscha, tienen "cierto valor de comedia", comedia
subrayada por la paradoja de que se presen-
ten en el medio silencioso de la pintura y sin
una imagen ni frase que les ayude a evocar
los sonidos que denotan. *Oof* es particularmente paradójica porque describe un gru-
ñido inarticulado. En las manos de Ruscha,
su doble O es también un guiño hacia pinturas recientes, las Dianas y Círculos de
Jasper Johns y Kenneth Noland. Obras como
ésta apuntan con ironía a la arbitrariedad de
nuestros convenios sobre el sentido de los
lenguajes visuales y verbales.

Robert Venturi   Estados Unidos, nacido en 1925

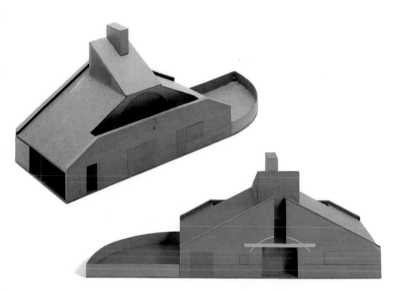

Casa Vanna Venturi, Chestnut Hill, Pennsylvania. 1959–1964

Maqueta, Esquema VI (final): cartón y papel, 19,7 × 52 × 17,1 cm
Donación de Venturi, Rauch and Scott Brown, Inc.

El diseño representado por este modesto estudio en cartón de una casa para la madre del arquitecto es engañosamente simple. La fachada delantera, por ejemplo, reúne los elementos de una casa convencional: gran hastial, chimenea, puerta de entrada y ventanas. Pero en todo el edificio la hábil yuxtaposición de elementos grandes y pequeños y la distorsión intencionada de la simetría establecen una riqueza de significados y una ambigüedad perceptual que hacen de la residencia de Vanna Venturi una de las casas más importantes de la segunda mitad del siglo XX.

Venturi compaginó este diseño, en 1961–1962, con la redacción de su libro *Complexity and Contradiction in Architecture* (publicado por el Museo de Arte Moderno de Nueva York en 1966). Esa brillante crítica arquitectónica, respaldada por numerosas ilustraciones de edificios históricos, se proponía derrocar las limitaciones y la simplicidad reduccionista de la arquitectura moderna ortodoxa. Describiendo su propia sensibilidad manierista y abarcadora como un "esto y aquello" frente al "o esto o lo otro", Venturi escribía: "Si la fuente del fenómeno esto-y-aquello es la contradicción, su fundamento es la jerarquía, que arroja varios niveles de significados entre elementos con valores variables. Puede abarcar elementos que sean a la vez buenos y desacertados, grandes y pequeños, cerrados y abiertos, continuos y articulados, redondos y cuadrados, estructurales y espaciales. Una arquitectura que incluya niveles variables de significado genera ambigüedad y tensión". La Casa Vanna Venturi es una de las primeras demostraciones de unas ideas que han tenido gran influencia.

Varios artistas

Fluxkit. 1965

Maletín recubierto de vinilo que contiene
objetos realizados en diferentes medios, diseñado y **ensamblado por Jurgis Mačiūnas**
(estadounidense, nacido en Lituania,
1931–1978), en conjunto (cerrado):
34 × 44,5 × 12,5 cm
Editor: Ediciones Fluxus, anunciado en 1964
Donación de la colección Fluxus de
Gilbert y Lila Silverman

Junto a los festivales, acciones callejeras y
eventos musicales, las ediciones artísticas
tuvieron un papel esencial en Fluxus, entramado de artistas que surgió a principios de
los años sesenta en Estados Unidos, Europa
y Japón. Ediciones Fluxus, ambicioso programa editorial concebido por el artista y
diseñador Jurgis Mačiūnas –personaje central del grupo– incluye objetos de precio asequible realizados en múltiples y destinados a
transmitir en una escala internacional las
ideas y actividades del colectivo.

El *Fluxkit* es uno de los formatos principales que adoptó el grupo y se compone de
un maletín dividido en compartimentos que
albergan una selección de materiales impresos, cajitas y otros objetos.

Al igual que muchas ediciones de Fluxus,
el *Fluxkit* constituye una antología de obras
producidas de manera colectiva. Mačiūnas
solicitaba conceptos a sus compañeros y más
tarde solía diseñar y ensamblar personalmente
los proyectos, unificando su aspecto.
Reflejando un enfoque desenfadado e interdisciplinar de la creación artística, el *Fluxkit* contiene toda una variedad de objetos, entre ellos
partituras, bucles de película, libros animados,
instrumentos musicales y juegos destinados a
ser tenidos, leídos y manipulados por sus
usuarios. Diseñado para ser portátil y de precio moderado, el maletín, tal y como lo ideó
Mačiūnas, serviría para introducir el arte en la
experiencia cotidiana.

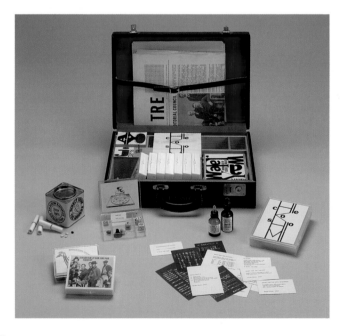

Hélio Oiticica Brasileño, 1937–1980

Caja Bólide 12, 'arqueológica'.
1964–1965

Pintura de polímero sintético con tierra
sobre estructura de madera, red de
nailon, cartón ondulado, espejo, vidrio,
rocas, tierra y lámpara fluorescente,
37 × 131,2 × 52,1 cm
Donación de Patricia Phelps de Cisneros
en honor de Paulo Herkenhoff

La práctica de Oiticica se vio marcada por el
supuesto básico de que los cambios culturales pueden precipitar transformaciones
sociales, creencia compartida por numero-
sos artistas de su generación tanto en
América Latina como en Europa. En su
época de aprendizaje de los años cincuenta
Oiticica estudió pintura, en especial los
experimentos que efectuaron con el color
pintores europeos como Kandinski, Klee y
Mondrian. A principios de los sesenta pasó a
realizar obras tridimensionales que pretendían
implicar de manera física a los espectadores. *Caja Bólide 12* representa un punto
de transición entre los primeros cuadros

abstractos de Oiticica y las instalaciones
de gran tamaño que haría más adelante.

Hacia 1963 Oiticica empezó a trabajar
en su serie de *Bólides*, ensamblajes de distintos colores y texturas plasmados con
materiales sencillos. En este caso una caja
de madera pintada contiene pigmento en
forma de textiles. En portugués el término
bólide tiene connotaciones geológicas y biológicas; entre sus acepciones figuran "bola
de fuego", "núcleo" y "meteoro refulgente".
Con estas obras el artista pretendía explorar
la estructura y las propiedades físicas del
color. En su interior colocaba vasijas de cristal
y otros envases con pigmentos brillantes,
telas, líquidos, arena o conchas machaca-
das. Provistos de puertas, estantes y cajo-
nes, los *Bólides* estaban hechos para que
el espectador los manipulase. Encarnan el
deseo por parte de Oiticica de traducir el lenguaje de la abstracción geométrica de líneas
duras a formas de participación e interacción de carácter expresivo y lírico.

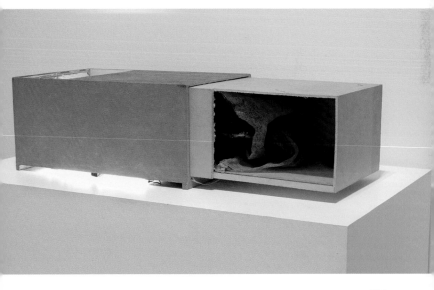

Hans Hollein · Austria, 1934–2014

Torre: bujía. Proyecto, 1964

Perspectiva: papel impreso recortado y pegado
sobre fotografía de gelatina de plata,
12,1 × 18,4 cm
Philip Johnson Fund

La yuxtaposición surreal de una bujía gigantesca y un paisaje rural es un gesto de provocación deliberada. Este *collage* fantástico refleja la insatisfacción de Hollein ante el estado de la arquitectura a comienzos de los años sesenta e invita a especular sobre su futuro. Declarando inadecuadas todas las formas arquitectónicas, incluido el vocabulario de la arquitectura moderna, Hollein se valió de los artículos de consumo nacidos de la ciencia y la tecnología para crear imágenes que juzgaba apropiadas para la época.

Sus transformaciones de objetos de uso corriente y paisajes en fotomontajes ostentan cierto paralelismo con el arte pop, pero Hollein también compartía las preocupaciones más generales de arquitectos polémicos como su paisano Walter Pichler y miembros del grupo británico Archigram. Las propuestas imaginarias de edificios, ciudades y servicios que Hollein y otros arquitectos visionarios plantearon a comienzos de los años sesenta se anticipan a las declaraciones, radicales y con frecuencia utópicas, que los grupos italianos Archizoom Associati y Superstudio harían a finales de aquella década, que culminó en convulsiones culturales en buena parte del mundo. Ya entonces, sin embargo, Hollein variaba de enfoque. En interiores y edificios de los últimos sesenta y los setenta incluyó alusiones a la arquitectura histórica vienesa, mientras seguía yuxtaponiendo el paisaje construido y el natural.

Claes Oldenburg
Estadounidense, nacido en Suecia, 1929

Pantis rojos con fragmento 9.
1961

Muselina bañada en yeso sobre armazón de
alambre, pintada con esmalte
176,7 × 87 × 22,2 cm
Donación de G. David Thompson

En diciembre de 1961 Claes Oldenburg
alquiló un pequeño local de la calle 2 Este
de Nueva York y lo llenó de objetos hechos a
mano y pintados de colores vivos que recor-
daban a los productos –camisas, vestidos,
sombreros, relojes, salchichas, barras de
caramelo, porciones de tarta– que podían
adquirirse en las tiendas del barrio. Entre las
obras que podían verse figuraba *Red Tights
with Fragment 9,* relieve montado sobre la
pared en el que aparecía esa prenda interior,
a mayor tamaño del real, junto a un número
nueve amarillo, todo ello sobre un fondo azul
brillante. La composición se inspiraba en un
anuncio que el artista había arrancado de un
periódico o revista, proceso que dejan entre-
ver tanto los bordes desiguales del relieve
como la cifra solitaria, que probablemente
sea el último dígito de algún precio "insupe-
rablemente bajo". La fragmentariedad de la
pieza se corresponde con un campo visual
también fragmentario como el que cabe
experimentar en un entorno urbano rebosante de actividad. Al mismo tiempo hace
resaltar las cualidades abstractas de la
obra. Pese a evocar mercancías y comestibles comerciales, las esculturas Store
(Tienda) de Oldenburg se niegan a aproximarse al aspecto de los bienes manufacturados. Partiendo de armazones de tela
metálica, Oldenburg construyó esos objetos
con lienzo empapado en yeso, coloreándolos
después con pintura de esmalte, que aplicaba más o menos tal como salía de la lata.
Grumosos, ocasionalmente toscos y por lo
general rebeldes, los productos acabados
redefinieron las posibilidades de la escultura
moderna.

Piero Manzoni Italia, 1933–1963

Línea de 1.000 metros de largo.
1961

Tambor de metal cromado que contiene un rollo de papel con una línea trazada a tinta a lo largo de sus 1.000 metros de longitud, 51,2 × 38,8 cm diam.
Donación de Fratelli Fabbri Editori y compra

Manzoni empezó siendo pintor, pero en su obra tardía se anticipó al arte conceptual de la década de 1960. *Línea de 1.000 metros de largo* refleja los dos lados de su pensamiento. Considerando la pintura no como "una superficie que hay que llenar de colores y formas" sino "una superficie de posibilidades ilimitadas", imaginó en ese "espacio total" una línea prolongada "más allá de todo problema de composición y tamaño". Eso fue lo que hizo en sus muchas obras que siguen el patrón de *Línea de 1.000 metros de largo*, cada una de ellas un bote o tambor que contiene un rollo de papel marcado con una sola línea continua. La longitud del rollo varía según la obra, pero en teoría, según Manzoni, la línea podría alargarse hasta el infinito.

A pesar de su relación con la pintura, *Línea de 1.000 metros de largo* es más conceptual que visual. De hecho la línea que constituye su núcleo escapa a la vista, porque estas obras en bote se suelen mostrar cerradas. El arte que es invisible eleva el acto de pensar por encima del acto de ver, como Manzoni hizo también cuando, por ejemplo, firmó huevos con su huella dactilar y pidió que los visitantes de una exposición se los comieran. Una línea metida en una lata es de por sí un acertijo conceptual. Lúdica pero aguda, *Línea de 1.000 metros de largo* nos invita a cuestionar nuestras expectativas ante la obra de arte y nuestras respuestas a ella.

Marcel Broodthaers Bélgica, 1924–1976

Vitrina blanca y mesa blanca.
1965

Vitrina pintada, mesa y cáscaras de huevo; vitrina
86 × 82 × 62 cm, mesa 104 × 100 × 40 cm
Donación fraccionaria y prometida de Jo Carole
y Ronald S. Lauder

Explicando sus comienzos en el arte,
Broodthaers escribió: "La idea de inventar
algo insincero me pasó por la cabeza y me
puse a trabajar inmediatamente". El que se
sienta molesto ante una vitrina de cáscaras
de huevo presentada como arte podría interpretar esas palabras en el sentido de que la
obra es una broma. Pero hay otra posibilidad: que Broodthaers nos esté advirtiendo
que no hay que tomarle al pie de la letra,
sino buscar sentidos ocultos.

    Vitrina blanca y mesa blanca tiene ante-
pasados estéticos en los *readymade* de
Marcel Duchamp y las sorpresas del surrealismo. También refleja la dedicación del arte
pop a la realidad cotidiana y el neorrealismo
de la época de Broodthaers. Pero
Broodthaers no quería infundir atractivo a los
productos modernos, ni las cáscaras de huevo
son nada contemporáneo. Le interesaron por
ser recipientes vacíos, "que no tienen más
contenido que el aire".
    Hay otros recipientes en *Vitrina blanca y
mesa blanca*: la propia vitrina y la propia
mesa, ambas cargadas de contenido, pero
un contenido aparentemente vacío o carente
de sentido. Si la mesa se alza sobre el suelo
como el plinto de una escultura y la vitrina
cuelga de la pared como el marco de una pintura, entonces la obra analiza sutilmente el
arte mismo: ¿de qué manera el arte contiene
significado para los que lo ven? ¿O ha sido
vaciado de contenido como la cáscara sin
huevo?

Achille Castiglioni Italia, 1918–2002
Pier Giacomo Castiglioni Italia, 1913–1968

Lámpara de pie Arco. 1962

Mármol y acero inoxidable, 250 × 200 × 32 cm
Fabricante: Flos S.p.A., Italia
Donación del fabricante

Castiglioni diseñó más de sesenta lámparas y un sinfín de otros objetos, trabajando de 1945 a 1968 con su hermano Pier Giacomo y después en solitario. Una de las lámparas más conocidas de los dos, la Arco, surgió del reto de un problema práctico, cómo conseguir que una lámpara de techo no requiriese taladrar el techo. El lema de Castiglioni, "el diseño exige observación", resultó ser verdad, pues fue una farola de la calle lo que inspiró a los hermanos este aparato. Las farolas, fijas al pavimento, tienen una forma que les permite proyectar su luz a una distancia de varios metros de la base.

En esta adaptación doméstica los Castiglioni lograron desplazar el foco de luz a dos metros de la base de la lámpara, lo suficiente para dar iluminación central a una mesa de comedor, apeando un arco de acero en un pesado plinto de mármol de Carrara. Estudiaron la abertura del arco para garantizar que permitiera el paso de una persona con una bandeja por detrás de otra sentada a la mesa. Comprobaron, además, que la pesada lámpara podía ser transportada entre dos personas insertando un palo de escoba en el agujero del plinto. El modelo Arco es un señero ejemplo del rigor de los Castiglioni en la búsqueda de soluciones de diseño.

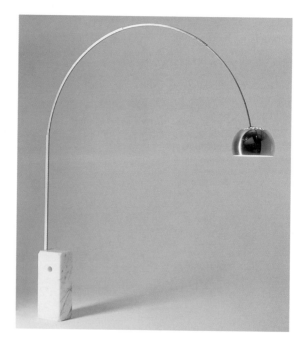

Federico Fellini Italia, 1920–1993

Ocho y medio (Otto e mezzo).
1963

Película de 35 mm, blanco y negro, sonora,
135 minutos
Donación de Joseph E. Levine
Marcello Mastroianni

Fellini hizo una personalísima confesión cinematográfica en esta película de un director
que es mentalmente incapaz de empezar a
trabajar en su nueva producción. Aquejado
de un trastorno de hígado psicosomático,
Guido Anselmi (Marcello Mastroianni) acude
a un balneario en busca de rejuvenecimiento
físico y espiritual, y en lugar de eso se ve
acosado por el fantasma de su vida profesional y privada. En el mundo de azulejos blancos y negros del balneario, Anselmi se
enfrenta a sus problemas, sus recuerdos de
infancia y el mundo de su fantasía desbor-
dante. Pero todo son interrupciones: de su
productor, que quiere poner en marcha el
rodaje de una aventura espacial, y de su
esposa Luisa, ofendida por la existencia de
una amante. La imaginación de Anselmi le
sirve de escape: en secuencias imaginarias
maneja un látigo en vez de un megáfono

para orquestar a sus actores y se ve señor de
un harén de mujeres que le obedecen
sumisas.

La reclusión de *Ocho y medio* en el
mundo artificial del balneario manifiesta una
realidad subjetiva, autogenerada, poblada
por curas y periodistas y por Saraghina, la
prostituta mítica que inició al joven Anselmi
en los supuestos misterios del sexo. Como el
guión incompleto de Anselmi en la película,
Ocho y medio se apoyó mucho en las dotes
de improvisación de Fellini. El título alude al
número de películas que había hecho antes
de ésta: siete y tres colaboraciones, compu-
tadas como media. Esta obra singularmente
autobiográfica se enriquece con una banda
sonora de Nino Rota.

Andy Warhol
Estados Unidos, 1928–1987

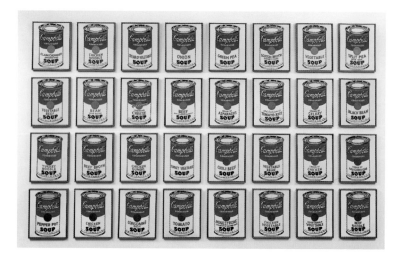

Latas de sopa Campbell. 1962

Acrílico sobre treinta y dos lienzos, cada uno
50,8 × 40,6 cm
Donación de Irving Blum; legado Nelson A.
Rockefeller, donación de Mr. y Mrs. William
A.M. Burden, Abby Aldrich Rockefeller Fund,
donación de Nina y Gordon Bunshaft en
homenaje a Henry Moore, legado Lillie P. Bliss,
Philip Johnson Fund, legado Frances Keech,
donación de Mrs. Bliss Parkinson y legado
Florence B. Wesley (todos por intercambio)

"Yo no creo que el arte deba ser sólo para
unos pocos escogidos", decía Warhol, "yo
creo que debe ser para la masa del pueblo
americano." Como otros artistas pop, Warhol
empleó imágenes de atractivo ya probado
para los grandes públicos: historietas, anuncios, fotografías de estrellas de rock y de
cine, fotos de la prensa sensacionalista. En
Latas de sopa Campbell reprodujo un objeto
de consumo masivo en el sentido más literal. Cuando expuso por primera vez estos
lienzos –son treinta y dos, tantos como variedades de sopa fabricaba entonces la
marca–, cada uno estaba colgado de la
pared como un cuadro y simultáneamente
apoyado en una repisa, como los artículos
en una tienda de comestibles.

Repitiendo la misma imagen a la misma
escala, los lienzos subrayan la uniformidad y
ubicuidad de la lata Campbell. Al mismo
tiempo subvierten la idea de la pintura como
medio de invención y originalidad. Esta clase
de repetición visual la empleaban desde
mucho antes los publicitarios para grabar los
nombres de los productos en la mente del
público; aquí, sin embargo, no implica competencia enérgica sino abundancia satisfe-
cha. Fuera de una galería de arte, la etiqueta
Campbell, que no había variado en más de
cincuenta años, no era un reclamo sino una
trivialidad. Warhol dijo de la sopa Campbell:
"Yo la tomaba. Comía lo mismo todos los
días, calculo que veinte años estuve
comiendo lo mismo una y otra vez".

Lee Friedlander Estados Unidos, nacido en 1934

Galax, Virginia. 1962

Copia en papel gelatina de plata, 14,9 × 22,5 cm
Donación de Mrs. Armand P. Bartos

Los datos escuetos de esta imagen son verdaderamente escuetos: una habitación sin adornos, una manta lisa, una cama robusta con listones como los barrotes de una prisión o de una cuna. La única animación es la imagen electrónica que aparece en la pantalla del televisor. Pero esa imagen es humana, y en cierto modo acompaña al ocupante de la habitación.

El televisor se vulgarizó en cuartos de estar (y habitaciones de hotel) a comienzos de los años cincuenta, por lo que se podría decir que esta imagen refleja un aspecto significativo del "paisaje social" –la expresión la acuñó Friedlander– contemporáneo en los Estados Unidos. Pero, a diferencia de las fotografías que *Life* y otras revistas habían difundido entre millones de personas, ésta se abstiene de argumentar, juzgar o explicar. Abiertamente comprometido con el material de la vida contemporánea, se resiste con fuerza a las conclusiones fáciles del periodismo o la sociología. En ese aspecto es un cumplido ejemplo de la fotografía americana más innovadora de los años sesenta, cuyos líderes abrieron nuevos territorios para el arte transformando el vocabulario pictórico del periodismo gráfico en un medio de afirmar y explorar sus sensibilidades netamente individuales.

Dieter Roth   Suizo, nacido en Alemania, 1930–1998

Literaturwurst (Embutido de literatura). 1961/1969

Múltiple de papel molido, gelatina, grasa y especias en funda natural de salchicha, en conjunto (arriba, aprox.): 23,5 × 9 × 9 cm; en conjunto (abajo, aprox.): 10,5 × 9 × 9 cm.
Editor: el artista (números 1 a 15) y René Block (números 16 a 50)
Tirada: 50 ejemplares únicos (se conservan pocos)
Fondo Print Associates en honor a Deborah Wye

Artista prolífico en muchos medios, Dieter Roth quizá realizó sus aportaciones más importantes, duraderas e influyentes en lo que respecta a grabados, libros y múltiples. Enfrentándose a los conceptos tradicionales del arte y difuminando los límites entre unos medios y otros, forjó a menudo maneras innovadoras de enfocar técnicas, formatos y materiales. Roth enviaba a imprenta rodajas de grasiento embutido y queso, pegaba barras de regaliz en grabados y adhería cruasanes sobre las portadas de sus obras en formato libro.

Los experimentos de Roth con libros abarcan obras op y cinéticas, tomos en miniatura y su esfuerzo más radical: el Literaturwurst (embutido de literatura), que consiste en confeccionar una salchicha conforme a las recetas tradicionales y utilizando ingredientes como sal, ajo e hinojo, pero realizando una sustitución crítica: en lugar de carne usaba libros triturados. La mezcla se introducía en envoltorios de salchicha y los Literaturwursts resultantes proponían en broma a espectadores y lectores otra manera de ingerir y digerir información. Si bien los embutidos literarios constituyen una edición con múltiples variantes, cada pieza es única, pues difiere de las demás en forma y tamaño y contiene un libro, revista o periódico distinto. Este ejemplo se hizo a partir del libro de ensayos *To Seek a Newer World* (*Buscar un mundo más nuevo*) publicado por Robert Kennedy en 1967. Resulta típico del enfoque nada convencional que daba Roth a los formatos de tirada, el que el contenido orgánico del Literaturwurst se pudra y enmohezca con el paso del tiempo, encarnando el gusto del artista por la metamorfosis y la descomposición en su obra.

Philip Guston
Estados Unidos, nacido en el Canadá. 1913–1980

Límites de la ciudad. 1969

Óleo sobre lienzo, 195,6 × 262,2 cm
Donación de Musa Guston

Tres matones de comedia recorren una urbe vacía en un cacharro desvencijado. Cubiertos con capirotes del Ku Klux Klan, está claro que no proyectan nada bueno; pero, más que evocar una maldad específica, estos hombres son encarnaciones simbólicas de una violencia ciega y general. La principal historia que aquí se cuenta es la de unos Estados Unidos que han traicionado su promesa democrática. Guston se negaba a eximirse de responsabilidad: en otras pinturas representó a un artista trabajando en el caballete con el hábito del Klan.

Guston empezó siendo un pintor figurativo, y a mediados del siglo desarrolló un expresionismo abstracto lírico, siguiendo una trayectoria típica de la Escuela de Nueva York. En los últimos años sesenta, sin embargo, hizo un regreso sorprendente a la pintura figurativa, pero ya no en los moldes académicos en los que se había formado.

El arte de su última década es de un humor estrafalario, que tiene precedentes en su figurativismo anterior (y en sus ocasionales dibujos satíricos de artistas y escritores) pero los reformula en un tipo de caricatura que data de sus imitaciones infantiles de historietas como las de Krazy Kat. Al mismo tiempo, pinturas como *Límites de la ciudad* poseen una extraña grandeza barroca y un regusto amargo: una insistencia en la fascinación de la crueldad.

Alex Katz Estados Unidos, nacido en 1927

Passing. 1962–1963

Óleo sobre lienzo, 182,2 × 202,2 cm
Donación de la Louis and Bessie Adler
Foundation, Inc., Seymour M. Klein, President

Ambicioso, elegante, impersonal, de gran
escala y simultáneamente intemporal y
reflejo de su tiempo: así debía ser según
Katz el estilo de la "alta" pintura, y ésas son
también las cualidades de muchas de sus
obras. Convencido de que "sin elementos
tradicionales en los cuadros no se tiene ninguna fuerza", Katz alcanza el estilo elevado
integrando tradiciones conocidas y práctica
de vanguardia. *Passing* pertenece al venera-
ble género del autorretrato, pero su escala
es la del expresionismo abstracto. Otra
fuente de inspiración es la valla publicitaria;
como los artistas pop, Katz presta atención
a la cultura ambiente. Entretanto, su enfoque reduccionista y su concepción del espacio pictórico concuerdan con los de la
pintura formalista de los años sesenta.

El fondo de *Passing* es un monocromo
plano, y el rostro y los hombros de Katz
están tan simplificados que es sobre todo
su claridad como partes de una figura lo que
insinúa su volumen. Ni risueño ni ceñudo,
Katz nos devuelve la mirada con franqueza,
pero su personalidad está velada por el artificio del diseño de la obra: la elipse perfecta
del ala del sombrero; la asimetría en la
altura de los hombros; la paleta limitada,
que salvo en la cara se reduce a negros,
blancos y grises casi planos. Lejos del
artista bohemio, Katz tiene un aspecto de
frialdad imperturbable con ese traje y ese
sombrero de hombre de negocios, elegante
no sólo en su pintura sino en su persona.

William Eggleston Estados Unidos, nacido en 1939

Memphis. 1969–1970

Copia *dye transfer*, 29,9 × 45,8 cm
Compra

El triciclo podrá estar un poco usado, pero aquí se nos presenta como la cosa más importante del mundo. Eggleston lo fotografió desde un punto de vista todavía más bajo que el de su dueño, para dar entre sus ruedas una clara idea del coche de mayores aparcado bajo techo al otro lado de la calle.

Las fotografías de Eggleston empezaban siendo diapositivas en Kodachrome, un medio popular en la fotografía de aficionados, y parecen instantáneas por su manera directa de describir gentes y cosas corrientes, plantadas sin más en el centro del cuadro. La crítica que halló motivo en ese parecido para no tomarlas en serio pasó por alto el paradójico poder de las instantáneas. Para el iniciado son llaves que abren caudales de memoria y sentimiento; para el no iniciado, que ni reconoce las caras ni está al tanto de las historias, serán siempre opacas. Pero como todos tenemos las nuestras, sabemos entenderlas y proyectarnos en los dramas y las pasiones que encierran.

El color se puso al alcance del fotógrafo vulgar en los años cincuenta y sesenta, pero antes de eso la fotografía llevaba más de un siglo siendo un medio en blanco y negro. Los fotógrafos en color no sólo tuvieron que dominar un medio nuevo, sino que también tuvieron que olvidarse de los distinguidos precedentes que en un principio los habían llevado a la fotografía. La convicción de que la fotografía seria se hace en blanco y negro no ha desaparecido del todo ni siquiera hoy.

Agnes Martin Estadounidense, nacida en Canadá, 1912–2004

Pájaro rojo. 1964

Pintura de polímero sintético y lápiz de
color sobre lienzo
180,5 × 180,5 cm
Donación de Philip Johnson

Una fina cuadrícula de líneas trazadas con
regla y repasadas más tarde a mano con
lápiz sobre un lienzo imprimado de 0,56
metros². Son el método y el formato que
Martin desarrolló en 1963 y al que se atuvo
en lo sucesivo. La inspiración para variantes
tempranas como *Pájaro rojo* solía llegarle del
mundo natural, si bien su medio de expresión era siempre puramente abstracto. "Mis
cuadros no tienen ni objetos ni espacios ni
líneas ni nada, no hay formas", manifestó en
1966. "Son luz, son levedad, tratan de la
mezcla, de deshacer las formas".

La obra resultante es prácticamente
imposible de reproducir de manera efectiva,
puesto que captar toda su extensión exige
acercarse a la superficie para después reti-
rarse de ella realizando lo que se ha calificado de danza de apareamiento. De cerca
impera la especificidad material del proceso
llevado a cabo por Martin. Queda a la vista
el desigual depósito de pigmento rojo sobre
la urdimbre del lienzo, lo que viene a delatar
el recorrido lleno de baches seguido por el
lápiz. Al retroceder uno, las líneas horizontales se resuelven formando una pauta más
precisa, mezclándose después en una
neblina atmosférica. Por último, el lienzo se
solidifica convirtiéndose en una monocromía
opaca con una leve matización rosa. El
encuentro tiene carácter meditativo, es
activo y receptivo a partes iguales y dirige
nuestra atención hacia el punto de enlace
del yo y el mundo.

Robert Irwin Estados Unidos, nacido en 1928

Sin título. 1968

Pintura de polímero sintético sobre aluminio
y luz, diám. 153,2 cm

Mrs. Sam A. Lewisohn Fund

Esta obra sin título es un disco convexo pintado a pistola, unido a la pared por una
barra central de unos treinta centímetros. Su
táctil y sutil superficie se modula delicadamente del centro al borde, y una suave iluminación desde cuatro ángulos crea cuatro
pétalos de sombra. Puede parecer que el
centro blanco del disco descansa sobre la
pared, y la vista emplea un tiempo en tratar
de entender qué es lo que ve: qué está más
cerca y qué más lejos, qué es sólido y qué
es luz inmaterial, o incluso ausencia de luz.
Para Irwin el resultado es "esta materialidad
indeterminada con diferentes niveles de
peso y densidad, cada uno en un diferente
plano material. Es muy bello y bastante

desconcertante, porque todo empieza y se
invierte".

Escapando del confinamiento que
supone el rectángulo de la pintura convencional, los discos de Irwin literalmente se
extienden más allá de sus propios límites;
se expanden en su entorno, que es tan
parte de ellos como su sustancia. La idea,
en cierto sentido, prolonga el concepto
expresionista abstracto de un campo infinito,
totalizador y homogéneo, pero con la reserva
de que para Irwin "ser artista no consiste
para nada en hacer pinturas u objetos. De lo
que hablamos realmente es de nuestro
estado de conciencia y de la forma de nuestras percepciones".

Robert Smithson Estados Unidos, 1938–1973

Espejo de ángulo con coral. 1969

Espejos y coral, 91,5 × 91,5 × 91,5 cm
Donación fraccionaria de Agnes Gund

Estos tres espejos en una esquina establecen una estructura que es lúcida y a la vez huidiza: al reflejar cada espejo el espacio que lo rodea, multiplica los reflejos en los otros espejos, creando una imagen que tiene la simetría de un cristal. En el arte de Smithson aparecen a menudo espejos, así como fragmentos del mundo natural: aquí hay trozos de coral amontonados en el ángulo donde los espejos se juntan. Smithson también combinó espejos con montículos de arena, grava y otras piedras, emparejando el escombro en bruto de la naturaleza con su exacto gemelo visual. (La delicadeza del calado coral rosáceo es insólita en su obra.) El parear materia y reflejo corresponde a otra dualidad: por un lado, añicos informes de piedra o arrecife; por otro, arte, escultura y el espacio interior de la galería.

Smithson fue uno de los artistas del *land art* de los años sesenta y setenta. En otras piezas manipuló el paisaje natural: a veces de manera sencilla y temporal, con espejos; a veces drásticamente, con una aplanadora. *Espejo de ángulo con coral* se relaciona con sus "Non-Sites", obras de interior que contienen sustancias llevadas de un exterior lejano. Cerebral y al mismo tiempo poderosamente material, su arte muestra una fascinación por la entropía, la tendencia de todas las estructuras y energías a perder su integridad. En esta obra una forma perfecta –los espejos componen tres caras de un cubo– pasa a ser ilógica e ilusoria, porque el coral parece flotar en el aire.

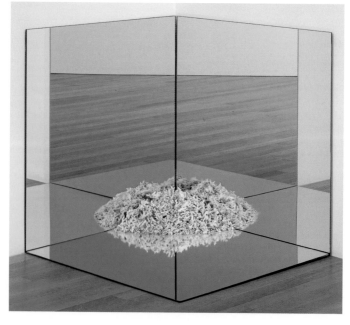

Eva Hesse   Estados Unidos, nacida en Alemania. 1936–1970

Repetición 19, III. 1968

Fibra de vidrio y resina de poliéster, diecinueve
unidades, 48 a 51 cm × 27,8 a 32,3 cm (diám.)
Donación de Charles y Anita Blatt

Repetición 19, III consta de diecinueve piezas cilíndricas, de la misma forma pero cada
una distinta. Tampoco tienen un orden determinado, antes bien Hesse autorizó a colocar-
las con un margen de libertad: "No pido que
la pieza sea movida ni cambiada, sólo digo
que podría ser movida y cambiada. No hay un
formato preferente". Los artistas minimalistas, que aparecieron poco antes de Hesse,
habían explorado la repetición serial de unidades idénticas. Hesse suavizó ese principio: *Repetición 19* es simultáneamente
reiterativa e irregular. Hesse también solía
trabajar en escala más modesta que la de
los minimalistas, y con formas y materiales
menos tecnocráticos; ella calificaba de
"antropomórficos" los elementos de
Repetición 19, y reconocía connotaciones
sexuales en esos "recipientes vacíos".

Esta versión de fibra de vidrio es la tercera de *Repetición 19* proyectada por la
artista (la primera es de cartón piedra; la
segunda, ideada primero en metal y después
en látex, no se llegó a hacer). Aparte de
modular bellamente la luz, la fibra de vidrio
parece a la vez blanda y dura, contribuyendo
al carácter ricamente paradójico de estos
sutiles objetos: individuos inconformistas
aun así forman un grupo; la disposición, sea
cual sea, es aleatoria y coherente, unificada
por la similitud que persiste a través de la
diferencia. Y la paradoja cuadra bien aquí:
Hesse quería, según ella, hacer un objeto de
arte que "acceda a su entidad alógica. Es
algo, es nada".

Sol LeWitt   Estados Unidos, 1928–2007

Proyecto serial, I (ABCD). 1966

Esmalte cocido sobre unidades de acero
sobre esmalte cocido sobre aluminio,
50,8 × 398,9 × 398,9 cm
Donación de Agnes Gund y compra
(por intercambio)

La obra de LeWitt surgió junto a los movimientos minimalista y conceptual de los años
sesenta, y combina aspectos de ambos.
Como los minimalistas, LeWitt solía emplear
formas básicas sencillas, desde el convenci-
miento de que "el empleo de formas básicas
complejas no hace sino romper la unidad del
conjunto"; como los conceptuales, no partía
de una forma sino de una idea, poniendo en
marcha un proceso que obedece a ciertas
reglas y con su propio devenir determina la
forma. La premisa de *Proyecto serial* exige
combinar y recombinar cuadrados y cubos de
aluminio esmaltado, tanto abiertos como
cerrados, y extensiones de esas formas,
todo ello colocado sobre una cuadrícula. El
sistema, intrincado y metódico, genera un
campo visual que proporciona al espectador
todo lo necesario para descifrar su lógica.

En un texto acompañante de *Proyecto
serial*, LeWitt escribió: "El objetivo del artista
no sería instruir al espectador sino darle
información. Que el espectador entienda esa
información es secundario para el artista; él
no puede prever el entendimiento de todos
sus espectadores. Él seguiría la premisa

predeterminada hasta su conclusión evi-
tando la subjetividad. Ni el azar ni el gusto
ni formas inconscientemente recordadas
tendrían efecto alguno sobre el resultado. El
artista serial no intenta producir un objeto
bello ni misterioso, sino que funciona meramente como un registrador que cataloga los
resultados de su premisa".

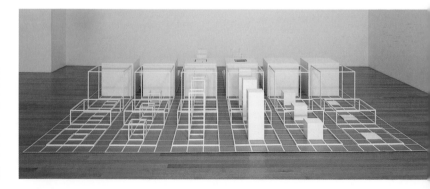

William Wegman   Estados Unidos, nacido en 1943

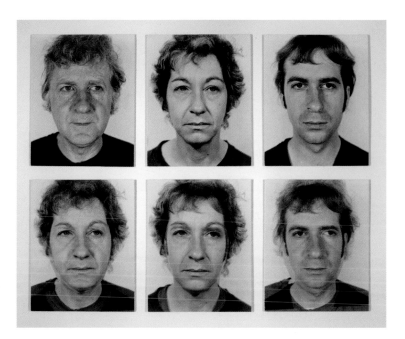

Combinaciones de familia. 1972

Seis copias en papel gelatina de plata, cada una
31,6 × 25,9 cm
Donación de Robert y Gayle Greenhill

La fila superior de este conjunto de seis fotos representa, de derecha a izquierda, a Wegman, su madre y su padre. La fila inferior está formada por superposiciones de todas las combinaciones posibles de las imágenes de arriba tomadas de dos en dos. Las combinaciones se asemejan a las imágenes que antaño circulaban como ilustraciones científicas de tipos raciales y sociales. El humor de esta obra de Wegman emana de la aparente seriedad con que ha llevado a cabo esta operación absurda.

Las fotografías desempeñan muchas funciones triviales en nuestra vida de cada día, tan triviales que rara vez nos paramos a pensar en ellas. Un buen ejemplo es la foto de carnet en las tarjetas de identidad y los permisos de conducir. A comienzos de los años setenta Wegman participó en la dirección de un movimiento artístico que emulaba el aspecto de esa clase de fotos soslayando sus funciones. La idea era invitarnos a considerar los significados que atribuimos a esas imágenes, y así explorar nuestros hábitos de pensamiento y nuestros esquemas sociales. El talento humorístico de Wegman se evidenció desde el primer momento, pero tuvo que pasar algún tiempo para que se viera que su ingenio festivo está teñido de bondad y calor.

Peter Cook
Británico, nacido en 1936

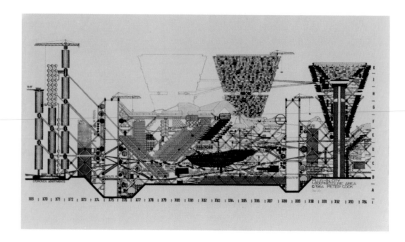

Ciudad de quita y pon. 1964

Papeles impresos cortados y pegados, grafito y hojas de polímero autoadhesivas transparentes y de colores sobre tablero recubierto de papel gris con tinta, 69,5 × 75,9 cm
Donación de la Fundación Howard Gilman

Ciudad de quita y pon de Peter Cook fue una de las numerosas y vastas creaciones visionarias que produjo en la década de los sesenta el radical grupo colaborativo arquitectónico británico Archigram, del que Cook fue miembro fundador. Entre 1960 y 1974 el grupo publicó nueve provocadores números de su revista *Archigram* y produjo más de novecientos dibujos exuberantes que ilustraban proyectos arquitectónicos imaginarios cuya inspiración iba desde los desarrollos tecnológicos a la contracultura, desde los viajes espaciales a la ciencia- ficción. Su obra se enfrentaba a la ética funcionalista de la época. Gustaban de diseñar alternativas nómadas a las formas de vida tradicionales, incluyendo casas que se pueden llevar puestas y ciudades ambulantes –arquitecturas móviles, flexibles y no permanentes de las que cabía esperar un efecto liberador.

Ciudad de quita y pon se diseñó para atravesar el Canal de la Mancha. Entorno urbano concebido como "megaestructura" que incluiría residencias, rutas de acceso y servicios esenciales para sus habitantes, se

pretendía que acomodase y fomentase el cambio por medio de la obsolescencia: cada afloramiento constructivo (casas, oficinas, supermercados, hoteles) sería susceptible de ser retirado y una "vía de grúas" permitiría una continua reconstrucción y actualización. El tiempo de vida útil de las unidades sería variable y la estructura principal, en sí, duraría únicamente cuarenta años. La red incluiría un monorraíl de alta velocidad y unos aerodeslizadores servirían como edificios móviles.

El estilo cómic, muy del gusto de los miembros de Archigram y típico de la contracultura de los años sesenta, transmite el apasionamiento juvenil por la forma en un mundo realzado tecnológicamente.

Lygia Clark Brasileña, 1920–1988

El interior es el exterior. 1963

Acero inoxidable, 40,6 × 44,5 × 37,5 cm
Donación de Patricia Phelps de Cisneros por
mediación del Fondo Latinoamericano y
Caribeño en honor a Adriana Cisneros de Griffin

La artista brasileña Lygia Clark inició su actividad a principios de los años cincuenta como pintora en el estilo abstracto y geométrico que definía el Arte Concreto. Al finalizar la década ya consideraba que el soporte plano de los cuadros era una fuente de oposiciones poco deseables. "El plano delimita de manera arbitraria los límites de un espacio", escribió, "y de ahí se derivan los conceptos contradictorios de lo alto y lo bajo, lo frontal y lo posterior. Todo aquello que contribuye a destruir la sensación de plenitud en las personas".

En *El interior es el exterior* Clark se enfrenta a los rasgos estrictos de lo plano transformando una plancha de acero inoxidable en un volumen espacial abierto que no presenta claramente una parte anterior o posterior, interior o exterior. Al llevar a cabo cortes lineales y explotar las posibilidades naturales de plegado del metal, realiza curvas biomórficas que conjugan dualidades como lo subjetivo y lo objetivo, lo orgánico y lo inorgánico, lo erótico y lo ascético. Oponiéndose a la idea de la obra de arte como objeto fijo y estático, Clark concibió esta escultura como algo participativo, invitando a los espectadores a manipular su forma. *El interior es el exterior* coquetea con lo contingente, que a su vez dota a su forma levemente geométrica de un contenido expresivo, característica propia del neoconcretismo, movimiento que Clark contribuyó a fundar en 1959.

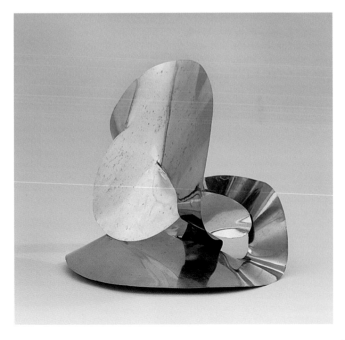

Dan Graham Estadounidense, nacido en 1942

Tract Houses, Bayonne, NJ, 1966, from **Homes for America (Casas de serie, Bayonne, Nueva Jersey, 1966,** de **Hogares para Estados Unidos.** 1965–67/2010

Proyección de diapositivas, 20 diapositivas de 35 mm en color
Donación del Fondo Memorial Michael H. Dunn

Homes for America constituye una extensa serie de imágenes que Graham tomó en Nueva York y Nueva Jersey entre 1965 y 1967 utilizando una Kodak Instamatic y, posteriormente, una cámara de 35 mm. Al abordar ese grupo de obras prescindió del entorno galerístico como marco para la creación artística y se decantó por el plan de urbanismo residencial. Las imágenes documentan ese paisaje desparramado que Graham ha calificado como "una especie de falsa arcadia", definida por la cultura de las autopistas posterior a la Segunda Guerra Mundial, edificios de serie producidos de

forma masiva y falsos decorados barrocos. Caracterizado por su serialidad geométrica y una cierta cualidad luminiscente, *Homes for America* evoca alusiones formales al minimalismo; es más, Graham cita como inspiración clave para su obra el interés por la planificación urbana que manifestaron Donald Judd y Sol LeWitt. *Homes for America* ha adoptado múltiples formas, entre ellas esta proyección de diapositivas de 35 mm, impresiones fotográficas, así como el diseño de una revista y la intervención. Graham sintetizó muchas de las ideas que subyacen en *Homes for America* en un texto que parodiaba comentarios sociológicos sobre las zonas residenciales suburbanas. El artículo se publicó en 1966 en *Arts Magazine* y fueron los editores de la revista quienes lo denominaron "Homes for America", título que desde entonces se utiliza para referirse a todas las versiones de la serie.

Bernd Becher Alemán, 1931–2007
Hilla Becher Alemana, nacida en 1934

Castilletes. 1966–1997

9 copias a la gelatina de plata,
173,4 × 142,9 cm
Adquirido en honor de Marie-Josée Kravis gracias
a la generosidad de Robert B. Menschel

Durante más de cuarenta años, los artistas
alemanes Bernd y Hilla Becher fotografiaron
castilletes, altos hornos, silos, torres de
refrigeración, depósitos de gas, elevadores
de grano, refinerías de petróleo y similares –
ejemplos todos ellos de una arquitectura
industrial europea y americana que había
empezado a desaparecer en la transición de
la sociedad industrial a la de la información–. Sus obras suelen presentar cada
estructura de manera frontal sobre fondos
planos, uniformemente grises. Al utilizar

cámaras de gran formato y película en
blanco y negro de grano fino, consiguieron
plasmar los motivos fotografiados con un
alto grado de precisión y claridad.

Los Becher organizaron las imágenes
agrupándolas en cuadrículas y clasificándo-
las en diversos tipos según su función.
Mediante esta estricta presentación resulta
posible comparar fácilmente cada estructura
con las demás. En conjunto, las nueve imágenes distintas que componen *Castilletes*
transforman la especificidad de las torres
individuales en variaciones de una forma
ideal, conservando, en cambio, sus características concretas dentro de una tipología.

Dan Flavin Estadounidense, 1933–1996

Sin título(al "innovador" del cristal soplado melocotón de Wheeling). 1968

Tubos fluorescentes y elementos metálicos,
245 × 244,3 × 14,5 cm
Edición: 2/3
Fondo Helena Rubinstein

Dan Flavin comenzó a trabajar con tubos fluorescentes disponibles en el comercio en 1963. Los exponía de manera aislada o en diferentes combinaciones para generar una compleja y variada gama de efectos visuales sirviéndose de medios mínimos. *Sin título (al "innovador" del cristal soplado melocotón de Wheeling)* deriva su paleta del *Wheeling Peachblow*, un tipo de cristal artístico victoriano que se fabricó por primera vez en Wheeling (Virginia Occidental) y cuyas gradaciones del amarillo al rojo oscuro producen un delicado tono intermedio de color melocotón. Flavin crea una tonalidad parecida en las paredes del museo colocando un tubo fluorescente amarillo y otro rosa sobre cada uno de los dos elementos verticales de un armazón metálico cuadrado. Completan la estructura dos bombillas horizontales de luz de día colocadas de frente al espectador.

En lugar de colgar la obra alineada sobre la pared, Flavin la sitúa en el suelo cruzada en un rincón del museo, donde el cuadrado enmarca un plano monocromo de luz de color a la vez que define la entrada a un espacio tridimensional. *Sin título (al "innovador del cristal soplado melocotón de Wheeling)* genera un efecto visual que trae a la mente las condiciones de lo plano de la pintura y la profundidad de la escultura sin emplear materiales tradicionalmente asociados a esas disciplinas.

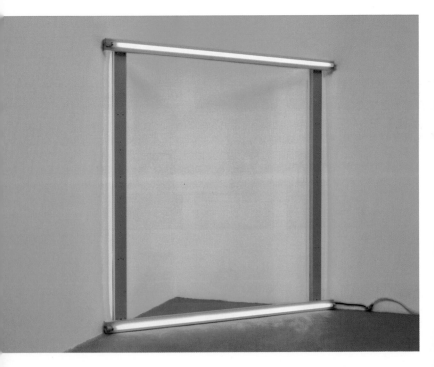

Dorothea Rockburne
Estadounidense, nacida en Canadá en 1921

Escalar. 1971

Tablero de partículas, óleo crudo, papel y
clavos, conjunto 203,2 × 289,5 × 8,9 cm
Donación de Ronald S. Lauder y Estée Lauder,
Inc., en homenaje a J. Frederic Byers III

Escalar hereda la geometría y la literalidad
del arte minimalista, pero suaviza esas cualidades mediante variaciones de sus tonos y
la disposición de sus formas. Los rectángulos
(y un cilindro) de papel y tablero cosidos con
chinchetas sugieren un orden modular, pero
difieren en tamaño y proporciones. En algunos sitios se traslapan, en otros dejan al
descubierto la pared; su colocación parece a
la vez cuidadosa e irregular, como en la
mampostería incaica. El óleo sin pigmento
aplicado a sus superficies ha dejado leves
moteados y manchas, extendidas por una
interacción del óleo con el soporte que en
gran medida tuvo que escapar al control de la
artista. Estos planos puestos contra la
pared evocan pinturas, pero por abajo descansan en el suelo, con lo que también aluden a la escultura y el peso.

Como reacción al expresionismo abstracto, muchos artistas estadounidenses de
los años sesenta como Rockburne intentaron minimizar o borrar de su arte las señales
de su individualidad. En lugar de eso, su
obra llamaba la atención hacia el proceso de
producción y los agentes impersonales que
en ella habían intervenido: el contexto físico,
las cualidades de los materiales, la fuerza de
la gravedad, un sistema o procedimiento
capaz de generar una forma con independencia del juicio estético del artista. *Escalar* participa de esas ideas, pero, con sus
superficies emborronadas, sus ecos de la
pintura y su disposición rítmica de verticales
y horizontales sigue siendo sutilmente pictórica, en una poderosa combinación de rigor
y delicadeza.

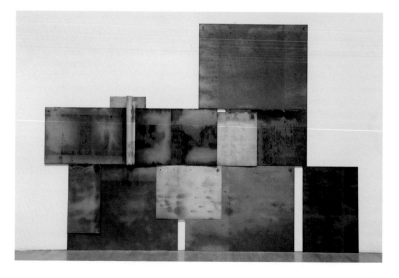

Garry Winogrand Estados Unidos, 1928–1984

Baile del Centenario, Metropolitan Museum, Nueva York. 1969

Copia en papel gelatina de plata, 27 × 40,3 cm
Compra

Esta fotografía insinúa toda clase de suposiciones para explicar las interioridades de esta fiesta, pero se abstiene de pronunciarse en favor de ninguna de ellas. ¿Quién, por ejemplo, podría tener una relación sentimental con quién? ¿Qué es lo que ha hecho que a la mujer del fondo se le salten los ojos? Nunca sabremos la respuesta a esas preguntas.

A Winogrand le encantaba observar el comportamiento de los seres humanos y otros animales, y le encantaba la voraz capacidad de descripción de la fotografía, pero no confundía ambas cosas. En sus fotografías creó un teatro de la experiencia paralelo, cuya fuerza no reside en la fiabilidad de los datos sino en la vivacidad de las ficciones.

Esta imagen pertenece a una larga serie, iniciada a finales de la década de 1960, de fotografías tomadas en manifestaciones, conferencias de prensa y otras aglomeraciones en las que los participantes contaban con ser vistos y a menudo fotografiados. Para el fotógrafo Tod Papageorge, la serie de Winogrand evoca vívidamente los años sesenta porque ofrece "un informe unilateral de cómo nos comportábamos bajo presión en una época de disfraces y causas, y de con cuánto derroche, descaro y continuidad manifestábamos lo que queríamos".

Chuck Close   Estados Unidos, nacido en 1940

Robert/104.072. 1973–19674

Acrílico y tinta con grafito sobre lienzo con gesso, 274,4 × 213,4 cm
Donación de J. Frederic Byers III y donación prometida de un donante anónimo

"Jamás se hizo una obra de arte sin procedimiento", ha dicho Close, y en *Robert/104.072* el procedimiento fue verdaderamente laborioso: está compuesto por puntitos negros diminutos, cada uno de los cuales ocupa un solo cuadrado de una cuadrícula de 104.072 de lado. La sensación de forma y textura –de la diferencia entre metal y piel, entre jersey de punto y bigote poblado– depende de la densidad de la pintura, que Close aplicaba a pistola, volviendo sobre cada cuadrado un promedio de diez veces. No es sorprendente que tardara catorce meses en acabar la obra.

Cuando Close empezó a pintar retratos, en 1967–1968, la opinión general era que la pintura figurativa estaba agotada. Las figuras del arte pop eran fríamente irónicas, y otros artistas pintaban abstracciones o abandonaban la pintura por otros sistemas de producción artística más conceptuales. Close prefirió aplicar un sistema conceptual a un modo de pintar tradicional. La escala agresiva hace patente el sistema –de cerca la parrilla de puntos de *Robert/104.072* es bien visible–, y la paleta de blanco y negro refleja el origen fotográfico de la imagen. *Robert/104.072* se anuncia como código más que ilusión. Para Close una imagen de este tipo no es "tanto una pintura de una persona como la distribución de pigmento sobre una superficie plana. Realmente hay que entender la artificialidad de lo que se está haciendo para hacer la realidad".

Louis I. Kahn
Estados Unidos, nacido en Estonia, 1901–1974

Alfred Newton Richards Medical Research Building, Universidad de Pennsylvania, Filadelfia.
1957–1965

Maqueta: tilo americano,
34,2 × 37,5 × 57,8 cm
Donación del arquitecto

El diseño del Richards Medical Research Building que se muestra en esta maqueta era una reacción contra la idea, dominante en la arquitectura moderna, de que todas las partes de un edificio deben acogerse a una envoltura espacial unitaria. La distinción entre lo que Kahn llamaba espacios "servidos" y "servidores" justifica la distribución de masas y la acusada articulación de la estructura global del Richards Medical Research Building. Kahn explicó que había concebido su diseño "pensando que los laboratorios científicos son estudios, y que el aire que se respira no debe mezclarse con el aire que se expulsa". Al situar en la periferia los espacios "servidores" –escaleras, ascensores y torres de ventilación–, Kahn

pudo también dotar de la máxima flexibilidad a los espacios "servidos" –los laboratorios–, mediante extensiones de suelo ininterrumpidas. Su respuesta práctica a las necesidades funcionales incluía también elecciones estéticas: las torres hacen eco a la animada silueta, como de comienzos de siglo, de los pabellones residenciales.

La maqueta presenta el innovador sistema constructivo de hormigón prefabricado y postensado que Kahn ideó con el ingeniero de estructuras August Komendant. La clara división entre miembros estructurales de hormigón (las cerchas y vigas en voladizo) y relleno de ladrillos y cristal es una indicación más del orden jerárquico que subyace a la obra.

Carl Andre
Estadounidense, nacido en 1935

Equivalent V (Equivalente V).
1966–1969

Ladrillos refractarios, 120 unidades,
12,8 × 114,3 × 137,2 cm
Adquisición

Equivalent V forma parte de una serie de ocho esculturas (*Equivalent I a VIII*) que se expusieron por primera vez en 1966 en la galería neoyorquina Tibor de Nagy. Cada una de esas obras se compone de 120 ladrillos apilados en bloques de dos y colocados directamente sobre el suelo de la galería. Aunque las ocho son equivalentes exactos en muchos aspectos (por ejemplo, en altura, volumen y peso), cada uno posee una configuración única. La huella de *Equivalent V* mide cinco ladrillos de largo por doce ladrillos de ancho, mientras que *Equivalent VIII* se extiende a diez de largo por seis de ancho, y así sucesivamente. Al articular de manera diferente la forma de cada *Equivalent* y mostrar las distintas permutaciones unas junto a otras, Andre propone que la escultura debe definir y no meramente ocupar un espacio, idea que no ha dejado de tener importancia para él a lo largo de toda su trayectoria.

Los *Equivalents* fueron las primeras obras planas de Andre, concebidas para situarse en el suelo. Prescinden de la tradicional peana escultórica y de la división que ésta implica entre el espacio artístico y el espacio normal y corriente. El espectador y la escultura coexisten en un mismo terreno, hecho que se ve acentuado por la decisión del artista de utilizar ladrillos fabricados sin ninguna peculiaridad especial en lugar de cualquier otro material tradicionalmente asociado a las bellas artes, como por ejemplo el bronce o el mármol. Casi todas las obras de la serie de 1966 fueron destruidas. Andre las recreó en 1969 utilizando ladrillos refractarios, al no estar ya disponible el material original, ladrillos silico calcáreos.

Henry Moore Gran Bretaña, 1898–1986

Torso grande: arco. 1962–1963

Bronce, 198,4 × 150,2 × 130,2 cm
Edición: 3/7
Mrs. Simon Guggenheim Fund

Invitado por el título de esta escultura a esperar una descripción de un torso humano, el espectador observará una llamativa ausencia del cuerpo sólido que hay bajo los hombros, al menos en un ser vivo. Moore, basando la obra en la estructura ósea de un torso masculino, hizo en realidad un esqueleto simplificado. Las formas de los huesos lo fascinaban. Fue también uno de los muchos artistas de su generación que quisieron liberarse de la tradición clásica – quitar, según él, "los anteojos griegos de los ojos del escultor moderno"–, y que por consiguiente estudiaron objetos de muchas épocas y lugares, desde el arte cicládico y el prehispánico hasta el arte africano y

oceánico de tiempos relativamente recientes. "Ten siempre destacada la tradición mundial, el panorama grande de la Escultura", escribió, y las formas casi abstractas de su arte muestran cuán lejos dejó el naturalismo clásico.

Por su escala y su peso, *Torso grande* hace pensar en una forma natural, quizá un arco de roca pulida por el viento. La palabra "arco" del título también insta al espectador a fijarse en ese hueco central que formalmente tiene tanta importancia como la masa de bronce. Despojando de carne el esqueleto y fundiéndolo con el paisaje, Moore otorga a su obra la apariencia de haber sido conformada por el largo paso del tiempo.

Tony Smith Estadounidense, 1912–1980

Die (Dado). 1962 (fabricado en 1998)

Acero, 182,9 × 182,9 × 182,9 cm
Tirada: 2/3
Donación de Jane Smith en honor de
Agnes Gund

Die, un cubo de acero laminado, constituye un ejemplo notablemente conciso de la práctica escultórica de Tony Smith. Pese a su rigidez geométrica, la obra resulta inherentemente antropomórfica. Sus dimensiones se derivan del dibujo del hombre de Vitrubio de Leonardo Da Vinci, que define una figura masculina de proporciones ideales situada en el interior de un círculo y de un cuadrado. Según explicó Smith más tarde, quiso crear algo más pequeño que un monumento y más grande que un objeto. Al reflejar el tamaño del cuerpo humano, *Dado* se enfrenta físicamente al espectador. Sus dimensiones realzan asimismo las múltiples capas de significado del título. Citando a W. H. Auden,

"honremos si podemos al hombre vertical, aunque no valoremos sino al horizontal", siguió diciendo Smith. "Seis pies sugiere estar fastidiado. Una caja de seis pies. A seis pies bajo tierra".

Aunque Smith solía trabajar con maquetas de pequeño tamaño antes de decidir la forma definitiva de una escultura, prescindió de estos trámites intermedios cuando realizó *Die*. Para plasmar la pieza, se limitó a llamar a la Empresa de Soldadura Industrial de Newark (Nueva Jersey), transmitió las especificaciones de la escultura y pasó el pedido por teléfono.

Donald Judd
Estados Unidos, 1928–1994

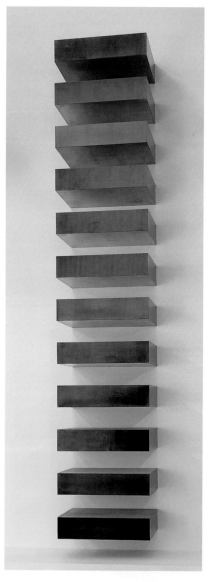

Sin título (Pila). 1967

Laca sobre hierro galvanizado, doce unidades,
cada una 28,8 × 101,6 × 78,7 cm, instaladas
verticalmente a intervalos de 22,8 cm
Legado Helen Acheson (por intercambio)
y donación de Joseph Helman

La escultura siempre tendrá que hacer frente
a la gravedad, y la pila –una cosa encima de
otra– es una de sus respuestas básicas.
Tradicionalmente ese principio establece
cierta jerarquía, siendo el objeto de arriba no
sólo diferente del de abajo sino conceptualmente más noble, como la estatua respecto
de su pedestal. Sin embargo, en la pila de
cajas de hierro galvanizado de Judd todas las
unidades son idénticas; están sujetas a la
pared y separadas, de modo que ninguna se
somete al peso de otra (y también de modo
que el espacio circundante desempeña en la
obra un papel equivalente al de ellas), y su
ascensión regular –cada una de las doce
cajas mide de alto lo mismo que el intervalo
que la separa de la siguiente– sugiere una
serie extensible hasta el infinito, negando la
posibilidad de un remate culminante. El minimalismo de Judd reflejaba su creencia en la
igualdad de todas las cosas. "En lo que se
refiere a existir", escribió, "todo es igual."

Pero el ámbito de los objetos minimalistas no es un campo indiferenciado; Judd
también pensaba que la escultura necesita
lo que él llamaba "polarización", una tensión
fundamental. Aquí, por ejemplo, las cajas uniformes, de metal descubierto por arriba y
por abajo, hacen pensar en la línea de montaje industrial. Al mismo tiempo, en el frente y
los costados llevan una capa de laca verde
que, aunque sea pintura de automóviles, está
aplicada con cierta irregularidad y tiene un
jugoso atractivo.

Robert Morris Estados Unidos, nacido en 1931

Sin título. 1969

Fieltro verde-gris drapeado, 459,2 ×
184,1 × 2,5 cm
The Gilman Foundation Fund

Morris contribuyó a definir los principios del
arte minimalista escribiendo importantes artículos sobre el tema, pero fue también un innovador al templar el aspecto a menudo severo
del minimalismo con una nueva plasticidad,
una literal blandura. En obras como ésta
tomó planchas de fieltro industrial grueso,
las sometió a manipulaciones formales básicas (por ejemplo, practicar en el fieltro una
serie de cortes paralelos para después col-
garlo, apilarlo o incluso dejarlo caer revuelto)
y aceptó después la forma que adoptasen
como obra de arte. De ese modo dejaba que
el propio medio determinase la configuración
global de la obra, configuración que Morris
entendía como temporal. "Amontonar sin

orden, apilar libremente, colgar, dar forma
pasajera al material", escribió. "Se acepta
el azar y se implica la indeterminación El
rechazo de formas duraderas preconcebidas
y órdenes entre las cosas es una afirmación
positiva."

Esta obra subraya el proceso de su producción y las cualidades de su material.
Pero aun cuando Morris intentase no hacer
de la forma "un fin prescrito" como esquema
compositivo, la obra posee a la vez elegancia formal e interés psicológico: el orden y la
simetría de la tela cortada quedan en entre-
dicho por el gracioso abolsamiento de arriba.
De hecho, una obra nacida de una teoría
estética rigurosa acaba evocando la figura
humana. "El fieltro tiene connotaciones anatómicas", ha dicho Morris; "se relaciona con el
cuerpo, es como una piel."

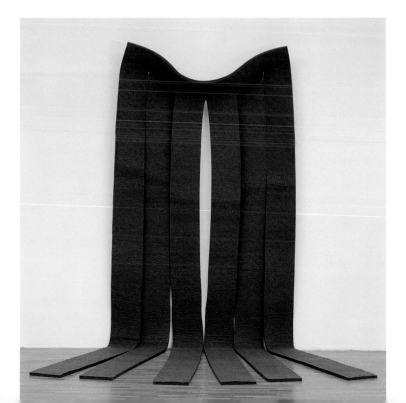

Stan Brakhage   Estados Unidos, 1933–2003

El texto de la luz (The Text of Light). 1974

Película de 16 mm, color, muda, 68 minutos
Jerome Foundation Purchase Fund

Stan Brakhage, probablemente el autor más prolífico y sobresaliente del cine independiente americano, cultivó desde los años cincuenta lo que él denominaba "el arte de la visión", utilizando en sus películas experimentales procedimientos de estratificación, repetición de elementos, acumulación de detalles, yuxtaposiciones de imágenes heterogéneas y secuencias no narrativas.
Muchas de sus obras se basan en experiencias autobiográficas e incorporan imágenes de miembros de su familia y hechos de su vida cotidiana, pero otras se mueven en un radio más limitado y trabajan sobre las propiedades del propio medio cinematográfico.

En la década de 1970 Brakhage y otros cineastas, como James Herbert y Andrew Noren, intensificaron sus exploraciones de las propiedades formales del cine. Los campos de investigación más fecundos serían dos de los medios de expresión básicos del cine: la movilidad aparente de la luz y la textura resultante de la imagen fugaz. *El texto de la luz* es la más pura de las asombrosas obras hechas por esos cineastas. El tema de la película, parco pero vital, es la luz y nada más que la luz. Para componer este "texto de la luz", Brakhage examinó la luz refractada en un cenicero de cristal. Al moverse y cambiar de color, la luz ofrece al espectador una vigorosa acción cinematógrafica.

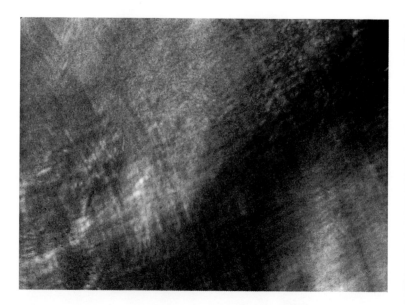

Richard Diebenkorn Estados Unidos, 1922–1993

Ocean Park 115. 1979

Óleo sobre lienzo, 254 × 205,6 cm
Mrs. Charles G. Stachelberg Fund

La serie Ocean Park, iniciada en 1967, alude en términos generales al paisaje costero, natural y urbanizado, de los alrededores de Santa Mónica (California), donde Diebenkorn tenía su estudio. Es la obra de un artista que sintetizó las principales corrientes del arte abstracto más riguroso del siglo XX (después de hacer pintura representacional), les añadió una sensibilidad pictoricista de los años cincuenta y creó un estilo nuevo donde la seriedad y la decoratividad de sus modelos se unían a una firme sensualidad totalmente personal. La obra utiliza los ingredientes del arte maduro de Piet Mondrian, pero escapa del molde geométrico que Mondrian había tomado del cubismo para aprender más de las estructuras menos restrictivas y las superficies ventiladas de

Barnett Newman y Mark Rothko. Por otra parte, Diebenkorn complica la austeridad de los campos de estos artistas reinsertando un incisivo registro temporal de la creación del cuadro.

La influencia de otra piedra de toque para Diebenkorn, Henri Matisse, se observa en *Ocean Park 115*, lo mismo que en el resto de la serie, en la división del espacio en planos bidimensionales y franjas de color. Construidos con capas sucesivas de pigmento, los azules y verdes de la pintura presentan fluctuaciones de densidad que determinan una luminosidad translúcida.

Jackie Winsor
Estados Unidos, nacida en el Canadá en 1941

Pieza quemada. 1977–1978

Cemento, madera quemada y tela metálica,
86,1 × 86,4 × 86,4 cm
Donación de Agnes Gund

Winsor, una artista de la generación
siguiente al minimalismo, hereda la preferencia de los minimalistas por las figuras
geométricas sencillas. Pero sus obras están
hechas a mano, y sus superficies son más
variadas y táctiles que los planos impersonales y mecánicos del minimalismo. Muestran
además ranuras que invitan a asomarse a
sus oscuros interiores: "Te acercas a los
cubos con ventanas y los tocas", dice
Winsor; "te asomas, usas los ojos, la nariz".
De esa manera "los cubos son paralelos y
metáforas del cuerpo".

En *Pieza quemada* Winsor hizo un cubo
de madera y cemento reforzado con tela
metálica. A continuación lo puso sobre una
hoguera que quemó la madera y tiñó el
cemento de marrón, negro y gris ceniza. Ese
proceso imprevisible creó una narración dra-
mática. Winsor tuvo el cubo al fuego durante
unas cinco horas, hasta que, según sus
palabras, "empezó a expandirse y redon-
dearse levemente. Al enfriarse después se
contrajo y tomó una forma ligeramente cón-
cava. Durante la cochura, fragmentos de
cemento se desprendieron del cuerpo principal y salieron despedidos a una distancia de
veinte pies. Yo había estudiado las propiedades del material porque quería llevarlo a su
límite estructural, hasta el punto en que el
cemento respondiera al calor de una manera
activa y peligrosa pero sin llegar a consu-
mirse ni deshacerse. Eso es lo que ocurrió
materialmente con la forma y el material. Es
su historia".

Pino Pascali Italiano, 1935–1968

Ponte (Puente). 1968

Lana de acero trenzada, 800 × 100 × 90 cm
Fondo Scott Burton y Fondos del Comité de
Pintura y Escultura en honor de Kynaston
McShine

Esta estructura aparentemente primitiva
está hecha de lana de acero, un material
doméstico moderno y humilde formado por
finos hilos metálicos similares a los que se
utilizan en los cables de cuerdas de acero
que soportan los puentes de suspensión.
Para confeccionar su *Ponte,* Pino Pascali
trenzó enormes cantidades de lana de acero
formando fardos que enrolló sobre un armazón de alambre. De este modo, *Ponte* evoca
proezas de la ingeniería industrial y la fabricación comercial. Sus medios son típicos del
arte povera, el movimiento artístico italiano
de posguerra con el que se asoció Pascali y
cuyos exponentes jóvenes empezaron a utilizar materiales corrientes y baratos para
suplir esas sustancias "nobles", como el

mármol y el bronce, que desde hace mucho
tiempo se asocian a la escultura
monumental.

Pascali manifestó en cierta ocasión que
"el arte significa encontrar un método para
el cambio, tal como hizo el hombre que
inventó un cuenco para recoger agua". A
diferencia de muchos artistas estadounidenses de su generación que se sirvieron de
técnicas mecánicas y herramientas electró-
nicas, Pascali, que vivía en Roma, jugó con la
comprensión de las tecnologías preindustria-
les del siglo XX. Le interesaba especialmente ver cómo la cultura popular idealiza
balo primitivo. Ávido seguidor de las películas de Tarzán y de las tiras cómicas *B.C.,*
adoptó Hollywood y otros manantiales de la
cultura popular en lugar de los museos etno-
gráficos que habían inspirado a modernistas
tempranos como Kandinski y Picasso.

Joseph Beuys Alemán, 1921–1986

Sinfonía siberiana Eurasia 1963.
1966

Panel con dibujo de tiza, fieltro, grasa, liebre y
palos pintados 183 × 230 × 50 cm
Donación de Frederic Clay Bartlett
(por intercambio)

Al asumir los cometidos múltiples de artista,
profesor y chamán moderno, Beuys desarrolló una iconografía muy personal para reflejar
los problemas que aquejaban a la Alemania de
la posguerra. Los objetos de *Sinfonía siberiana Eurasia 1963* eran decorados de una
performance que había escenificado en
1966 en Copenhague y Berlín. Entre ellos
figura un armazón de palos entrecruzados,
una liebre disecada (animal totémico para
Beuys), triángulos de grasa y fieltro y una
pizarra con marcas de tiza. Entre las inscrip-
ciones aparece de forma destacada la palabra "Eurasia", que alude tanto a la masa
continental como al estado sin fronteras que
Beuys invocaba a menudo. La cruz truncada
de arriba representa la división entre el Este

y el Oeste. Dos números que hay abajo indican los ángulos de los triángulos de fieltro y
grasa, mientras que un tercero corresponde
a la temperatura de una fiebre aguda
humana (42°C).

Una clave para descifrar la críptica presentación es la narración que Beuys hacía
frecuentemente de cómo recibió un disparo
en Crimea durante la Segunda Guerra
Mundial y fue salvado por unos tártaros locales que envolvieron su cuerpo con grasa y fieltro, materiales que después él asociaría a los
métodos orientales de sanación holística.
Aunque aparezcan expresados en términos
míticos, los temas de la obra tienen que ver
con la política de división de la Guerra Fría.
"1963" podría aludir a la nota positiva y
esperanzadora que aportó ese año la alocu-
ción de John F. Kennedy a los ciudadanos de
Berlín Oeste. Beuys podría estar sugiriendo
que la sanación aguardaba en esos encuentros cara a cara, imposibilitados en aquel
momento por muros tanto físicos como
ideológicos.

Romare Bearden Estados Unidos, 1911–1988

Colcha de retazos. 1970

Tela y papel con pintura de polímero sintético
cortados y pegados sobre aglomerado, 90,9 ×
121,6 cm
Blanchette Rockefeller Fund

"Intento mostrar", declaró Bearden, "que
cuando se sacan algunas cosas del contexto
habitual y se sitúan en otro, se les da un
carácter totalmente nuevo." Y una colcha de
retazos, por rica que sea su composición,
siempre está hecha de residuos sacados de
contexto: recortes de telas viejas que al ser
reaprovechados adquieren una condición
más noble. Podrán estar descoloridos o raí-
dos, pero su papel en un nuevo diseño rea-
viva su sentido y su belleza.

    Esta *Colcha de retazos*, que en parte
está compuesta exactamente por esos trozos de tela, participa de ese ennobleci-
miento. Bearden, estudioso de muchas
culturas, buscó inspiración en los relieves de
tumbas egipcias para esa figura de líneas
elegantes, con la mano y brazo izquierdos
característicos, la postura de perfil y las piernas separadas como caminando. Otra

influencia fue la escultura antigua de Benin.
Estas bases en una alta estética específicamente africana reivindican una ascendencia
regia para la afroamericana yacente de
Bearden. De hecho, su obra se nutre de sus
fusiones cosmopolitas y democráticas: de la
distinguida herencia de la pintura y la labor
doméstica del parcheado (que tiene una neta
tradición afroamericana), del arte analítico
(en los ecos de cubismo) y la decoración
casera, y del descanso cotidiano y la
máxima elegancia.

Stephen Shore
Estadounidense, nacido en 1947

Breakfast, Trail's End Restaurant, Kanab, Utah (Desayuno, restaurante Trail's End, Kanab, Utah). 1973

Impresión cromogénica en color, 22,9 × 28,3 cm
Adquisición

Melón jugoso, una pila de tortitas cubiertas de mantequilla espumosa y un vaso rebosante de blanca leche pura se disponen a ser devorados por el viajero que acaba de parar para desayunar en una polvorienta ciudad del Oeste. Esta fotografía forma parte de la serie de Shore denominada *Uncommon Places* (*Sitios poco comunes*), que el artista hizo con un tomavistas de 20 × 25 cm durante sus viajes por carretera atravesando Estados Unidos. Como otros fotógrafos anteriores a él (Walker Evans, Robert Frank), Shore, neoyorquino de nacimiento, partió con la intención de captar la vida cotidiana de todo el país, si bien en su caso la cámara fue un recurso que le permitía enmarcar aspectos inesperados –y a menudo nada sobresalientes en apariencia– de lo que

tenía delante. El hecho de centrarse en rincones callejeros de pueblos pequeños, modestas fachadas de tiendas y otras imágenes corrientes de los años setenta deja implícito el influjo de ciertos artistas conceptuales de la misma época que utilizaban a menudo un estilo vernáculo de fotografía para captar el paisaje estadounidense rutinario.

Sin embargo, a diferencia de algunos de sus precursores, Shore presenta sus fotos con colores brillantes y vívidos detalles. Hacer una fotografía de 35 mm "como quien no quiere la cosa", ha manifestado, es algo muy distinto de preparar la instantánea con una cámara de gran formato. En el restaurante Trail's End se subió a una silla para encontrar el punto de vista deseado y, según recordó más tarde, "para cuando tuve hecha la foto la comida ya se había enfriado".

Jan Lenica Polaco, 1928–2001

Surrealistas polacos. 1970

Litografía en offset, 97,2 × 67,5 cm
Donación del diseñador

Este cartel de una exposición alemana de
arte y diseño surrealistas polacos ejemplifica la notable vitalidad y popularidad internacional del diseño polaco de carteles de
tiempos de la guerra fría. Su autor, Jan
Lenica, estudió arquitectura y música antes
de dedicarse a las disciplinas gráficas. A
partir de 1954 trabajó en el estudio de car-
telería de la Academia de Bellas Artes de
Varsovia, donde un grupo de diseñadores del
círculo de Henryk Tomaszewski desarrollaba
un nuevo y sofisticado lenguaje visual caracterizado por tendencias surrealistas y expresionistas, un humor macabro y a menudo
satírico y una gran audacia en la utilización
del color. Sus carteles prácticamente no
tenían nada que ver con la publicidad comercial; por lo general se hacían para conmemorar o publicitar actividades culturales como
óperas, obras de teatro, películas y exposiciones. El estado comunista monopolizaba

el encargo, producción y distribución de ese
tipo de trabajos, a la vez que ejercía la cen-
sura, pero también supo reconocer el valor
de propaganda "blanda" que tenía el arte
del cartel en el contexto de la política de la
guerra fría.

A partir de 1963 Lenica estuvo afincado
principalmente en París y en Berlín, aunque
siguió aceptando encargos de organismos
estatales polacos. La imagen de un cerebro
pulsátil rosa en un sombrero hongo que este
cartel nos presenta constituye una ingeniosa
adaptación de la imaginería del artista belga
René Magritte. Manifiesta la omnipresente
fascinación polaca por el surrealismo, así
como el típico interés centroeuropeo por la
vida interior oculta de los individuos.

Jurgis Mačiūnas Estadounidense, nacido en Lituania. 1931–1978

Un año. 1973–1974

Cajas y envases vacíos, dimensiones variables
Editor: Ediciones Fluxus, anunciado en 1973
Donación de la colección Fluxus de Gilbert
y Lila Silverman

Un año está formado por las cajas vacías de
comida y productos domésticos que Jurgis
Mačiūnas fue consumiendo a lo largo de ese
espacio de tiempo. Juntados en forma de
mosáico, envases que contuvieron jugo de
naranja concentrado y congelado, leche en
polvo, fresas congeladas, pasta dentífrica,
medicamentos contra la acidez y vendajes
adhesivos, entre otras cosas, ocupan una
extensión de más de seis metros de largo.
En general, hay muy poca variedad en el tipo
de mercancías comidas y utilizadas, repitién-
dose en los paneles grandes cantidades de
un mismo producto. La acumulación permite
vislumbrar el paisaje de los consumidores
estadounidenses de principios de los
setenta y pone de manifiesto la monotonía
del régimen diaria del artista.

Mačiūnas creó esta obra cuando vivía
en el centro de Manhattan, en la entonces
dura zona postindustrial que ahora se
conoce como el SoHo. Contribuyó a regene-
rar el barrio para la comunidad artística en
crecimiento adquiriendo edificios por poco
dinero a empresas manufactureras que cerra-
ban y convirtiéndolos en "cooperativas
Fluxhouse" que planteó como entornos
colectivos para vivienda y trabajo. Fluxus, un
entramado de artistas que surgió a principios de los sesenta en Estados Unidos,

Europa y Japón, fomentaba actividades de
interpenetración de la vida y el arte. Según
ponen de manifiesto proyectos como *Un año*,
reconocían las posibilidades creativas que
proporcionaban la cocina, la comida, el aseo
personal y la limpieza, entre otras muchas
tareas cotidianas. Mačiūnas, al igual que
muchos de sus compañeros artistas de
Fluxus, se servía en su obra del humor y la
provocación para poner en tela de juicio las
modalidades aceptadas de expresión y presentación artísticas.

Daniel Buren Francés, nacido en 1938

Tissu en coton rayé de bandes verticales blanches et colorées de 8,7 cm (+/- 0,3 cm) chacune. Les deux bandes extrêmes blanche srecouvertes de peinture acrylique blanche recto-verso. (Tejido de algodón con rayas verticales blancas y de colores de 8,7 cm cada una. Las dos bandas exteriores blancas recubiertas de pintura acrílica blanca por el anverso y el reverso). 1970

Pintura de polímero sintético sobre tejido de algodón rayado. Doce obras, dimensiones totales variables.

Cada uno de los doce cuadros constituye una obra autónoma que puede exponerse por separado.

Donación de Herman J. Daled

La obra de Buren es reconocible de inmediato por un recurso plástico característico: rayas de color alternadas con otras blancas, todas ellas de una anchura de 8,7 cm exactos, medida estándar de las franjas de la lona comercial que se utiliza en Francia para la confección de toldos. El artista empezó a utilizar tejidos comerciales, o papel impreso con esas pautas, a finales de los años sesenta. Expuso las obras en localizaciones urbanas –sobre paredes exteriores e interiores, en escaparates y en estaciones de metro–, haciendo hincapié en el concepto de *in situ* para señalar la dependencia de una obra artística de su contexto ideológico y espacial.

Esta serie de doce lienzos fue adquirida por los coleccionistas Herman y Nicole Daled mes a mes a lo largo del año en que se produjo. Cada lienzo puede exponerse también como obra independiente. Como el título indica, las dos rayas blancas de los bordes verticales aparecen cubiertas de pintura blanca por la parte de delante y también por detrás. La pintura es prácticamente imperceptible. Aun así, logra transformar de manera sutil las rayas ya confeccionadas sobre las que se ha aplicado, marcando la huella de la mano del artista y poniendo de manifiesto la ambigüedad que se establece en la obra de Buren entre el arte y lo cotidiano.

Lawrence Weiner
Estadounidense, nacido en 1942

Moved from Up Front (Movido desde Delante). 1970

Lenguaje + los materiales aludidos en el texto de la pared (vinilo o pintura sobre pared) con certificado, boceto y sobre, dimensiones variables
Donación de Art & Project/Depot VBVR

Esta obra, una escultura hecha de lenguaje, es objeto de una nueva plasmación cada vez que se instala. Consiste en la declaración que le da título, que puede presentarse de diferentes maneras, aunque casi siempre se realiza como texto sobre una pared galerística. *Moved from Up Front* pertenece a un grupo de obras que Weiner denomina Statements (Declaraciones). Desprovistos de expresión emotiva, estos breves textos suelen evocar procesos o materiales escultóricos y parecen aludir a acciones realizadas por el artista en su taller. Surgieron de su rechazo a la situación de privilegio de que gozan medios tradicionales como la pintura y la escultura, así como del deseo de superar la exclusividad otorgada a la posesión de objetos artísticos.

Figura destacada del Arte Conceptual, Weiner estima lo accesible y transmisible que es el lenguaje. Como material, el lenguaje le ofrece un modo de eludir el carácter elitista del "arte elevado" y, al subrayar el papel del espectador o lector, de invertir esa antigua jerarquía que prima las intenciones del artista por encima de otras interpretaciones. Se sirve de métodos de distribución variados y flexibles, incluyendo libros y carteles, para llegar a públicos nuevos y presentar su obra en otros contextos que no sean los museos y las galerías.

Vito Acconci
Estadounidense, nacido en 1940

Following Piece (Pieza de seguimiento). 1969

Copias a la gelatina de plata, rotulador y plano sobre tablero, 76 × 102 cm
Donación parcial de la colección Daled y adquisición parcial gracias a la generosidad de Maja Oeri y Hans Bodenmann, Sue y Edgar Wachenheim III, Marlene Hess y James D. Zirin, Agnes Gund, Marie-Josée y Henry R. Kravis, así como de Jerry I. Speyer y Katherine G. Farley

En *Following Piece* Acconci se dio a sí mismo una única instrucción: "seguir cada día a una persona distinta hasta que se adentrase en un lugar privado". El compromiso que esta pieza exigió durante sus veintitrés días de transcurso no resulta inmediatamente evidente en la forma actual de la obra: una composición de aspecto descuidado formada por fotografías de personas de espaldas, un plano de Nueva York modificado manualmente, notas garabateadas e itinerarios. De igual modo, la sencillez de la instrucción de Acconci enmascara el denso entramado de cuestiones sociales, políticas y geográficas al que atiende la *performance*.

En definitiva, la obra pone en duda su premisa inicial: la existencia de límites claros entre los espacios públicos y privados. De hecho, difuminar esas categorías, así como las cuestiones de la vigilancia, la sumisión y el control, resulta esencial en la pieza. Por un lado, Acconci detentaba el poder. Únicamente él decidía a quién seguir y únicamente él conocía sus propias normas y operaciones. Por otro lado, renunciaba al control al permitir que sus movimientos, su velocidad, su dirección, su seguridad y la duración de la *performance* fuesen determinados de manera inconsciente por la persona seguida, generándose una relación de fiabilidad y cuasi intimidad (si bien un tanto unilateral y limitada).

Que el comportamiento de Acconci parezca tan poco habitual viene a subrayar una norma tácita sobre cómo conducirse en los espacios públicos: específicamente, estar uno a lo suyo y no seguir a los demás. Al infringir esta norma, Acconci nos muestra que incluso el espacio público se rige por parámetros profundamente privados y reglamentados.

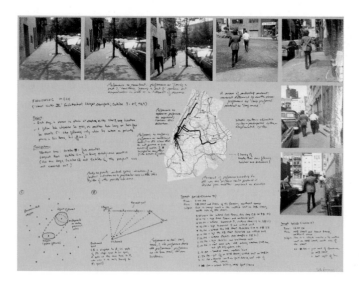

Martha Rosler Estadounidense, nacida en 1943

Cleaning the Drapes (Limpiando las cortinas). 1967–1972

Papel impreso recortado y pegado sobre tablero, 26 × 35,6 cm
Adquisición y fondos del Comité de la Mujer Moderna

Esta obra forma parte de *Bringing the War Home: House Beautiful* (*Traer la guerra a casa: casa bonita*), una serie de fotomontajes en los que Rosler yuxtapuso imágenes de domesticidad aislada con gráficas descripciones de la guerra. Al insertar en *House Beautiful* fotografías que tomó de la revista *Life* de la guerra que se desarrollaba por aquel entonces en Vietnam en imágenes de interiores impecablemente amueblados, Rosler esperaba hacer añicos la ilusión de que las comodidades modernas pueden protegernos de las realidades violentas.

En *Cleaning the Drapes*, un ama de casa moderna separa los visillos de su cuarto de estar, descubriéndonos a varios soldados a la espera de entrar en combate. La cuidada disposición que confiere Rosler a las imágenes incita a las figuras a establecer una relación de intimidad. Junto a los fusiles de los soldados, la aspiradora de la mujer parece también un arma. La mirada expectante de la mujer se topa con la del soldado situado más a la derecha, insinuando otros conflictos de clase y de género que acechan en el interior de ese hogar aparentemente perfecto.

Rosler ha hecho referencia a la "frustración ante las imágenes que hemos visto en televisión y en los medios impresos" durante la guerra de Vietnam. "Las imágenes que veíamos siempre eran muy lejanas, de un lugar que no acertábamos a imaginarnos". Con los fotomontajes expresaba su "necesidad de recalcar que la separación de lo de aquí y lo de otras partes no solo era ilusoria sino peligrosa". Las imágenes de Rosler aparecieron inicialmente en publicaciones alternativas y se distribuyeron como folletos en manifestaciones contra la guerra. Al adoptar el medio del fotomontaje, la artista invoca una historia de arte comprometido socialmente que se remonta a Dadá.

Gordon Matta-Clark Estadounidense, 1943–1978

Bingo. 1974

Fragmentos de edificio: madera pintada,
metal, escayola y cristal, tres secciones
En total 175,3 × 779,8 × 25,4 cm
Fondo del legado de Nina y Gordon Bunshaft,
Fondo del legado de Nelson A. Rockefeller y
Fondo Enid A. Haupt

La comisión de planificación urbanística de
Niagara Falls concedió a Matta-Clark diez días
para descuartizar una casa condenada del
número 349 de la avenida Erie antes de que
se procediese a su demolición. Dividió la
fachada en rectángulos que fue retirando uno
a uno. El resultado fueron ocho secciones
separadas (el *Bingo* del MoMa se compone
de tres de ellas) más una película en
Súper-8 que documenta la deconstrucción
del edificio. En el proceso de retirada efec-
tuado por Matta-Clark y su correspondiente
estética de sustracción y destrucción, las
cosas que convencionalmente se asocian a
una casa –domesticidad, comodidad, privacidad– son sustituidas por una desorientadora
experiencia física en la que la casa se vuelve
ajena, convirtiéndose en simple contenedor
de un espacio que ahora aparece abierto e
incompleto.

Matta-Clark se preparó como arquitecto
antes de desarrollar la práctica de la "anar-
quitectura", como llama a los ataques que
escenificó sobre los cimientos estructurales
del entorno edificado. Cuando las casas pre-
fabricadas de las zonas suburbanas de la
posguerra estadounidense empezaron a
decaer en los años setenta, él quiso desen-
trañar las bases ideológicas que se hallaban
vinculadas a estructuras como la vivienda
unifamiliar derribada para *Bingo*. "La movilidad social es el factor espacial que más
importa. La forma de desenvolverse dentro
del sistema determina el tipo de espacio en
el que se trabaja y se vive", ha manifestado
Matta-Clark haciendo hincapié en la crítica
sociológica que fundamenta su obra.

Ousmane Sembene   Senegalés, 1923–2007

Xala. 1975

Película de 35 mm, color, sonora, 123
minutos.
Donación de Dan Talbot

Antes de convertirse en cineasta, Ousmane
Sembene fue escritor. Publicaba libros en
francés, la lengua de los colonizadores y de la
gente educada de África Occidental, aunque
la mayoría de los senegaleses no sabía leer
ese idioma. El escritor se tornó cineasta
para poder "hablarle" al público de su tierra.
Lo consiguió con gran éxito y de esa manera
sus películas centradas en Senegal engan-
charon a públicos de todo el mundo.

   Xala, película de Sembene que trata de
un hombre de negocios moderno, corrupto y
próspero, frustrado por lo que considera una
maldición, está tanto en francés como en
wolof, una de las lenguas principales de
Senegal. La palabra *xala* significa "maldición" en wolof, y la maldición que aqueja al
protagonista, prestigioso miembro de la
Cámara de Comercio de Dakar, no es otra
que la impotencia sexual. Esto le resulta
muy embarazoso, pues acaba de acoger

como tercera esposa a una joven, para dis-
gusto de las otras dos. Creyéndose víctima
de una brujería doméstica, prueba remedios
ancestrales. Las contradicciones de lo viejo
y lo nuevo, de lo que se considera una conducta aceptable o discutible, el consumo
exagerado y las verdaderas necesidades
conforman las sustanciosas y divertidas
tensiones de esta oscura sátira social que
describe de una manera cómica y potencial-
mente ruinosa a la nueva clase dominante
senegalesa.

Carolee Schneemann Estadounidense, nacida en 1939

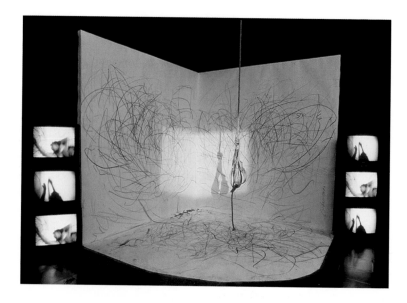

Hasta e incluyendo sus límites (Up to and Including Her Limits).
1973–1976

Crayón sobre papel, soga, arnés y vídeo analógico de dos canales, con audio, transferido a vídeo digital
Adquisición

A Carolee Schneemann se la asocia ante todo con sus actividades de *performance* de los años sesenta y setenta, atrevidas acciones que abordaban temas feministas y políticos que escandalizaban y comprometían a los espectadores. No obstante, Schneemann siempre se ha considerado pintora, algo que a menudo se pasa por alto al referirse al conjunto de su obra, que se extiende a todos los medios. Sus exploraciones de los límites de la pintura y el dibujo suelen ocupar un lugar central en su trabajo y guardan relación con la actividad de sus contemporáneos del mundillo artístico neoyorquino de los años sesenta.

Entre 1971 y 1976 Schneemann interpretó *Up to and Including Her Limits* nueve veces, siempre con el ánimo de convertir la pieza en instalación. Comentando lo que ella ha calificado como el "proceso de pintura fisicalizado" de Jackson Pollock, marcó con pinturas de cera las paredes y el suelo de un rincón cubierto de papel mientras se alzaba y bajaba ella misma en un arnés de jardinero podador, sobrevolando justo por encima de la superficie del dibujo; en definitiva, la obra deja constancia de las líneas que su cuerpo trazó en el espacio. Las *performances* se grabaron en vídeo y esas imágenes, junto con el arnés, la soga y los dibujos, constituyen la instalación actualmente presente en la colección del museo.

Hannah Wilke Estadounidense, 1940–1993

S.O.S. –Starification Object Series–. 1974–1982

Copias a la gelatina de plata con esculturas de chicle, 101,6 × 148,6 × 5,7 cm
Adquisición

Hannah Wilke escenificó por primera vez *S.O.S. –Starification Object Series–* ante el público en 1975. Se entregaba chicle de colores a los visitantes, pidiéndoseles que lo mascaran y se lo devolvieran luego a Wilke, quien, desnuda de medio cuerpo para arriba, estiraba y doblaba las gomas para darles forma escultórica de labios vaginales y adosárselas al cuerpo. Esas formas anatómicas confeccionadas manualmente se interpretaban como fetiches sensuales y también como cicatrices de aspecto desagradable que simbolizaban tanto el poder como los estigmas del sexo femenino.

Interesada por cómo tales acciones transitorias podían vivir más allá de aquellos momentos, Wilke posó para fotografías de la serie *S.O.S.*, realizando lo que denominó "autorretratos performalistas". Contrató a un fotógrafo profesional para que le hiciese retratos de tipo editorial mientras ella se colocaba como una experta en las típicas posturas utilizadas para la moda y la publicidad: una mano sobre la cadera ladeada, la boca sugerentemente abierta, los dedos introducidos en unos cabellos voluminosos. Esos despliegues faciles de su sexualidad son evidentemente una farsa, pero el éxito de la obra obedece a la sencilla verdad de su buen aspecto personal. Aquí Wilke reta al espectador-mirón a resolver la tensión que surge entre la repugnancia al contemplar las formas rechinantes que llenan de cicatrices su cuerpo y el placer de que se le permita acceder de ese modo a su belleza. Como sugiere el título del proyecto, Wilke explora las relaciones que se establecen entre los obligados constructos de la belleza y la feminidad, los estados de seducción y desazón, y los papeles entrecruzados de la víctima y su agresor.

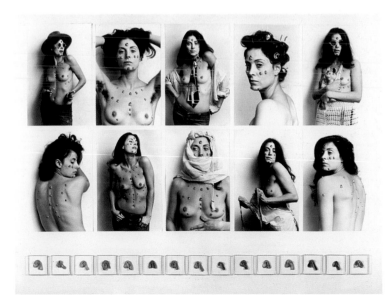

Richard Sapper
Alemania, 1932–2015

Lámpara de mesa Tizio. 1971

Plástico ABS y aluminio, máx. 118,7 × 108 cm
Fabricante: Artemide S.p.A., Italia
Donación del fabricante

Sapper afirmaba haber diseñado la lámpara Tizio porque no encontraba una lámpara de oficina a su gusto: "Buscaba una cabeza pequeña y brazos largos; no quería tener que atornillar la lámpara a la mesa porque es incómodo. Y quería que se pudiera mover con facilidad". La Tizio, la lámpara soñada de su diseñador, es un aparato de mesa ajustable con movimiento en cuatro direcciones. Bascula libremente y se puede colocar en cualquier posición, estando asegurado el equilibrio por un sistema de contrapesos. La bombilla halógena, con dos intensidades de luz, recibe la corriente por el brazo desde un transformador oculto en la base. En 1972, cuando la Tizio se empezó a fabricar, el paso de la electricidad por los brazos era una innovación que existía en pocos modelos de lámpara.

Desde el punto de vista formal la Tizio era revolucionaria. Negra, angulosa, minimalista y misteriosa, logró su verdadero éxito comercial a comienzos de los años ochenta, cuando su pulcro aspecto se asoció con el auge de Wall Street. Presente en las casas de los jóvenes triunfadores y en los despachos de los ejecutivos, la lámpara Tizio se ha convertido en un icono del diseño de alta tecnología.

Milton Glaser Estadounidense, nacido en 1929

I♥NY. 1976

Tinta y collage sobre tablero, 16,5 × 41,9 cm
Donación de William S. Doyle

En febrero de 1975 el municipio de Nueva York se encontraba en graves apuros. Con un déficit de mil millones de dólares, al borde de la bancarrota, con 300.000 trabajadores recién despedidos, la delincuencia aumentando y, para colmo de males, una huelga de recogida de basuras que se prolongó durante una semana, la ciudad necesitaba con urgencia una inyección de esperanza. Ante esa situación, el Departamento de Comercio del Estado de Nueva York y el subcomisario Bill Doyle encargaron a la agencia publicitaria Wells Rich Greene el desarrollo de una campaña para mejorar la imagen de la ciudad. Muchas personas contribuyeron a darle forma, desde el gobernador Hugh Carey, que fue el primero en señalar que, pese a todo, a la gente le seguía encantando Nueva York, hasta los socios de Wells Rich Greene, que crearon un discurso centrado en Broadway, con el pegadizo estribillo musical de Steve Karmen. Se pidió a Milton Glaser, diseñador de calidad estelar, que resumiese gráficamente la campaña, cosa que consiguió, como es sabido, mediante un boceto rápido e instintivo.

I NY es un pictograma rudimentario presentado en la fuente tipográfica American Typewriter, cuyas letras son redondeadas y con remate. Glaser lo asemeja a una declaración de amor grabada sobre el tronco de un árbol. Realizado sin que mediase compensación económica, el diseño, que tuvo un éxito arrollador, ha sido copiado y reinterpretado millones de veces en todo el mundo. Se ha convertido en un duradero icono de la ciudad de Nueva York y en uno de los logotipos más frecuentemente imitados de todos los tiempos, sirviendo de modelo para declaraciones de amor a multitud de personas, lugares y objetos. El diseño fue registrado después de diez años de utilización libre.

Rem Koolhaas
Holanda, nacido en 1944

Elia Zenghelis
Gran Bretaña, nacido en 1937

Los prisioneros voluntarios, de Éxodo o Los prisioneros voluntarios de la arquitectura.
1972

Collage, acuarela y tinta sobre papel,
50 × 65,7 cm
Colaboradoras: Madelon Vriesendorp
(holandesa, nacida en 1945), Zoe Zenghelis
(griega, nacida en 1937)
Patricia Phelps de Cisneros Purchase Fund,
Takeo Obayashi Purchase Fund y Susan de
Menil Purchase Fund

Koolhaas completó una serie de dieciocho
dibujos, acuarelas y collages en su último
año de estudios en la Architectural
Association de Londres, una incubadora vir-
tual de teoría arquitectónica radical en la
década de 1970. Éxodo, presentado como
su tesis final, fue un trabajo de colaboración
que también concurrió conjuntamente a un
certamen italiano de diseño urbanístico, y
que acabó siendo el catalizador de la creación de la Office for Metropolitan Architecture
en 1975.

La inspiración inmediata de esa serie,
de la que forma parte Los prisioneros voluntarios, fue el Muro de Berlín. Imágenes del
Muro se yuxtaponen a otras de barrios residenciales estadounidenses y Manhattan,
mientras que a un collage de imágenes del
rock, de la Guerra Fría y pornográficas se
superponen textos de Les Fleurs du mal de
Charles Baudelaire. Múltiples alusiones simbólicas a movimientos arquitectónicos históricos y contemporáneos intensifican el
retrato del "delirio" urbano y reflejan la teoría urbanística de la época, la cultura pop y
la política posterior a 1968.

En el texto que acompaña al proyecto,
los arquitectos explicaban a propósito de
Los prisioneros voluntarios: "De pronto una
franja de intensa deseabilidad metropolitana
atraviesa el centro de Londres. Desde fuera
esta arquitectura es una secuencia de monumentos serenos; la vida de dentro genera un
estado continuo de frenesí ornamental y delirio decorativo, una sobredosis de símbolos".

Cindy Sherman Estados Unidos, nacida en 1954

Fotograma sin título 21. 1978

Copia en papel gelatina de plata,
19,1 × 24,1 cm
Compra

Cada uno de los sesenta y nueve
Fotogramas sin título de Sherman (1977–
1980) presenta a una protagonista de una
película que nos parece haber visto. Aquí es
la chica de carrera que se estrena en la gran
ciudad con su trajecito nuevo. Otras son la
bibliotecaria exuberante (13), la *starlette* de
moda en su refugio junto al mar (7), la ingenua que emprende el camino de la vida (48)
y la actriz dura pero vulnerable de cine negro
(54). Para hacer las fotos, la propia Sherman
representó todos los papeles, o mejor dicho
representó a todas las actrices que representaban todos los papeles. En otras palabras, la serie es una ficción sobre una
ficción, una hábil encapsulación de la imagen de la femineidad que a través del cine
se instaló en la imaginación colectiva de los
Estados Unidos de la posguerra, la época de
la juventud de Sherman y el crisol de nuestra cultura contemporánea.

En realidad sólo unos cuantos de los
Fotogramas sin título tienen por modelo
directo un personaje de una película concreta, y menos aún un determinado fotograma de los que distribuyen las compañías
para anunciar sus estrenos. Todos los demás
son alusiones inventivas a tipos genéricos,
y por ello es tanto más reveladora nuestra
firme impresión de haberlos visto. Quiere
decir que, conscientemente o no, hemos
absorbido la cultura cinematográfica que
Sherman nos invita a examinar como una
fuerza potente en nuestras vidas.

Jacques de la Villeglé Francia, nacido en 1926

122 rue du temple. 1968

Papeles impresos rasgados y pegados sobre
lino, 159,2 × 209,6 cm
Donación de Joachim Aberbach (por intercambio)

El título de esta obra procede de la calle de
París de donde se tomaron estos carteles
rotos. Los estratos de color fragmentario,
palabras e imágenes de caras fueron pegados sobre lino con una técnica denominada
décollage (lo contrario del *collage*), que consiste en rasgar carteles u otros materiales
publicitarios para crear composiciones nuevas, en las que frecuentemente se super-
pone una imagen a otra. Villeglé afirmó que
122 rue du temple, una combinación de carteles de cine y propaganda política para las
elecciones legislativas que siguieron a los
sucesos de mayo de 1968 en París, es un
reflejo de la realidad. Así, al artista no sólo
le interesa el impacto visual y la construcción pictórica de sus obras, sino que además les confiere un valor sociológico.

Villeglé ha dedicado toda su carrera al
décollage. Estuvo adscrito al Nouveau
Réalisme, un movimiento artístico francés de
finales de los años cincuenta y comienzos de
los sesenta que transformaba en arte desechos y objetos vulgares, sosteniendo que la
pintura era incapaz de transmitir la realidad
de la sociedad de posguerra. Villeglé ve en la
calle un almacén de arte *ready-made*. Él
inventó la figura del transeúnte anónimo, del
hombre vulgar cuyos destrozos aleatorios
son "descubiertos" por el artista y con ello
poetizados. A través de esa incorporación de
azar y elección, Villeglé asume el papel de un
conservador de las obras de arte que otros
crean inconscientemente.

Jenny Holzer Estados Unidos, nacida en 1950

Truismos. 1978–1987

Copia fotostática, 243,8 × 101,6 cm
Editor: la artista. Edición: ilimitada
Donación de la artista

Truismos ha pasado a ser parte del dominio público: se ha mostrado en escaparates, muros y vallas, y en tableros digitales de museos, galerías y otros lugares públicos, como la Times Square de Nueva York. Multitudes los han visto, los han leído, se han reído con ellos y han pensado con ellos. Ése precisamente es el objetivo de la artista.

La copia fotostática de *Truismos* que aquí vemos presenta ochenta y seis de las máximas de Holzer. Certeras unas, agresivas o cómicas otras, expresan múltiples puntos de vista que la artista espera que susciten una amplia gama de respuestas. Estos son algunos de sus *Truismos*: "Muchos profesionales están chiflados"; "El abuso de poder no es nada sorprendente"; "Las malas intenciones pueden dar buenos resultados"; "Categorizar el miedo tranquiliza".

Holzer empezó a hacer estas obras en 1977, siendo alumna de un programa de estudio independiente. Mecanografiaba muchas "líneas sueltas" o truismos, que ha comparado, en parte bromeando, con "una versión del pensamiento occidental y oriental abreviada por Jenny Holzer". Compuso las frases por orden alfabético y las imprimió a bajo coste por procedimientos comerciales. Después repartió las hojas al azar y las pegó como pasquines por la ciudad. Con el paso del tiempo sus *Truismos* acabarían adornando objetos muy diversos, camisetas y gorras de visera entre ellos.

A LITTLE KNOWLEDGE CAN GO A LONG WAY
A LOT OF PROFESSIONALS ARE CRACKPOTS
A MAN CAN'T KNOW WHAT IT'S LIKE TO BE A MOTHER
A NAME MEANS A LOT JUST BY ITSELF
A POSITIVE ATTITUDE MAKES ALL THE DIFFERENCE IN THE WORLD
A RELAXED MAN IS NOT NECESSARILY A BETTER MAN
A SENSE OF TIMING IS THE MARK OF GENIUS
A SINCERE EFFORT IS ALL YOU CAN ASK
A SINGLE EVENT CAN HAVE INFINITELY MANY INTERPRETATIONS
A SOLID HOME BASE BUILDS A SENSE OF SELF
A STRONG SENSE OF DUTY IMPRISONS YOU
ABSOLUTE SUBMISSION CAN BE A FORM OF FREEDOM
ABSTRACTION IS A TYPE OF DECADENCE
ABUSE OF POWER SHOULD COME AS NO SURPRISE
ACTION CAUSES MORE TROUBLE THAN THOUGHT
ALIENATION PRODUCES ECCENTRICS OR REVOLUTIONARIES
ALL THINGS ARE DELICATELY INTERCONNECTED
AMBITION IS JUST AS DANGEROUS AS COMPLACENCY
AMBIVALENCE CAN RUIN YOUR LIFE
AN ELITE IS INEVITABLE
ANGER OR HATE CAN BE A USEFUL MOTIVATING FORCE
ANIMALISM IS PERFECTLY HEALTHY
ANY SURPLUS IS IMMORAL
ANYTHING IS A LEGITIMATE AREA OF INVESTIGATION
ARTIFICIAL DESIRES ARE DESPOILING THE EARTH
AT TIMES INACTIVITY IS PREFERABLE TO MINDLESS FUNCTIONING
AT TIMES YOUR UNCONSCIOUS IS TRUER THAN YOUR CONSCIOUS MIND
AUTOMATION IS DEADLY
AWFUL PUNISHMENT AWAITS REALLY BAD PEOPLE
BAD INTENTIONS CAN YIELD GOOD RESULTS
BEING ALONE WITH YOURSELF IS INCREASINGLY UNPOPULAR
BEING HAPPY IS MORE IMPORTANT THAN ANYTHING ELSE
BEING HONEST IS NOT ALWAYS THE KINDEST WAY
BEING JUDGMENTAL IS A SIGN OF LIFE
BEING SURE OF YOURSELF MEANS YOU'RE A FOOL
BELIEVING IN REBIRTH IS THE SAME AS ADMITTING DEFEAT
BOREDOM MAKES YOU DO CRAZY THINGS
CALM IS MORE CONDUCIVE TO CREATIVITY THAN IS ANXIETY
CATEGORIZING FEAR IS CALMING
CHANGE IS VALUABLE BECAUSE IT LETS THE OPPRESSED BE TYRANTS
CHASING THE NEW IS DANGEROUS TO SOCIETY
CHILDREN ARE THE CRUELEST OF ALL
CHILDREN ARE THE HOPE OF THE FUTURE
CLASS ACTION IS A NICE IDEA WITH NO SUBSTANCE
CLASS STRUCTURE IS AS ARTIFICIAL AS PLASTIC
CONFUSING YOURSELF IS A WAY TO STAY HONEST
CRIME AGAINST PROPERTY IS RELATIVELY UNIMPORTANT
DECADENCE CAN BE AN END IN ITSELF
DECENCY IS A RELATIVE THING
DEPENDENCE CAN BE A MEAL TICKET
DESCRIPTION IS MORE VALUABLE THAN METAPHOR
DEVIANTS ARE SACRIFICED TO INCREASE GROUP SOLIDARITY
DISGUST IS THE APPROPRIATE RESPONSE TO MOST SITUATIONS
DISORGANIZATION IS A KIND OF ANESTHESIA
DON'T PLACE TOO MUCH TRUST IN EXPERTS
DON'T RUN PEOPLE'S LIVES FOR THEM
DRAMA OFTEN OBSCURES THE REAL ISSUES
DREAMING WHILE AWAKE IS A FRIGHTENING CONTRADICTION
DYING AND COMING BACK GIVES YOU CONSIDERABLE PERSPECTIVE
DYING SHOULD BE AS EASY AS FALLING OFF A LOG
EATING TOO MUCH IS CRIMINAL
ELABORATION IS A FORM OF POLLUTION
EMOTIONAL RESPONSES ARE AS VALUABLE AS INTELLECTUAL RESPONSES
ENJOY YOURSELF BECAUSE YOU CAN'T CHANGE ANYTHING ANYWAY
EVEN YOUR FAMILY CAN BETRAY YOU
EVERY ACHIEVEMENT REQUIRES A SACRIFICE
EVERYONE'S WORK IS EQUALLY IMPORTANT
EVERYTHING THAT'S INTERESTING IS NEW
EXCEPTIONAL PEOPLE DESERVE SPECIAL CONCESSIONS
EXPIRING FOR LOVE IS BEAUTIFUL BUT STUPID
EXPRESSING ANGER IS NECESSARY
EXTREME BEHAVIOR HAS ITS BASIS IN PATHOLOGICAL PSYCHOLOGY
EXTREME SELF-CONSCIOUSNESS LEADS TO PERVERSION
FAITHFULNESS IS A SOCIAL NOT A BIOLOGICAL LAW
FAKE OR REAL INDIFFERENCE IS A POWERFUL PERSONAL WEAPON
FATHERS OFTEN USE TOO MUCH FORCE
FEAR IS THE GREATEST INCAPACITATOR
FREEDOM IS A LUXURY NOT A NECESSITY
GIVING FREE REIN TO YOUR EMOTIONS IS AN HONEST WAY TO LIVE
GOING WITH THE FLOW IS SOOTHING BUT RISKY
GOOD DEEDS EVENTUALLY ARE REWARDED
GOVERNMENT IS A BURDEN ON THE PEOPLE
GRASS ROOTS AGITATION IS THE ONLY HOPE
GUILT AND SELF-LACERATION ARE INDULGENCES
HABITUAL CONTEMPT DOESN'T REFLECT A FINER SENSIBILITY
HIDING YOUR MOTIVES IS DESPICABLE

Robert Adams Estados Unidos, nacido en 1937

Pikes Peak Park, Colorado Springs.
1970

Copia en papel gelatina de plata,
14,8 × 15,2 cm
David H. McAlpin Fund

El estadounidense de vacaciones no suele dirigir su cámara hacia la concurrida carretera sino hacia la prístina cadena de montañas, cuidando de que en la hermosa vista no aparezcan el tendido eléctrico ni otros turistas. Cumple así un rito de homenaje al ideal del Oeste y su grandiosa tradición fotográfica. A finales de la década de 1960, Adams, que vivía en el Oeste, fue pionero de una tradición alternativa del paisaje, que incluía en la imagen al hombre y sus obras. "Hemos construido estas cosas y vivimos entre ellas", parecen decir sus fotografías, "y es necesario que las miremos bien."

Nunca la fotografía había sido tan clara y frágil, tan carente de embellecimiento y seducción. Pero la propia aridez del primer estilo de Adams introdujo en el medio una nueva clase de belleza, arraigada en la sinceridad con que Adams reconocía que lo que vemos en sus imágenes son nuestras propias creaciones, nuestros propios entornos.

Francis Ford Coppola   Estados Unidos, nacido en 1939

La conversación
(The Conversation). 1974

Película de 35 mm, color, sonora, 113 minutos
Donación del artista
Gene Hackman

Escondido en una furgoneta cargada de aparatos electrónicos, Harry Caul (Gene
Hackman) es capaz de interceptar hasta el
más remoto susurro de conversación telefó-
nica. A pesar de encontrarse a menudo en el
epicentro de la corrupción moral, Caul sigue
siendo exigente en su conducta personal, y
no suele interesarse por el contenido de sus
escuchas a enamorados y ladrones. Pero
cuando cree estar asistiendo a los preparativos de un asesinato trata desesperada-
mente de impedirlo. Sin embargo, su talento
está en su competencia técnica, no en su
habilidad para interpretar matices.

    La conversación, la película más claus-
trofóbica y meticulosa de Coppola, se estrenó
en el momento álgido de la investigación del
asunto Watergate. Es una crónica, lenta pero

desgarradora, de la repulsividad del espionaje,
la pérdida de la libertad personal y nuestra
incapacidad para detener los resultados
catastróficos a que puede conducir la tecnología una vez puesta en acción. Caul, agudamente consciente de la posibilidad de ser
invadido hasta por el menos profesional de
los espías, se rodea de grandes precaucio-
nes en su vida privada. Su piso de San
Francisco, aunque casi vacío, está protegido
con múltiples cerraduras y una alarma anti-
rrobo, y él mismo lleva una gabardina de plástico como metafórico escudo contra la
intromisión indeseada de la sociedad.

VALIE EXPORT Austríaca, nacida en 1940

Zeit und Gegenzeit (Tiempo y contratiempo). 1973/2011

Vídeo, blanco y negro, mudo, bucle de 36 horas
Adquisición

Para componer esta escultura de vídeo de engañosa sencillez, EXPORT yuxtapuso un cuenco en el que hay hielo derritiéndose y un monitor de televisión en que se muestra una grabación videográfica de ese mismo cuenco de hielo. Mientras se va derritiendo el hielo del cuenco verdadero, la cinta de vídeo, rodada en tiempo real a lo largo de treinta y seis horas, se reproduce hacia atrás, mostrando cómo el agua se va solidificando hasta formar cubitos de hielo. Realizado por EXPORT a principios de los años setenta, cuando prácticamente empezaba a estar disponible para los consumidores la tecnología del vídeo, *Zeit und Gegenzeit* aborda de forma concisa temas que son intrínsecos al medio, tales como la representación del tiempo y del movimiento y la manipulación de la realidad por medio del montaje, que en esta pieza brilla por su ausencia.

En 1967, en lo que se considera que fue su primera *performance*, la artista se desprendió de su nombre de casada, Waltraud Höllinger, para asumir su nueva identidad permanente, VALIE EXPORT. Alcanzó el estatus de icono del feminismo a raíz tanto de sus trabajos fotográficos como de las radicales acciones públicas que realizó como respuesta al restrictivo entorno social y al mundillo del arte dominado por los hombres que imperaban en la Austria de la posguerra.

Yvonne Rainer Estadounidense, nacida en 1934

Trio A (The Mind is a Muscle, Part 1) (Trío A (La mente es un músculo, parte 1ª)). 1978

Película de 16 mm transferida a archivo digital, blanco y negro, muda, 10 minutos, 30 segundos, trabajo de cámara de Robert Alexander
Adquisición

Trio A es una danza solista sumamente influyente que fue coreografiada e interpretada en un principio como trío por Yvonne Rainer, David Gordon y Steve Paxton en 1966 con el título *The American Trip*. Con ocasión de su estreno en Judson Church de Nueva York, la obra se repitió dos veces al son de unos listones de madera que iban siendo arrojados uno a uno desde la galería. Desde entonces se ha presentado en diversas formas, a veces integrada en otras piezas de Rainer o bien adaptada e interpretada por otros coreógrafos. Para crear la película de *Trio A*, Rainer la interpretó en solitario en 1978, varios años después de haber dejado la danza para

hacerse realizadora cinematográfica. En 2000 un encargo de la Fundación Barýshnikov para la Danza marcó su regreso a la coreografía.

Los gestos introducidos en *Trio A* se asimilaron rápidamente en el vocabulario posmoderno del baile. La obra se basa en una única frase de entre cuatro y medio y cinco minutos que consta de movimientos continuos bajos hasta el suelo que, con la excepción del caminar, nunca se repiten. Aunque da la impresión de realizarse sin esfuerzo, la danza es muy rigurosa por la precisión de los ángulos de las manos, los brazos y los hombros, de los pies y las piernas. Es una obra definitoria de Rainer, quien en los años sesenta transpuso a la danza ideas que estaban conformando la escultura y la pintura minimalista. Rompiendo radicalmente con la tradición, *Trio A* abandonó las estéticas clásicas y modernas de una danza enraizada en la expresión y el virtuosismo técnico, a favor de una fisicalidad sin adornos y una continuidad de movimientos carente de inflexiones.

Michael Snow Canadiense, nacido en 1929

Sink (Fregadero). 1970

Fotografía en color y ochenta diapositivas de 35 mm en color proyectadas en un bucle de 20 minutos, instalación 121,9 × 63,5 cm
Fondos del Comité para los Medios y la *performance*.

Con prestigio internacional como importante artista interdisciplinar, Michael Snow ha obtenido reconocimiento por las innovadoras películas, vídeos, fotografías e instalaciones sonoras que ha venido realizando a lo largo de una fructífera trayectoria. Todo comenzó en los años cincuenta, cuando Snow pasó

de la pintura a los medios basados en el tiempo. Encontró su propio camino entre 1962 y 1972, cuando vivía en la calle Canal del Bajo Manhattan, zona que era por aquel entonces un hervidero de ideas novedosas. Snow realizó *Sink* por aquel entonces, basándose en la imagen de su propio fregadero lleno de salpicaduras de pintura. En esta instalación, ochenta diapositivas de 35 mm se ordenan con arreglo a una secuencia fílmica formando un bucle que las va proyectando a intervalos de quince segundos. Flanqueando las imágenes proyectadas y al mismo tamaño que ellas aparece una fotografía impresa de ese mismo fregadero.

La instalación dirige la atención del espectador hacia el interés que manifiesta el artista por cómo cualquier objeto físico queda "reducido" a luz al quedar captado en una película. Durante la producción se colocaron dos lámparas de pie a cada lado del fregadero y para cada una de las ochenta diapositivas se situaron geles de diferentes colores delante de las lámparas. La luz que emitían se utilizó para mezclar los colores, que se convirtieron en la luz proyectada que vemos en la obra definitiva. El material de *Sink* era y sigue siendo la luz.

Nam June Paik
Estadounidense, nacido en Corea. 1932–2006

Zen para TV (Zen for TV).
1963/1975

Televisor modificado 58 × 43 × 36 cm
Donación de la colección Fluxus de Gilbert y
Lila Silverman

Pionero en el campo del arte mediático, Nam
June Paik está considerado como uno de los
primeros artistas que experimentaron con
el vídeo y la televisión como medios artísticos. *Zen for TV*, una de sus obras más antiguas, consiste en un televisor recableado en
el que la imagen ha quedado reducida a una
única línea al haberse desconectado la unidad de desviación del tubo. Continuando con
su manipulación del aparato, Paik lo volcó
sobre un costado, tratando este familiar
objeto doméstico de una manera muy poco
convencional.
 Paik expuso por primera vez *Zen for TV*
en la innovadora muestra *Exposition of Music,
Electronic Television (Exposición de música,
televisión electrónica)* presentada en 1963
en Wuppertal (Alemania). En una de las

numerosas salas de la muestra instaló aproximadamente doce televisores, todos ellos
con modificaciones internas o conectados a
otros aparatos eléctricos con objeto de distor-
sionar las imágenes que ofrecían. Algunas de
las piezas tenían carácter interactivo, entre
ellas los aparatos conectados a magnetó-
fonos y receptores de radio. Al ajustarlas,
generaban formas nuevas e impredecibles
en sus pantallas. Paik animaba encantado a
conseguir esos efectos aleatorios. El placer
que le proporcionaban se desarrolló en parte
a través de sus encuentros con John Cage.
Al igual que el compositor, equiparaba los
conceptos de indeterminación y variabilidad
a los de las filosofías zen y oriental. En cierta
ocasión Paik afirmó que la inspiración para
crear *Zen for TV* le vino de un televisor que se
deterioró durante su transporte y que el título
alude a ese oportuno accidente.

Richard Serra
Estadounidense, nacido en 1939

Untitled (14-part roller drawing) (Sin título (dibujo a rodillo en 14 partes)). 1973

Tinta sobre papel, cada parte
83,8 × 124,5 cm
Donación parcial y apalabrada de Sally y Wynn Kramarsky

Conocido ante todo por sus esculturas monumentales, Richard Serra ha mantenido también una actividad como dibujante que manifiesta la importancia que ese proceso tiene en su obra. En *Untitled (14-part roller drawing)* se sirvió de un rodillo y tinta litográfica para aplicar un número predeterminado de marcas sobre una serie de hojas. El primer ejemplo tiene catorce marcas de rodillo en el lado izquierdo del papel y ninguna en el derecho; el segundo tiene trece marcas en el izquierdo y una en el derecho; y así sucesivamente hasta llegar al lado derecho de la última hoja con catorce trazos negros y el lado izquierdo en blanco.

Utilizando el lenguaje del minimalismo, Serra ha descrito la obra como "una propuesta muy serial. Su aspecto no podría importarme menos. Me limito a guardar fidelidad al proceso". A pesar de ese plan conceptual, el resultado es de gran expresividad. La progresión general ofrece incluso una especie de narrativa plástica, como si siguiese la transición de la oscuridad nocturna hasta la luz del día.

"Dibujar es un verbo", afirmó en cierta ocasión Serra, y el *14-part roller drawing* incorpora varias de las acciones que el artista esbozó, como es sabido, en su *Verb List* (*Lista de verbos*; 1967–1968; también en la colección del MoMA). "Rodar" figura encabezando precisamente la lista; "marcar", "modular" y "sistematizar" definen, todos ellos, diversos aspectos del método utilizado por Serra para realizar esta obra.

Vija Celmins
Estadounidense, nacida en Letonia en 1938

Superficie lunar (Surveyor I).
1971–1972

Grafito sobre base de polímero sintético sobre papel, 35,6 × 47 cm
Donación de Edward R. Broida

Las exploraciones que hace Vija Celmins de espacios de insondable profundidad, refulgente luz y superficies escarpadas u onduladas la han llevado a representar océanos, cuerpos celestes, constelaciones y la galaxia. Sirviéndose de una fotografía como punto de partida, Celmins crea sus densos, meticulosos y elaborados dibujos a grafito utilizando el blanco, el negro y una variada paleta de grises. En *Superficie lunar (Surveyor I)* muestra una sección del suelo de la Luna que vio en una fotografía realizada en 1966 por el *Surveyor I*, vehículo espacial que la NASA envió a la luna como preparación para las misiones *Apolo* de 1969. Hipnotizada por la serie de fotografías de siete misiones sucesivas del *Surveyor* de 1966 a 1968, Celmins eligió esta imagen concreta, recortándola para centrarse en la superficie de cráteres de la luna, apareciendo la nave espacial en el ángulo inferior izquierdo.Una selección de las fotografías del *Surveyor* se publicó inicialmente en el número de noviembre de 1967 de *Scientific American* para ilustrar el artículo de Ronald F. Scott "La sensación de la Luna". Scott examinaba las imágenes desde una perspectiva técnica, poniendo de manifiesto el logro científico que aquello suponía para el género humano. Los dibujos de Celmins, al igual que las fotografías en que se basan, aportan información visual detallada sobre el universo físico, a la vez que invitan a reflexionar sobre el lugar y el papel que corresponden a la humanidad en ello.

Brice Marden Estadounidense, nacido en 1938

Lethykos (para Tonto). 1976

Óleo y cera de abeja sobre lienzo, cuatro paneles Cada panel (de izquierda a derecha) 213,4 × 61 cm, 213,4 × 30,5 cm, 213,4 × 30,5 cm y 213,4 × 61 cm; en conjunto 213,4 × 182,9 cm
Donación parcial y apalabrada de Marie-Josée y Henry R. Kravis. Colección Helen Marden, Nueva York

En 1971 Brice Marden visitó la isla griega de Hidra. Tras haber vivido y trabajado principalmente en Nueva York durante casi toda su trayectoria artística, se vio atraído por la austera belleza de una isla que contrapone sus escabrosos acantilados y sus casas encaladas con el azul celeste del mar Egeo. Estudió los sutiles efectos de cambios de luz del sol del verano griego y la incidencia de unas formas geométricas escuetas sobre el paisaje. Marden regresó todos los años a Hidra a partir de esa primera visita y la repercusión que ello tuvo en sus cuadros fue notable, en especial en cuanto se refiere a la riqueza y la variedad de su paleta. "Si yo pinto un cuadro en Grecia se nota que está pintado en Grecia", ha llegado a comentar Marden. "Respondo a ese lugar".

El título de esta obra deriva del griego λέκυθος, vasija que se utilizaba en la antigüedad para almacenar aceite y ungir a los difuntos. Los λέκυθοι suelen estar decorados con escenas pintadas que aluden a la transición de la vida a la muerte, representando por lo general una única figura en ambos estados. *Lethykos (para Tonto)*, que es una de las primeras obras de Marden realizada en cuatro paneles y está dedicada a un amigo fallecido, reinterpreta cromáticamente esa progresión narrativa. De izquierda a derecha, los colores van pasando de cálidos a frescos, efecto que consigue pintando de naranja el panel situado más a la izquierda y de azul el situado más a la derecha antes de suponerles el gris a ambos.

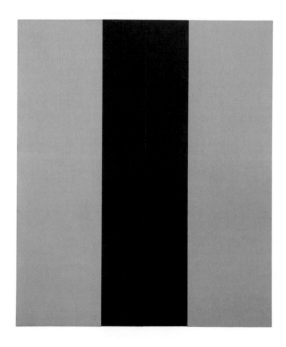

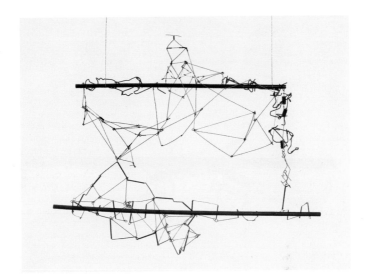

Dibujo sin papel. 1988

Esmalte sobre madera y alambre de acero inoxidable, 60 × 88 × 40 cm
Donación parcial y apalabrada de Patricia Phelps de Cisneros en honor a Susan y Glenn Lowry

"Mi trabajo se basa en hacer", ha manifestado Gego. Esta pieza da la impresión de estar hecha a mano y desprende espontaneidad, como si se hubiera realizado sin atenerse a un plan estructural global. Cumpliendo la promesa del título, aparece instalada cerca de una pared, como lo estaría un dibujo. Las sombras que inciden sobre el muro que tiene detrás y en el espacio confinado dentro de sus larguiruchos elementos quedan incorporadas a la obra y contribuyen a que *Dibujo sin papel* presente una superficie plana a la par que volumétrica. Queda implícito el énfasis en la línea: según Gego, la línea era capaz de expresar "de manera visual el pensamiento humano descriptivo".

Gego, nacida Gertrude Goldschmidt en Alemania, emigró a Venezuela en 1939. Se la conoce principalmente por su obra *Gran reticulárea* (1969), instalación de sala (actualmente en la Galería de Arte Nacional de Caracas) cuyas formas irradian una especie de red creada mediante el acoplamiento de segmentos cortos de alambre de acero inoxidable. *Dibujo sin papel* se encuadra en una serie de obras del mismo título que Gego comenzó a realizar a finales de los setenta con metal sobrante de la confección de otras obras artísticas, incluyendo alambres entrelazados que se asemejan a la forma geométrica a la par que orgánica de *Gran reticulárea*.

Ira blanca, peligro rojo, riesgo amarillo, muerte negra. 1984

Dos vigas de acero, cuatro sillas de metal pintado y cable, conjunto 159,4 × 546,4 × 487,7 cm
Donación de Werner y Elaine Dannheisser

Dos vigas de acero cuelgan cruzadas en aspa. Sostienen atravesadas tres sillas, sin asiento, sin respaldo o sin patas, de distintos metales, una roja, otra amarilla y otra negra; una cuarta silla metálica, blanca, pende tan cerca que las vigas pueden golpearla si giran o se balancean. Normalmente pensadas para el descanso y la comodidad, las sillas se han vuelto precarias, a la vez amenazadas y amenazadoras.

Nauman, sin dejarse etiquetar fácilmente por escuelas ni estilos, ha explorado muchos materiales y formas de arte: la fibra de vidrio, el vídeo, el neón, la instalación, el dibujo y más. Se dio a conocer al lado de los artistas conceptuales de los años sesenta, y, aunque su obra suele ser más concretamente material, comparte con ellos el interés por el funcionamiento del lenguaje. Para él la producción artística no estriba primordialmente en la creación de forma estética, sino en desmontar los hábitos de percepción y las estructuras lingüísticas que dictan el significado de la obra de arte.

El título *Ira blanca, peligro rojo, riesgo amarillo, muerte negra* hace pensar en miedos y prejuicios perennes: el racismo, la xenofobia, la peste. Su arte, dice Nauman, "surge de la frustración ante la condición humana. Y ante cómo la gente se niega a comprender a otra gente". Dadas las animosidades y ansiedades citadas en el título de la obra, cabe interpretar que el tenso equilibrio de las sillas evoca la inestabilidad del equilibrio mundial, pero con una severidad que sobrepasa la metáfora verbal.

Sigmar Polke Alemania, nacido en 1941

Torre de vigilancia. 1984

Pinturas de polímero sintético y pigmento
seco sobre tejido 300 × 224,8 cm
Donación fraccionaria y prometida de
Jo Carole y Ronald S. Lauder

La atalaya de *Torre de vigilancia* podría ser
un puesto de observación de cazadores, o
un puesto de control militar: en la frontera
este-oeste de la Alemania dividida, o al
borde de un campo de concentración. Polke
reprodujo con plantilla esta armazón en una
serie de pinturas comenzada en 1984,
variando el alrededor. Aquí envuelve la atalaya en un siniestro fulgor fosforescente que
alarga un brazo para apresar la garita de
arriba.

En la década de 1960 Polke había
hecho lo que él denominó "realismo capitalista", una variante alemana del arte pop. Un
elemento del pop se conserva en el soporte
de *Torre de vigilancia*, formado por dos telas
comerciales respectivamente estampadas
con un alegre dibujo de flores y una trama.

Renunciando a la congruencia, sin embargo,
Polke las combina tanto con la imagen
ceñuda de la torre como con una abstracción que en sus líneas alternativamente
lisas y accidentadas indica más de un proceso de pintura. Imágenes y estilos de distintas épocas y asociados con distintas
actitudes e intenciones compiten y se superponen en la misma obra; es un planteamiento "posmoderno" del que Polke fue
pionero y que artistas explorarían en los
ochenta.

La estratificación visual comporta una
estratificación del significado. En *Torre de
vigilancia* las imágenes pintadas y estampadas se disputan la visibilidad; la torre es
acechante y acechada, los estampados con-
notan una cotidianeidad banal. Es como si
diferentes registros de la conciencia y de la
memoria pugnaran en busca de resolución.

Nan Goldin Estadounidense, nacida en 1953

Nan y Brian en la cama, Nueva York. 1983

Copia a la gelatina de plata entonada,
39,5 × 59 cm
Adquirido gracias a la generosidad de
Jon Lloyd Stryker

La vida personal de Goldin es la materia
prima de su arte, y esta imagen evoca de
manera íntima el patetismo de su propio
romance apasionado. La artista aparece tendida en una cama contemplando a su
amante Brian con una mezcla de anhelo y
resignación mientras él mira para otro lado.
Una suave luz amarilla baña la escena, sugiriendo los rayos de un sol poniente y una
relación que se va disipando.

    Nan y Brian en la cama, Nueva York se
incluye en la influyente obra de Goldin *La
balada de la dependencia sexual*, serie integrada por más de setecientas diapositivas
en color de los amigos y familiares de
Goldin, acompañadas de una banda sonora.
La proyección de las diapositivas, que dura
cuarenta y cinco minutos y toma prestado su
título del de una canción de *La ópera de cuatro cuartos* de Kurt Weill y Bertolt Brecht,
presenta una imagen íntima y visceral de
una comunidad marginal del centro de Nueva
York en los años ochenta. Goldin llegó a
manifestar que la *La balada* era "el diario
que permito leer"; el estilo informal y de instantánea de sus fotografías confiere una
intensa inmediatez a los dramas privados
que representan. Si bien la obra logra captar
la experiencia compartida de una generación
asolada por los excesos con las drogas y por
el sida, el tema central que la impulsa es la
intensidad, con sus altibajos, de las relaciones amorosas.

Gerhard Richter Alemania, nacido en 1932

18 de octubre de 1977. 1988

Quince pinturas, óleo sobre lienzo, instalación
variable, de 35 × 40 cm a 200 × 320 cm;
ilustrada: Hombre abatido a tiros,
100,5 × 140,5 cm
Compra

El 18 de octubre de 1977, Andreas Baader,
Jan-Carl Raspe y Gudrun Ensslin aparecieron
muertos en sus celdas de una prisión de
Stuttgart. Los tres eran miembros de la
Fracción del Ejército Rojo, una coalición de
jóvenes radicales dirigida por Baader y Ulrike
Meinhof, que anteriormente se había ahor-
cado bajo custodia de la policía. El grupo
Baader-Meinhof pasó a la acción violenta a
finales de los años sesenta, convirtiéndose
en los terroristas más temidos de Alemania.
Oficialmente los presos se suicidaron, pero
se sospechó que hubieran sido asesinados
por orden de las autoridades.

Las quince obras de *18 de octubre de
1977* evocan fragmentos de la vida y la
muerte del grupo Baader-Meinhof. Richter ha
trabajado en distintos estilos a lo largo de

los años, desde la abstracción pictórica y
geométrica hasta variedades de realismo
basadas en la fotografía; los motivos borro-
sos y turbios de esta obra proceden de fotografías policiales y de prensa o imágenes de
televisión. Dominan los grises, y la ausencia
de color transmite cómo estas imágenes de
segunda mano de los medios de comunicación subliman su propio contenido emocional.
Una repetición casi cinematográfica da una
impresión de cámara lenta en el curso inexorable de la tragedia. Estas pinturas, hechas
en una época próspera y políticamente con-
servadora a una distancia de once años de
los hechos, y que insisten en recordar un
tema doloroso y controvertido, se suelen
contar entre lo más desafiante de la carrera
de Richter.

Sanja Iveković Croata, nacida en 1949

Triángulo. 1979

Cuatro copias a la gelatina de plata,
texto, papel impreso.
Cada copia 30,5 × 40,6 cm
sin enmarcar
Fondos del Comité para los Medios y la
Performance

Sanja Iveković es una de las primeras
artistas feministas surgidas en Croacia y la
antigua Yugoslavia. Desde mediados de los
setenta viene utilizando una amplia variedad
de medios –fotografía, escultura, *performance* e instalaciones– para delinear las
urgentes complejidades políticas, culturales
y corporales de la posición que ocupa la
mujer en la sociedad.
    En *Triángulo*, presentado aquí como un
conjunto de cuatro fotografías en blanco y
negro y un texto, Iveković escenificó una
performance durante la visita oficial que hizo
el presidente Tito a Zagreb en mayo de
1979. Ese día enormes multitudes flanquea-
ron las calles, vigiladas por la policía alineada, al paso de la comitiva motorizada del
presidente yugoslavo. Entretanto la artista
contemplaba la escena sentada en su balcón, tomándose un whisky, fumando cigarrillos y leyendo *Las élites y la sociedad*, de
Tom Bottomore, un estudio sociológico de
las relaciones de poder en la sociedad
moderna publicado en 1964. Mientras alter-
naba esos quehaceres, simulaba también
masturbarse.
    Dieciocho minutos más tarde, un vigi-
lante de seguridad que había estado situado
en el tejado del edificio de enfrente interrum-
pió la *performance* y ordenó que se retirasen
"todas las personas y objetos del balcón".
En *Triángulo* Iveković puso a prueba y
modificó los límites que separan lo privado
de lo público, así como lo erótico de lo
ideológico. Adoptando una postura feminista
y sin importarle las consecuencias, hizo
hincapié en la inextricabilidad de lo personal
y lo político.

Martin Scorsese   Estados Unidos, nacido en 1942

Toro salvaje (Raging Bull). 1980

Película de 35 mm, blanco y negro y color,
sonora, 119 minutos
Adquirida de United Artists
Robert De Niro

Esta película relata la escalada de violencia doméstica que empieza con una familia sentada a la mesa de la cocina: de la broma se pasa a la discusión, de ésta a la provocación y de la provocación al estallido. El boxeador Jake La Motta (Robert De Niro) no es ningún artista, sino un matón de barrio cuyo talento singular es la aptitud para encajar el castigo del contrincante. Fuera del cuadrilátero es más probable que el que administre castigo sea él, a su hermano (Joe Pesci) y a su esposa rubia platino (Cathy Moriarty). En la vida no hay árbitros, no hay cuenta reglamentaria hasta ocho, no hay límites. Para La Motta, cuya vida real inspiró la película, la brutalidad era una carrera y una compulsión; para quienes siguieron su ascensión hacia el título de los pesos medios, era un deporte sangriento disfrazado de espectáculo.

Scorsese ha estudiado durante treinta años la conexión del hombre urbano con la violencia, en película tras película explosiva. *Toro salvaje* es su exposición más sencilla y directa de cómo un tipo duro se convierte en máquina de destrucción. Fue rodada en blanco y negro; su potente claroscuro recuerda las viejas fotos del "combate del siglo" en la prensa sensacionalista. La imagen que más perdura de esta obra amarga es el rostro de Jake entrado en años, roto y abotargado. Ha sufrido mucho y ha hecho sufrir más, pero en toda una vida de dolor no ha aprendido nada.

Jeff Koons
Estadounidense, nacido en 1955

New Shelton Wet/Dry Doubledecker (New Shelton húmedo/seco en doble altura).
1981

Aspiradoras, plexiglás y tubos fluorescentes,
245,4 × 71,1 × 71,1 cm
Donación de Werner y Elaine Dannheisser

Dos flamantes aspiradoras húmedo/seco sin estrenar aparecen apiladas una sobre la otra y selladas herméticamente en cajas de plexiglás iluminadas desde abajo por tubos fluorescentes. Aislados de su función casera como electrodomésticos para la limpieza, los objetos quedan elevados a la categoría de esculturas. "Elegí la aspiradora por sus cualidades antropomórficas", ha comentado Koons. "Es una máquina que respira. Muestra también rasgos sexuales tanto masculinos como femeninos. Tiene orificios y aditamentos fálicos".

El armazón curvado del tubo rodea en un abrazo al contenedor, al tiempo que las audaces bandas marrón y oro de la máquina vienen a ser coloridos adornos en un entorno por lo demás estéril. En su variado pasado profesional, Koons ha vendido participaciones para ser socio del MoMA y ha trabajado como corredor de bolsa en el mercado de materias primas de Wall Street. Como artista une los mundos de la publicidad, el comercio y la alta cultura con la intención de modificar nuestra manera de percibir los objetos cotidianos y cuestionar los límites que separan el arte y la cultura popular. Al igual que hizo Andy Warhol con sus latas de sopa Campbell's y sus cajas de Brillo, Koons imprime elevación a los artefactos de la vida cotidiana, convirtiendo vulgares electrodomésticos de consumo en inmortales objetos artísticos. La interpretación se la deja al espectador.

Rosemarie Trockel Alemana, nacida en 1952

Untitled (Sin título). 1987

Lana, 250 × 180 cm
Tirada: 2/2
Fondo Scott Burton

En los años ochenta Rosemarie Trockel se granjeó el reconocimiento internacional por sus agudas y ocurrentes críticas feministas al mundillo artístico y a las estructuras patriarcales de la sociedad moderna en general. *Untitled* pertenece a un grupo de "cuadros tejidos" que empezó a crear en 1985. Las obras cuelgan de la pared como si fueran pinturas, pero están hechas de lana tejida a máquina y no de óleo sobre lienzo. Alusivas a ocupaciones femeninas como el tejido y la moda, su material y su método de confección repudian las jerarquías tradicionales de estilo y género.

En *Untitled* las palabras "Made in Western Germany" se repiten formando un patrón general, escritas en una tipografía digital cuadrada. Trabajando en Alemania Occidental poco antes de la reunificación, Trockel produjo una serie de obras blasonadas con esta frase, que hizo suya a partir del sello con que se identificaban los productos manufacturados destinados a su exportación. La palabra "Western" se añadió a mediados de los setenta después del *boom* económico inicial de la posguerra, cuando la Alemania Occidental capitalista quiso diferenciarse de manera clara de su vecina comunista del este. Tradicionalmente, en la superficie de un cuadro el texto escrito se limita a la firma del artista. En *Untitled* las palabras hacen alusión a la identidad nacional de Trockel, pero también constituyen un comentario crítico sobre la mercantilización de los artistas y el arte en la sociedad capitalista.

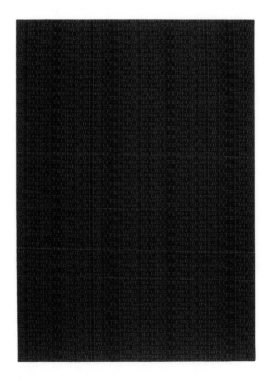

Martin Puryear
Estados Unidos, nacido en 1941

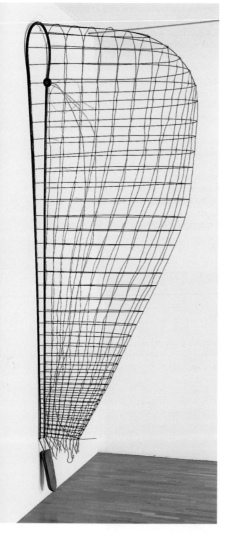

Trofeo de la codicia. 1984

Varillas y alambre de acero, madera, ratán y cuero, 388,6 × 50,8 × 139,7 cm
David Rockefeller Fund y compra

El alambre y la forma de jaula de la escultura de Puryear pueden recordar una trampa de caza o una nasa de pesca; también podrían aludir al deporte y a la raqueta de lacrosse. Esas diversas asociaciones cuadran con el título *Trofeo de la codicia*, pero la obra no responde a un modelo único entre los artefactos, y los indicios que encierra se funden con insinuaciones del cuerpo humano: el ojo oscuro y la lengua sacada de abajo hacen pensar en una cabeza, mientras que la forma, adelgazada en el pie, ensanchada en el "pecho" y ligeramente abombada en círculo en la parte alta de la armadura sobre la pared, es sutilmente figural. Y a la vez que *Trofeo de la codicia* nos conduce en esas variadas direcciones interpretativas, permanece conspicuamente vacío y abierto, y sus curvas tensas son un ensayo escultórico de forma sin sustancia material.

"Nunca me interesó hacer objetos fríos, destilados, puros", ha dicho Puryear, y su obra es deliberadamente asociativa. El minimalismo ha informado su trato con los materiales, pero, así como el objeto minimalista clásico se hace por métodos industriales y es impersonal en su forma y su superficie, el arte de Puryear está saturado de referencias culturales e históricas, y él tiene un gran dominio de la carpintería y otros oficios manuales. De hecho *Trofeo de la codicia*, al evocar los útiles del trampero americano, reclama un lugar para la historia de la artesanía en nuestro conocimiento del arte del país.

Elizabeth Murray Estados Unidos, 1940–2007

Dis Pair. 1989–1990

Óleo y acrílico sobre dos lienzos y madera,
conjunto 331,3 × 328,3 × 33 cm
Donación de Marcia Riklis, Arthur Fleischer
y Anna Marie y Robert F. Shapiro; Blanchette
Rockefeller Fund; y compra

Grandes óvalos azules chocan con rígidos trapezoides, enroscados zarcillosamarillos lo enlazan todo: como formaabstracta, *Dis Pair* posee un dinamismorítmico y elástico. Pero también aplica el vocabulario estilístico del cómic a la representación de un par de zapatos. Aparte de estar ingeniosamente distorsionados y distendidos, estos zapatos miden más de tres metros de alto, conforme a una estrategia de ampliación prefigurada en la escultura pop de Claes Oldenburg; y el arte pop también se anticipó a Murray en el interés por las cosas corrientes de la vida doméstica, que ella pintaba en una escala nada doméstica, heroica incluso. Murray dramatizó la hermosa vulgaridad de los objetos familiares. "Yo pinto sobre las cosas que me rodean", dijo; "cosas que tomo y manejo

cada día. Eso es el arte. El arte es una epifanía en una taza de café."

Saliente en relieve sobre la pared, la superficie de *Dis Pair* sugiere una piel estirada y redondeada; quizá estas formas curvas evoquen humorísticamente caras y cabezas, y su relación visual la relación de una pareja humana. Ciertamente el título de la obra es un juego de palabras sobre *dis*, forma coloquial de *disrespect*, "falta de respeto", y también, con mayor seriedad, sobre *despair*, "desesperación". El vínculo doméstico debe estar tirante, pero la tensión parece más cotidiana que trágica: la inquietud que produce el aerotransporte de estas turgentes formas en su tensa interacción se desvanece frente a su humor y su desgarbada domesticidad.

Frank O. Gehry

Estados Unidos, nacido en el Canadá en 1929

Chaise longue Bubbles. 1987

Cartón corrugado con tratamiento ignífugo,
70,5 × 73,7 × 194 cm
Fabricante: New City Editions, EEUU
Kenneth Walker Fund

Gehry manejó un material inesperado de
desecho, el cartón corrugado, en dos series
de muebles sorprendentemente resistentes
y llenos de humor. El éxito instantáneo de la
primera, Easy Edges, estrenada en 1972, le
granjeó el reconocimiento internacional. Sus
mesas, sillas, camas, mecedoras y otras piezas de cartón estaban concebidas para los
hogares de jóvenes y viejos, de gentes sofisticadas de la ciudad y habitantes del campo.
La chaise longue Bubbles pertenece a
Experimental Edges, la segunda serie, que
vio la luz en 1979. Estos objetos pretendían
ser obras de arte, pero son lo bastante sóli-
dos para un uso continuado. A medida que
se desgasta, el cartón se suaviza y toma
aspecto de ante. El material de Gehry se
presta a la forma curva de esta chaise longue; sus divertidos pliegues son quizá una
broma sobre el propio perfil corrugado.

Estos muebles, muy comercializados e
intencionalmente baratos, demostraban el
interés de Gehry por promover el buen diseño
a un coste asequible. La elección de un cartón
"ordinario" para Bubbles refleja su orientación
general al empleo de materiales industriales,
comerciales y utilitarios. Arquitecto de clara
fama, Gehry ha trabajado con exteriores de
cercado de alambre, metal corrugado y contrachapado en proyectos arquitectónicos concu-
rrentes. Tanto en las series de muebles como
en los edificios, ha valorizado materiales aparentemente despreciables al crear con ellos
diseños duraderos.

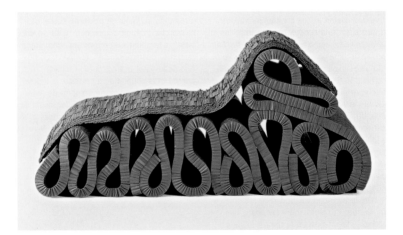

John Barnard
Gran Bretaña, nacido en 1946

Ferrari S.p.A.
Empresa fundada en 1946

Coche de carreras de fórmula 1
641/2. 1990

Materiales del cuerpo: compuesto con chasis
monocasco en panal de abeja con fibra de
carbono y Kevlar, 102,9 × 213,4 × 448,3 cm
Fabricante: Ferrari S.p.A., Italia
Donación del fabricante

Este coche de carreras de fórmula 1, con
carrocería exterior diseñada por Barnard y
chasis proyectado y diseñado por la casa
Ferrari, ilustra claramente el lema moderno
de que la forma se deduce de la función. Su
forma externa ha sido determinada por las
leyes de la física y la aerodinámica, y cumple
las normas y directrices establecidas por las
autoridades del deporte automovilístico. La
esbelta y plástica silueta de este Ferrari permite que el aire pase sobre el vehículo con
un mínimo de resistencia y un máximo de
agarre, que asegura una dirección precisa
incluso a velocidades superiores a los tres-
cientos kilómetros por hora.

Los coches de carreras de alto rendi-
miento representan la culminación de una
de las mayores industrias del mundo.
Meticulosamente proyectados para rodar
más deprisa, responder mejor a los mandos
y detenerse en menos tiempo que cualquier
otro automóvil, son el tipo de vehículo de

motor de mayor racionalidad y complejidad
tecnológica. La experimentación y la innovación en el diseño, estimuladas por el afán de
vencer, son constantes en la búsqueda permanente de la máquina de competición
óptima.

Louise Lawler Estadounidense, nacida en 1947

¿Te hace llorar Andy Warhol?
1988

Copia a la gelatina de plata entonada
(Cibachrome) y etiqueta de pared de plexiglás
con letras doradas; fotografía, 70 × 100 cm;
etiqueta, 10,2 × 15,1 cm
Donación de Gabriella de Ferrari en honor de
Karen Davidson

Desde principios de los ochenta Lawler viene
realizando fotografías en galerías, colecciones particulares, instalaciones de almace-
naje, casas de subastas y museos,
recordando continuamente a su público que
una obra de arte es un objeto, que se compra, se vende y se posee, y que su poseedor
y la forma en que se expone forman parte
de su significado.

En una subasta que tuvo lugar en
noviembre de 1988 en Nueva York con obras
artísticas de la colección de Burton y Emily
Tremaine se incluyó el cuadro de Andy
Warhol *En torno a Marilyn*, de 1962. Lawler
fotografió esa icónica imagen (derivada a su
vez de una fotografía de la diosa de la pantalla) durante una exposición previa a su venta y,
ya en la obra acabada, el cuadro, de dieci-
séis pulgadas de diámetro, aparece a tamaño

real con la etiqueta de la casa de subastas
(incluyendo el precio de venta estimado) claramente legible. La pieza de Lawler incluye
otra etiqueta propia que se dirige directamente al espectador, preguntándole "¿Te
hace llorar Andy Warhol?" Es difícil imaginarse
prorrumpiendo en llanto ante la reproducción
de una obra de arte o incluso ante la obra
de arte misma, mientras se ve uno obligado a
considerarla una mercancía. La propia hiper-
consciencia de Warhol ante ese pormenor
ayuda sin duda a explicar la importancia que
el arte de Lawler le ha otorgado al de él.

Tadanori Yokoo   Japón, nacido en 1936

Japanese Society for the Rights of Authors, Composers, and Publishers. 1988

Cartel: serigrafía, 102,9 × 72,7 cm
Donación del diseñador

Los diseños de Yokoo suelen mostrar un grado de expresión personal que se sale de lo corriente en las artes gráficas; en muchas ocasiones los temas publicitados parecen algo secundario respecto al diseño global. La calidad de la realización es también de la mayor importancia para Yokoo, que utiliza un complicado proceso serigráfico que no es habitual en la producción de carteles efímeros. Sus desafíos a la naturaleza comercial del cartel constituyen en muchos aspectos un homenaje a las estampas japonesas tradicionales *ukiyo–e*, grabados xilográficos destinados al mercado popular.

En la cultura contemporánea el individuo se ve cada vez más asaltado y bombardeado por grandes cantidades de información visual transmitida por distintos canales, como la televisión, el cine, los medios digitales y la letra impresa. El grafismo ecléctico de Yokoo, que combina motivos visuales tomados de muchas épocas y culturas, refleja esa complejidad. En este cartel hay alusiones a la pintura de Édouard Manet *El pífano*, las tumbas mediceas de Miguel Ángel e imágenes japonesas tradicionales y contemporáneas. La complicada apropiación de la obra de Yokoo hace eco a la trayectoria que siguió el Japón en las décadas de 1960 y 1970, de cultura insular a potencia económica mundial.

Günter Brus Austríaco, nacido en 1940

Wiener Spaziergang (Paseo vienés). 1965

Carpeta de 15 copias a la gelatina de plata en una caja
Fotógrafo: Ludwig Hoffenreich
Adquisición

El austríaco Günter Brus, que realiza *performances* y es también pintor, dibujante, y escritor, fue miembro destacado del accionismo vienés, movimiento definido por un grupo de artistas que, a través de acciones transgresoras, escenificó una crítica radical de la opresiva sociedad austríaca de la posguerra.

Wiener Spaziergang fue la primera acción pública de Brus y surgió de la decepción que produjo en el artista la Galerie Junge Generation, una galería de Viena en el que se había programado una exposición individual de sus obras. Como respuesta a la propuesta del director de la galería que el artista interpretara su acción *Selbstbemalung* (*Auto-Pintura*) durante la apertura de la muestra, Brus llevó a cabo su acción pública el día antes de la inauguración y saboteando de ese modo lo que consideraba únicamente una estrategia de mercadotecnia. Pintado de blanco de arriba abajo con una raya negra de pintura dividiendo su cuerpo en dos visualmente, Brus caminó por el centro de Viena como "pintura viva". Esta *performance* hizo resaltar la importancia que tenía la acción en vivo dentro de la obra de Brus, además de aludir simultáneamente a la vulnerabilidad del artista en la sociedad. Al cabo de unos minutos de actuación, un agente de policía detuvo a Brus por alboroto público, cumpliendo así lo vaticinado por el fotógrafo Ludwig Hoffenreich: "Muchacho, esto nos llevará a la cárcel o al manicomio".

Mike Kelley   Estadounidense, 1954–2012

Explorando desde la caverna de Platón, la capilla de Rothko, el perfil de Lincoln. 1985

Pintura de polímero sintético sobre papel clavado en lienzo
194,3 × 162,6 cm
Donación de los Amigos del Dibujo Contemporáneo, el Consejo para las Artes Contemporáneas y los Socios Junior del Museum of Modern Art

Uno de los artistas más influyentes surgidos del ya legendario movimiento conceptualista de California, Mike Kelley, con sus instalaciones de grandes dimensiones que presentan los recuerdos abyectos –desde animales de peluche sucios hasta fundas de ganchillo para sofás– de una adolescencia de clase media, sus *performances* escatológicas y sus prolíficos escritos, viene ejerciendo una profunda influencia en el arte estadounidense de ambas costas. En los trabajos

multimedia de Kelley lo elevado y lo de baja estofa se combinan para crear una cierta distensión entre lo académico y lo cotidiano. En este mundo se recurre a juguetes viejos y grupos de dibujos realizados al estilo de los tebeos de mediados de los cincuenta para examinar los problemas metafísicos más complejos.

Este gran dibujo pertenece a una serie de diez obras que, en su conjunto, exploran ese perenne enigma artístico que contrapone lo verdadero y lo ilusorio. En *Explorando...* Kelley compara la experiencia de contemplar arte con la espeleología. Plasmando el interior de una cueva en un estilo que recuerda tanto a la ilustración del cómic como al cine, solicita al espectador que penetre en ese mundo ilusorio suyo, repleto de estalactitas y estalagmitas de curioso carácter escatológico.

Jean-Luc Godard Francés, nacido en 1930

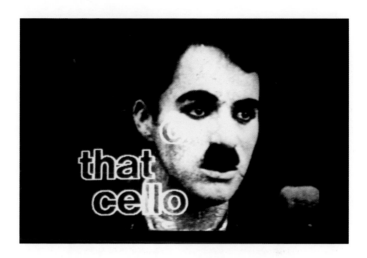

Historia(s) del cine. 1988–1998

Vídeo, blanco y negro y color, sonoro, 266 minutos
Donación del artista

El operístico *Historia(s) del cine* de Godard es un collage video gráfico alusivo formado por fragmentos de películas, fotos fijas, texto en pantalla e imágenes del cineasta y otros intérpretes. La cascada de elementos visuales tiene su contrapartida auditiva en una profusión de narraciones, fragmentos de entrevistas y pasajes musicales, mezclados con una gran variedad de recursos sonoros. Sirviéndose de diversas estrategias de montaje y efectos ópticos, Godard creó un ensayo subjetivo surgido de su decepción ante la incapacidad del cine para conseguir un cambio revolucionario profundo y salvar al mundo de los horrores. El tema declarado de *Historia(s)* es la muerte del cine, y el uso analítico que Godard lleva a cabo del vídeo para sintetizar imágenes de toda la historia del cine viene a constituir una especie de réquiem por la fuerza indeleble que las películas ejercen en nuestro subconsciente colectivo.

El ciclo completo de *Historia(s)*, que consta de cuatro capítulos de dos partes realizados a lo largo de diez años, ha sentado bases para el futuro del vídeo. A Godard viene atrayéndole el medio desde principios de los setenta. Debido a su flexibilidad –se presta muy bien al montaje y los cambios radicales–, consideraba que el vídeo estaba más próximo a la escritura que el celuloide. Asimismo, por su coste relativamente bajo y su fácil distribución, lo consideraba un medio más democrático. Aunque rara vez se programa, *Historia(s) del cine* sigue siendo un logro destacado y rara vez proyectado, además de constituir el autorretrato más apasionado del artista en imagen y sonido.

Rody Graumans Holanda, nacido en 1968

Lámpara de 85 bombillas. 1992

Bombillas, cables y casquillos,
100 × 100 cm (diám).
Fabricante: Droog Design, Holanda
Patricia Phelps de Cisneros Purchase Fund

Los diseñadores holandeses contemporáneos han sido muy innovadores en su experimentación con materiales, una tendencia que traspasa las fronteras internacionales. Los materiales sencillos de Graumans, fáciles de encontrar en cualquier ferretería – ochenta y cinco cables negros, casquillos y bombillas–, proporcionan una gran lámpara de techo por la fuerza de su diseño. Reunidos en una madeja junto al techo, los cables se abren hacia la masa de bombillas de abajo.

La Lámpara de 85 bombillas de Graumans fue seleccionada para formar parte de la primera colección de diseño que ofreció la firma Droog Design, fundada en 1994 por los diseñadores y teóricos Gijs Bakker y Renny Ramakers. Es una empresa que ha llamado la atención por su postura anticonsumista y su empleo de materiales industriales y reciclados. Las distintas obras de jóvenes diseñadores de talento escogidas para la colección de diseño del Museum of Modern Art exaltan, como esta lámpara de Graumans, la inventiva, la economía formal y una estética minimalista.

Charles Ray Estados Unidos, nacido en 1953

Romance familiar. 1993

Fibra de vidrio pintada y pelo sintético,
134,6 × 215,9 × 27,9 cm
Donación de The Norton Family Foundation

Dos padres y dos hijos pequeños: "es una
familia nuclear", como dice Ray, el modelo
de la normalidad estadounidense. Pero una
sola acción lo ha desconcertado todo: Ray
les ha dado a todos la misma talla. Además
están desnudos, y, a diferencia de los maniquíes de escaparate a los que se asemejan,
son anatómicamente completos. Eso y el
título de la obra, la expresión freudiana que
designa las corrientes eróticas suprimidas
que existen en la unidad familiar, introducen
una sexualidad explícita aquí tan turbadora
como la estatura igual de los protagonistas.
    Las primeras obras de Charles Ray
sometían las formas e ideas del minimalismo al mismo tipo de duplicidad perceptual

que *Romance familiar* aplica a la vida social
de la América anglosajona de clase media.
Ray ha cultivado la fotografía y la instalación
además de la escultura, y su arte no tiene
un estilo ni un medio previsibles; pero a
menudo entraña la sorpresa del objeto que
parece corriente pero no lo es. Como otras
obras de Ray con maniquíes, *Romance familiar* sugiere fuerzas de anonimato y estanda-
rización en la cultura americana. Sus
manipulaciones de la escala también implican una quiebra de la balanza de poder de la
sociedad: no sólo es que los niños hayan
crecido, sino que los adultos han menguado.

Cady Noland
Estadounidense, nacida en 1956

The American Trip (El viaje estadounidense). 1988

Estantes de alambre, tubos de acero, esposas de cromo, bandera estadounidense, bandera pirata, correas de cuero, bastón de invidente y piezas metálicas, 114,3 × 264,2 × 144,8 cm
Adquisición

Esta obra parte de la idea de que, históricamente, los Estados Unidos han adoptado la violencia. Según ha manifestado la artista, "la violencia formaba parte de la vida en Estados Unidos y estaba bien vista. Se consideraba que había cierta rectitud en la violencia –la ruptura con Inglaterra, la lucha por nuestros derechos, el Boston Tea Party–". A través de sus esculturas, Noland afirma que Estados Unidos sigue aprobando la violencia, aunque lo haga de manera más encubierta, a través de sus ideales y prácticas culturales inherentemente masculinos.

The American Trip ensambla objetos que aluden sutilmente a la violencia, tales como correas de cuero utilizadas para atar las manos, esposas de cromo y un cepo de alambre para la caza. Noland ha emparejado las barras y estrellas de la enseña nacional estadounidense con el Jolly Roger, el emblema de la calavera y los huesos cruzados que se asocia tradicionalmente a los piratas. Un bastón blanco alude a un proyecto de conquista territorial arbitraria e instintiva. Está apoyado formando un ángulo y se extiende para cubrir más espacio, simbolizando quizá esa ceguera que puede llegar a acompañar los afanes expansionistas de una nación. The American Trip suscita múltiples alusiones que se van solapando, entre ellas una referencia propia de la historia del arte a los materiales industriales de la escultura minimalista, si bien se aparta de sus precursores abstractos en virtud de su potente carga psicológica.

Bruce Nauman
Estadounidense, nacido en 1941

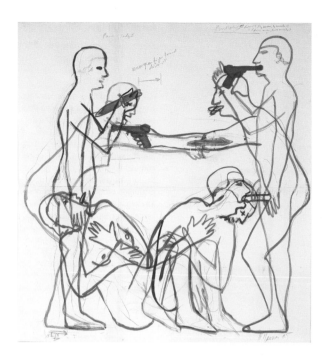

Punch y Judy II nacimiento & vida & sexo & muerte. 1985

Gouache y lápiz sobre papel,
191,8 × 184,2 cm
Donación de Werner y Elaine Dannheisser

Al igual que buena parte de la obra de Bruce Nauman, *Punch y Judy II nacimiento & vida & sexo & muerte* deja al descubierto realidades esenciales y con frecuencia duras de la experiencia humana. En este gran dibujo aparecen las figuras de un hombre y una mujer de tamaño real uno enfrente al otro, realizando actos de sexo y violencia. Se disparan mutuamente, emprenden un comportamiento erótico, se suicidan y se derrumban sobre el suelo. Las múltiples siluetas de esta obra guardan relación con las esculturas de neón que Nauman creaba por aquella misma época, en las que se solapan figuras individuales a medida que se encienden y apagan los tubos iluminados. En este dibujo, las figuras aparecen todas simultáneamente,
en una actividad continua. Viven y mueren, aman y luchan, todo a la vez.

Nauman representa con frecuencia en su obra relaciones especialmente disfuncionales entre hombres y mujeres, obligando a los espectadores a enfrentarse a los aspectos más desagradables de su propia conducta. Vincular a la pareja con las rencillas de los clásicos personajes de guiñol Punch y Judy agrega un elemento de comicidad, si bien, en definitiva, el dibujo se manifiesta de manera contundente sobre la insaciable sed de sexo y violencia de la sociedad, a la vez que señala la turbadora vinculación existente entre ambas cosas.

Isa Genzken
Alemana, nacida en 1948

Imagen. 1989

Hormigón y acero, 263 × 160 × 77 cm
Donación de Susan y Leonard Feinstein, así
como de un donante anónimo

Isa Genzken obtuvo su primer reconocimiento internacional a finales de los ochenta por sus esculturas abstractas imbuidas de alusiones históricas y culturales. En *Bild* evoca múltiples facetas de la historia de la arquitectura moderna. La elección del hormigón y el acero unida a una geometría sencilla conjura las formas modernistas de proyectos urbanísticos de mediados del siglo XX como el Estilo Internacional y el Brutalismo. La tosquedad textural del hormigón alude a la Alemania de la posguerra después de la Segunda Guerra Mundial, conformada por las ruinas de las ciudades bombardeadas, así como a las superficies marcadas del muro de Berlín, desmantelado el mismo año en que se realizó esta escultura.

A pesar de su aspecto rescatado, esta obra se construyó esmeradamente utilizando un armazón de alambre sobre el cual Genzken fue aplicando capas de hormigón húmedo, moldeándolo con tablas de madera para generar cordoncillos horizontales características en su superficie. La capa exterior de hormigón revela y oculta a la vez un espacio interior laberíntico. Elevada por encima de la altura de los ojos sobre un pedestal abierto de acero, la escultura se asemeja a un fragmento arquitectónico. *Bild* cita el legado utópico de la arquitectura de vanguardia con el solo objeto de memorializarlo como ruina.

Cildo Meireles
Brasileño, nacido en 1948

Fio (Hilo). 1990–1995

Cuarenta y ocho balas de heno, una aguja de oro de 18 quilates, 30 metros de hilo de oro, dimensiones variables, aprox. 215,9 × 185,5 × 182,9 cm
Donación de Patricia Phelps de Cisneros

No es la típica aguja en un pajar. La aguja de oro de 18 quilates de *Fio* ha ido pasando 30 metros de hilo de oro a través de cuarenta y ocho balas de heno. La aguja tiene la misma anchura que las rubias hebras del heno y se pierde con facilidad entre ellas. Las fronteras físicas y los límites económicos del valor ocupan un lugar central en este trabajo, en el que se utiliza un material precioso para empaquetar algo que carece relativamente de valor. Meireles ha identificado esta relación como "una discrepancia entre el valor de uso y el de intercambio, el valor simbólico y el real. Todas mis obras que se sirven del dinero aluden a esa dicotomía que se establece entre el trabajo y la labor artística, entre el heno y el oro".

Fio aborda el concepto abstracto del valor, pero, como cabe decir de buena parte de la obra de Meireles, también compromete varios de los sentidos del espectador. Al entrar en el espacio de la instalación, los visitantes huelen el heno –un olor inesperado en el entorno museístico– y perciben el peso y el volumen de las balas, a pesar de que la aguja de oro y el hilo sigan resultando imperceptibles. Meireles, que nació en Brasil, vive y trabaja en Río de Janeiro. Su labor artística abarca una amplia gama de medios, diferenciados por su forma pero unificados por la fuerza, sencillez y emotividad de su visión, maravillosamente ilustrada en este incisivo trabajo.

Lucian Freud Gran Bretaña, nacido en Alemania, 1922–2011

Cabeza grande. 1993

Aguafuerte, plancha: 69,4 × 54 cm
Editor: Matthew Marks Gallery, Nueva York.
Edición: 40
Mrs. Akio Morita Fund

El hombre corpulento que aparece aquí retratado con gran intensidad y aguda observación es Leigh Bowery, un modelo predilecto del artista británico nacido en Alemania y nieto de Sigmund Freud. La breve carrera de Bowery como artista de *performance* brillante pero abrasivo quedó truncada por su temprana muerte en 1995. Actuaba sobre todo en Londres, donde Freud lo conoció, pero también en Nueva York y otros lugares. Su distintiva fisonomía y su enorme físico atrajeron a Freud, que le retrató en pinturas y dibujos a lo largo de cuatro años. El sereno reposo de la figura que aquí se ve contrasta agudamente con otras representaciones más provocativas y turbadoras de aquel excéntrico y descarado artista, como las que hay en varias pinturas grandes.

Freud no es un grabador tradicional. Por el contrario, trata la plancha de cobre como si fuera un lienzo, poniéndola en vertical sobre el caballete. Delinea la meticulosa composición sobre la plancha día tras día hasta completar una representación muy trabada. La imagen se construye sólo a base de líneas que se cruzan, avanzan y retroceden.

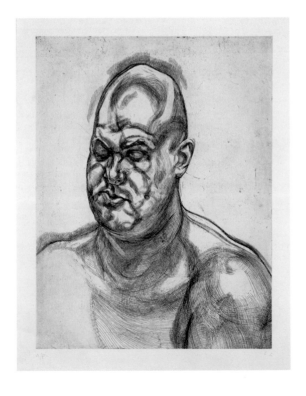

Reiko Sudo Japón, nacida en 1953

Pañuelo plegado en origami. 1997

Poliéster plegado a mano y termoestampado,
43,9 × 150 cm
Fabricante: Nuno Corporation, Japón;
también Takekura Co., Ltd., Japón
Donación de la diseñadora

El Museo posee una rica colección de tejidos japoneses contemporáneos. Sublimes y
sorprendentes, sólidamente anclados en la
cultura material y al mismo tiempo representativos de las últimas innovaciones tecnológicas, son revolucionarios en su manera de
alterar la relación habitual entre las formas
del cuerpo y la luz y el aire que lo rodean.

La colección abarca obras de varios
diseñadores notables, desde Junichi Arai y
Hideko Takahashi hasta Osamu Mita. Pero
ninguno está más representado que Sudo,
discípula de Arai y virtuosa por derecho propio. En 1984 Arai y Sudo fundaron en Tokio
la Nuno Corporation, y Arai instruyó a su
nueva socia en el uso de escáneres y orde-
nadores, poniendo a su alcance una pano-
plia inédita de posibilidades artísticas. El
Pañuelo plegado en origami que Sudo diseñó
en colaboración con Mizue Okada no es sino

un ejemplo de la singular producción de la
empresa.

Emulando el arte japonés de la papiro-
flexia, este pañuelo de aspecto delicado
está doblado una y otra vez en ángulos agu-
dos y después plisado permanentemente por
un procedimiento térmico especial. La grada-
ción del color se consigue introduciendo
papel de calcomanía de colores entre la tela
y el papel exterior durante el termoestampado. El poliéster conserva tan bien la
memoria de los pliegues que el pañuelo tridimensional se dobla sobre sí mismo y queda
perfectamente plano al dejarlo caer. Este
pañuelo representa el equilibrio ideal entre
funcionalidad, innovación tecnológica y arte
que el Museo persigue en su colección de
objetos de diseño.

Joan Jonas
Estadounidense, nacida en 1936

Espejismo. 1976/2005

Seis vídeos en blanco y negro, sonoros
y mudos, atrezzo, escenarios, fotografías,
duración variable
Donación de Richard J. Massey, Clarissa
Alcock Bronfman, Agnes Gund y fondos del
Comité para los Medios

Nacida en Manhattan en 1936, Joan Jonas
estudió una amplia gama de temas, entre
ellos historia del arte, escultura y poesía
moderna. A finales de los sesenta, inspirada
por una práctica emergente que combinaba
medios interpretativos tradicionales como la
danza con una experimentación de vanguardia en las artes plásticas, comenzó a explorar el tiempo como material para el arte.
Asimismo Jonas se vio profundamente afec-
tada por el movimiento feminista y su obra
examina y cuestiona los papeles que desempeña la mujer en la sociedad. Aunque siempre
ha estado abierta a nuevas ideas y nuevos
medios, desde hace casi cuarenta años mantiene la *performance* y el vídeo como centro
de su práctica artística.

Espejismo lo concibió en 1976 como
performance para la sala de proyección de
los archivos cinematográficos Anthology de
Nueva York. Llevó a cabo en él una serie de
movimientos, entre ellos correr de manera
percusiva y dibujar, mientras interactuaba
con diversos componentes estructurales,
películas y vídeos. En 1994 Jonas reconfi-
guró algunos componentes de *Espejismo* –
conos metálicos, metraje de volcanes en
erupción, aros de madera, una máscara,
fotografías y pizarras, entre otros– para crear
una instalación separada, a la que volvió a
conferir un nuevo enfoque en 2005.

Como instalación, *Espejismo* incorpora
seis vídeos (*Ventanas de mayo; Buenas
noches, buenos días; Cinta para el coche;
Película de volcanes; Espejismo 1* y
Espejismo 2) y combina los rituales, la
memoria, la repetición y los ensayos con juegos, dibujos y ritmos sincopados.

David Hammons Estados Unidos, nacido en 1943

Rimbombante. 1990

Metal (en parte pintado al óleo), óleo sobre
madera, cristal, caucho, terciopelo, plástico
y bombillas eléctricas; instalación
396 × 122 × 77,5 cm
Robert and Meryl Meltzer Fund y compra

El arte de Hammons es algo así como un
proyecto de reciclaje: revalorizar desechos
de la calle y otros restos inservibles ensam-
blándolos en combinaciones nuevas.
Rimbombante, una de sus obras basadas en
el aro de baloncesto, es un marco de ventana desvencijado puesto en lo alto de una
pértiga y coronado y bordeado con moñas de
caucho de neumáticos, un conjunto sutilmente figural que se elegantiza incongruen-
temente con unos rebuscados candeleros
eléctricos de cristal. El tema de la luz y la
energía reaparece en el alambre arrugado
que rodea el marco, una corriente eléctrica
de historieta.

   La costumbre de manejar objetos
encontrados desciende del surrealismo, y
Hammons reconoce la influencia de Marcel
Duchamp entre otras, pero también observa:
"Yo siento la obligación moral de intentar
documentar gráficamente lo que siento
socialmente". La sociedad urbana con la
que sintoniza está vitalmente modulada por
la presencia de afroamericanos, y si
Hammons admira el baloncesto es como
juego en el que los afroamericanos han
hecho un "arte de la improvisación", "una
cosa enteramente distinta: ballet, teatro".
Rimbombante, que en un principio se llamó
Atrapaespíritus, se relaciona también con las
tradiciones africanas de las máscaras y
otras esculturas espiritualmente protectoras.
"El arte", ha dicho Hammons, "es una
manera de evitar que el mundo exterior nos
haga daño, de mantener alejada la energía
negativa. De otro modo la absorbemos."

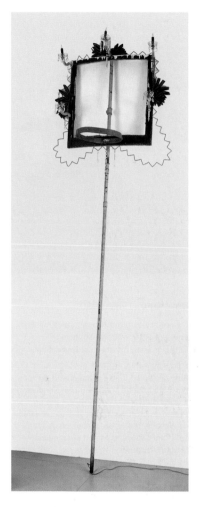

Robert Gober Estados Unidos, nacido en 1954

Sin título. 1989–1990

Cera de abejas, algodón, cuero, pelos humanos
y madera, 28,9 × 19,7 × 50,8 cm
Donación de la Dannheisser Foundation

Como copia de un pie y una pierna de hombre, esta obra no podría ser más verídica: de
la carnosa piel de cera, envuelta por un
zapato de cuero y un calcetín y un pantalón
de algodón, brotan auténticos pelos humanos. Tanta fidelidad pasa a ser inquietante, y
la nota macabra se agrava por la colocación
de la pierna, cuyo dueño parece haberse
caído al suelo; pero es que además sólo
tiene una pierna, que sale de la pared como
si la arquitectura lo hubiera devorado. Para
algunos quizá haya también un sutil erotismo
fetichista, en la medida en que el punto
focal es una estrecha franja del cuerpo
donde los hombres muestran su desnudez
por costumbre y sin pensar.
   Muchos de los artistas que surgieron
junto a Gober en la década de 1980 se interesaron por los medios modernos de comunicación o por citar la historia del arte.
Gober, en cambio, insiste en la artesanía

manual de su escultura, y, aunque sus obras
puedan recordar arte anterior (ésta, por ejemplo, los fragmentos anatómicos de la escultura de Auguste Rodin, o los brazos vivos sin
cuerpo que portan candelabros en la película
de Jean Cocteau *La bella y la bestia*, de
1946), su aspecto de normalidad despla-
zada transforma cualquier referencia de esa
clase. Estas obras evocan a menudo el fenómeno paradójico que Sigmund Freud denominó "lo siniestro": algo ordinario que,
merced a una desorientación incluso ligera,
revela una extrañeza oculta, haciendo que
afloren viejos temores olvidados y se hundan
antiguas certezas.

Martin Kippenberger Alemán, 1953–1997

Martin, Stand in the Corner and Be Ashamed of Yourself (Martin, plántate en el rincón y avergüénzate de ti mismo). 1990

Aluminio forjado, ropa y plancha de hierro,
181,6 × 74,9 × 34,3 cm
Legado del fondo Blanchette Hooker
Rockefeller, fondos de Anna Marie y Robert F.
Shapiro, Jerry I. Speyer y Michael y Judy Ovitz

Kippenberger cultivó su fama de niño malo del arte alemán en los años ochenta, actuando de manera deliberada y a menudo escandalosamente provocadora tanto en su arte como en su conducta personal. Con esa escultura cosecha lo sembrado, situándose en una postura que todos los colegiales díscolos conocen muy bien: en el rincón, a solas con sus obligados remordimientos. Un artículo especialmente sañudo de un crítico de arte alemán sirvió de catalizador para ésta y otras esculturas burlonamente apologéticas de Martin-en-el-rincón. No obstante, la resonancia de la pieza va mucho más allá de esa ocasión específica, al enmarcar en un detalle vernáculo actual la identificación romántica del artista como un marginado, ya se trate de un genio, un profeta, un mendigo o un loco.

Cada obra de esta serie está realizada y vestida de manera única, y los rostros y las manos se han forjado en aluminio partiendo de moldes del propio cuerpo del artista. Aunque las demás figuras llevan un atuendo más formal, el Martin de esta escultura (encargada por el MoMA) viste pantalones vaqueros Levi's y una camisa con un globo terráqueo estampado. Kippenberger eligió esa prenda para hacer un guiño al papel internacional que desempeña el MoMA como centro del arte moderno. La presencia de la obra en las galerías da un vuelco ingenioso a la tradicional glorificación de que es objeto el artista en un museo. Kippenberger dirige nuestra atención hacia un secreto del oficio: para los ejecutivos de los museos actuales, los artistas y los retos que plantean sus obras pueden resultar tan vejatorios como apreciados.

Andrea Fraser
Estadounidense, nacida en 1965

La vida pública del arte: el museo.
1988–1989

Vídeo (color, sonoro), 13 minutos.
Diseño de producción: Louise Lawler
Producido por Terry McCoy
Fondos del Comité para los Medios y la
Performance

La artista Andrea Fraser, afincada en Los
Ángeles, lleva casi treinta años enfrascada
en una continua investigación sobre qué es
lo que deseamos del arte. Aunando las perspectivas feministas sobre la subjetividad y el
deseo con las prácticas *in situ* y basadas en
la investigación que surgieron a finales de
los años sesenta con el arte conceptual y la
crítica institucional, Fraser se sirve de la *performance*, el vídeo y otros medios para
explorar y criticar las motivaciones que
impulsan a los artistas, coleccionistas, mar-
chantes, empresas patrocinadoras, comisa-
rios y visitantes museísticos.
    La vida pública del arte: el museo es la
primera *performance* que Fraser realizó con

destino al vídeo. Rodada en el Metropolitan
Museum of Art y en el Museum of Modern
Art, producida por Terry McCoy y creada en
colaboración con la también artista y fotógrafa Louise Lawler, afincada en Nueva York,
la obra nos presenta a la artista disertando
sobre una historia social de los museos de
arte, tocando temas que van desde el patro-
cinio empresarial a la política socioeconó-
mica. La pieza forma parte de una selección
más amplia de vídeos de un solo canal que
documenta toda una serie de *performances*
llevadas a cabo por Fraser entre 1988 y
2001 y que fue adquirida por el MoMA en
2011. La *performance* constituye un aspecto
integral de la práctica de Fraser y la esmerada documentación que la artista mantiene
sobre sus obras anteriores permite que
estas permanezcan vivas en los vídeos.

Michael Schmidt Alemán, 1945–2014

EIN-HEIT (UNI-DAD). 1991–1994

163 copias a la gelatina de plata, cada una,
50,5 × 34,3 cm
Fondo Horace W. Goldsmith por mediación de
Robert B. Menschel y adquisición

Schmidt realizó *EIN-HEIT* a raíz de la caída
del muro de Berlín en 1989 y la posterior
reunificación de las Alemanias Occidental y
Oriental. (El título alemán, que significa "unidad", aparece partido en dos). Integrada por
163 fotografías, unas tomadas por el propio
artista, otras sacadas de periódicos, revistas
antiguas y recientes, publicaciones propagan-
dísticas, libros de historia y otras fuentes
relacionadas, esta obra constituye una
reflexión sobre la identidad nacional.
Schmidt bebe de dos tradiciones artísticas:
la fotografía descriptiva y la fotografía como
vasto acopio de imágenes masivas destinado
a reproducirse y combinarse. Agrupando
ambas, explora las relaciones que se establecen entre los individuos y el Estado,
desde que los nazis se hicieron con el poder
en 1933, pasando por los más de cincuenta
años de enfrentamiento ideológico que dividie-
ron Alemania a partir de 1945.

Schmidt entremezcla fotografías contemporáneas de lugares y gentes corrientes
con imágenes de archivo de personas anóni-
mas y famosas, de interiores y exteriores,
escenas de masas, símbolos y monumentos. La historia aparece presentada no como
una secuencia lineal de hechos concretos,
sino como solapamiento de marcos contin-
gentes descentrado y simultáneo. Se obliga
a los espectadores a pensar si una imagen
dada se captó en Alemania Oriental o en la
Occidental, antes o después de la Segunda
Guerra Mundial, durante la época de separación o con posterioridad a la reunificación.

Marlene Dumas
Sudafricana, nacida en 1953

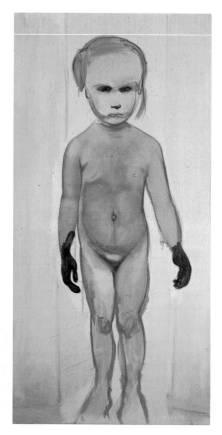

The Painter (La pintora) 1994

Óleo sobre lienzo, 200,7 × 99,7 cm
Donación parcial y apalabrada de Martin y
Rebecca Eisenberg

Con sus taciturnos ojos oscuros, su pelo
verde y su cuerpo manchado de pintura, esta
niña nos contempla desde su amenazadora
altura de un metro ochenta, presentándose
como una fuerza de destrucción. Sin
embargo, el título nos revela que se trata de
una fuerza creadora, que es pintora. Se trata
de Helena, la hija de cinco o seis años de la
artista, y su cuerpo semejante al de un bebé,
sus hábiles manos sumergidas en pintura
negra y roja y su rostro alarmante resultan
totalmente ajenos a los conceptos tradicionales del artista y su musa. "Históricamente el
artista siempre era masculino y su modelo
femenino", ha comentado Dumas acerca de
esta obra. "Aquí tenemos una niña (en principio, mi hija) asumiendo el papel principal. Se
ha pintado ella a sí misma. El modelo pasa a
ser la artista".

Sudáfricana de nacimiento, Dumas estudió arte y psicología en Holanda, donde ha
pasado estas tres últimas décadas creando
obras que se saltan los convencionalismos
del retrato y del patriarcado artístico y
denuncian los malentendidos que surgen
entre la rep Martha Rosler resentación y la
interpretación. The Painter es un ejemplo de
su excepcional talento para realizar retratos
psicológicos de mujeres y niños, aunque rara
vez sean estos tan autobiográficos. Para componer sus absorbentes y matizados retratos,
la artista trabaja a partir de fotografías extraídas de revistas o libros o bien tomadas por
ella misma, de las que suele eliminar aquellos detalles que pudieran permitir su
identificación.

Gabriel Orozco
Mexicano, nacido en 1962

Yielding Stone (Piedra que cede).
1992

Plastilina, 36,8 × 39,4 × 40,6 cm
Fondo Nina y Gordon Bunshaft

La actividad artística de Gabriel Orozco viene determinada en parte por su estilo de vida peripatético. En los años noventa Orozco rechazó la seducción del estudio creando esculturas, dibujos y fotografías allá donde se encontrase y utilizando los materiales que tenía a mano. Sus obras son consecuencia y reflejo del lugar en que se hicieron, ya sea París o Estambul, Nueva York o Bangalore.

Yielding Stone es un globo gris que Orozco confeccionó con plastilina, una arcilla para modelado de base oleaginosa que puede adquirirse en casi cualquier establecimiento de materiales artísticos. Aunque carente de un origen distinguido, la plastilina aparece con tal regularidad en las primeras esculturas y fotografías de Orozco que bien podría considerársela su material característico. En esta *Yielding Stone*, realizada durante la primera estancia prolongada del artista en Nueva York, Orozco acumuló una cantidad de arcilla equivalente a su propio peso y la fue haciendo rodar por Broadway, adhiriéndosele con ello suciedad y basura. Cuerpo sustituto que representa al cuerpo del propio Orozco, la escultura porta un registro de sus recorridos y no deja de modificarse, recogiendo polvo y huellas dactilares incluso en el entorno controlado del museo. Como ha dicho el propio artista, "es todo lo contrario de un monumento estático, se trata más bien de la escultura como cuerpo en movimiento". Así pues, *Yielding Stone* puede considerarse simbólica del enfoque general que imprime Orozco a la creación artística.

Clint Eastwood Estados Unidos, nacido en 1930

Sin perdón (Unforgiven). 1992

Película de 35 mm, color, sonora, 130 minutos
Donación del artista y de Warner Bros.
Clint Eastwood

Sin perdón, un *western* taciturno y ambivalente, cómico y cruel, sigue a sus vengadores,
improbables antihéroes, por un paisaje prístino y despejado bajo claros cielos hasta un
pueblo de frontera donde la leyenda y la
muerte violenta son igualmente ridiculizadas.
El ya cascado Will Munny (Clint Eastwood)
convence a su antiguo socio Ned Logan
(Morgan Freeman) de que le ayude sólo una
vez más para matar a un hombre que acuchilló a una prostituta. Aunque su misión no
sea honorable, el éxito les asegurará una
vejez pacífica. El tercer socio es un forajido
bisoño y fanfarrón (Jaimz Woolvett) que
sobrevive a los acontecimientos y aprende
una dolorosa verdad moral.

En la película aparece también un falso
mito, English Bob (Richard Harris), que no
tiene nada que hacer frente al viperino sheriff (Gene Hackman). El tono burlón del diálogo es un contrapunto a los ritmos de
asalto, carrera y destrucción de las películas

del Oeste. La idea de que hombres que
viven de la violencia también pueden tener
mucha gracia agudiza la mirada fija del director Eastwood. Con esta película, que instila
una nueva moral en la tradición del *western*,
Eastwood resucitó él solo el género.

Eastwood, actor convertido en director,
presenta la ambivalencia de sus personajes
en términos escuetos y sobrios, con el telón
de fondo de unos paisajes profundos de
deslumbrante belleza y el remate de unas
escenas de acción fluidas que acaban en pérdida y muerte. En esta película la violencia
misma es objeto de crítica; no hay final feliz
para el código tradicional del Oeste.

Richard Serra   Estados Unidos, nacido en 1939

Intersección II. 1992

Acero cortén, cuatro planchas,
cada una 400 × 1700 × 5 cm
Donación de Jo Carole y Ronald S. Lauder

Algo más joven que los artistas del minimalismo, Serra ha intensificado una de sus cualidades, la potenciación en el espectador de
su conciencia corporal en relación con el
objeto artístico. En obras tempranas alzaba
pesadas planchas de metal en equilibrio pre-
cario; mirarlas de cerca imponía. Así,
Intersección II sensibiliza al visitante al invi-
tarlo a circular entre sus macizos muros;
descubrirá que ejercen una presión psíquica
enorme, que brota del peso, la altura y la
inclinación de las paredes, y de la oscuridad
y la herrumbre irregulares de sus superficies. Está atenuada por la elegante precisión de sus líneas y la satisfactoria lógica de
su disposición. La pendiente y la colocación

de las grandes curvas de acero producen
dos espacios exteriores que se invierten
recíprocamente en el suelo y en el techo,
estrechándose uno donde el otro se ensan-
cha. El espacio central, por su parte, es una
elipse regular pero sesgada. Que esos espacios se sientan como algo íntimo o amenaza-
doramente claustrofóbico es indiferente para
que se cumpla lo que ha dicho Serra de su
obra anterior: "El espectador en parte
pasaba a ser el tema de la obra, no el
objeto. Su percepción de la pieza residía en
su movimiento por la pieza, que tenía más
que ver con la expectación, la memoria y el
tiempo, y caminar y mirar, que la simple
mirada a una escultura como se mira un
cuadro".

Glenn Ligon   Estadounidense, nacido en 1960

Sin título (Soy un hombre invisible). 1991

Varilla de aceite sobre papel,
76,2 × 43,8 cm
Donación de la Fundación Bohen

Ligon aborda las cuestiones de la raza, el género, la sexualidad y la marginalización en obras de base textual que utilizan lenguaje procedente de fuentes de las que se apropia. En *Sin título (Soy un hombre invisible)* extrae un pasaje de la novela publicada en 1952 por Ralph Ellison *El hombre invisible,* que narra la historia de un joven afroamericano que crece en el sur a mediados del siglo XX.

El texto de Ellison comienza diciendo: "Soy un hombre invisible. No, no soy un fantasma como los que obsesionaban a Edgar Allan Poe; tampoco uno de esos ectoplasmas de las típicas películas de Hollywood. Soy un hombre con sustancia, hecho de carne y hueso, de fibra y líquidos, y hasta cabría decir que poseo una mente. Soy invisible, entiéndaseme, por la sencilla razón de que la gente se niega a verme…". Ligon rellena toda la composición con texto extraído del prólogo de Ellison, llenando el papel de manchas con la varilla de aceite y llamando la atención sobre el marginado de Ellison haciéndolo visible por medio del acto de la escritura y borrando así su invisibilidad.

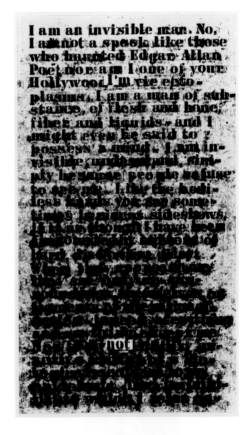

Philip-Lorca diCorcia
Estados Unidos, nacido en 1953

Eddie Anderson; 21 años; Houston, Texas; $20. 1990–1992

Copia en papel cromogénico (Ektacolor),
60 × 91,1 cm
Donación del artista

No es casual que esta fotografía tenga el terso acabado de una producción de Hollywood o de un anuncio de revista. DiCorcia elige actores, coloca, ilumina y enmarca con la misma atención a los detalles con que se prepara la escena de una película. La diferencia clave es que en sus dramas inmóviles no hay comienzo ni fin, sólo un punto medio cuyo guión se nos invita a escribir.

En obras anteriores de diCorcia los protagonistas eran casi siempre amigos, situados en ambientes domésticos conocidos; esta imagen pertenece a una serie posterior, hecha en un barrio de Hollywood frecuentado por chaperos, drogadictos y vagabundos a quienes el fotógrafo pagaba por posar. Preguntaba el nombre, la edad y el lugar de nacimiento de cada uno, y titulaba la imagen con sus respuestas, seguidas de la cantidad que le había pagado.

El sumo artificio de las fotografías de diCorcia nos impide leer la serie como registro directo de una cultura callejera hollywoodense. En este sentido su obra es representativa de una sensibilidad contemporánea muy extendida, que se ha cansado o ha empezado a desconfiar del serio realismo de la fotografía documental. Sin embargo, la serie nos ofrece un retrato de un mundo tan persuasivo como los que podamos conocer a través de un proyecto documental tradicional, y no menos conmovedor.

Felix Gonzalez-Torres
Estados Unidos, nacido en Cuba. 1957–1996

"Sin título" (Muerte por arma de fuego). Comenzado en 1990

Pila de fotolitografías de 23 cm de alto, hoja: 114,1 × 83,6 cm
Adquirido en parte con fondos de Arthur Fleischer, Jr. y Linda Barth Goldstein

La primera reacción del espectador a *"Sin título" (Muerte por arma de fuego)* es de incertidumbre. Esta pila de papeles puesta en el suelo, ¿es para que la circundemos y contemplemos desde distintos ángulos como una escultura? ¿O pretende el artista que tomemos los papeles para examinarlos? En las hojas hay listas de 460 personas muertas por arma de fuego en la semana del 1 al 7 de mayo de 1989, reseñadas por su nombre, edad, ciudad y estado, con una somera descripción de las circunstancias de la muerte y, en la mayoría de los casos, una imagen fotográfica del fallecido. Esas imágenes y palabras, adaptadas de la revista *Time*, donde aparecieron por primera vez, reflejan el interés de Gonzalez-Torres por el control de armas.

Conceptualmente *Muerte por arma de fuego* es una obra de arte en curso. La participación del espectador es un elemento importante, y se le insta a que lea las hojas y se las lleve para guardarlas, exhibirlas o pasárselas a otros. Aunque Gonzalez-Torres determinó que "idealmente" la pila debía medir "nueve pulgadas" de alto, dispuso que las hojas se reimprimieran para reponer continuamente las que se retirasen, asegurando así la distribución ilimitada de *Muerte por arma de fuego*. Desde sus inicios el arte impreso se ha hecho en múltiples copias para su difusión a un público extenso. Aquí se extiende esa idea a una edición "sin fin".

Rirkrit Tiravanija
Tailandés, nacido en Argentina en 1961

Untitled (Free/Still)
(Sin título (Gratis/Todavía)).
1992/1995/2007/2011

Refrigerador, mesa, sillas, madera, tabiquería, comida y otros materiales dimensiones variables
Donación de Eli Wallach y su esposa
(por intercambio)

Untitled (Free) fue el título de la primera exposición individual de Tiravanija, que se desarrolló en 1992 en la galería 303 sita en el SoHo neoyorquino. En aquella ocasión el artista trasladó el contenido de las zonas traseras de la galería al espacio expositivo, dejando a la vista la parte comercial del arte, y transformó la vaciada oficina en una cocina provisional en la que preparaba *curry* tailandés de verduras y se lo servía gratis a quien le apeteciera.

Desde entonces la obra ha tenido varias versiones. Cuando volvió a presentarse en la exposición internacional Carnegie celebrada en Pittsburgh en 1995, Tiravanija añadió al título la palabra "still" ("todavía"). En 2007 la volvió a escenificar en la galería David Zwirner, recreando el espacio de la exposición original y reutilizando accesorios y sobrantes –embalajes, cajas, latas vacías e incluso comida– de las anteriores presentaciones. Actualmente en la colección del museo, la pieza puede exhibirse como vestigio de sus manifestaciones pasadas o bien reactivarse con alimentos preparados en la cocina del museo.

La actividad artística de Tiravanija surgió de la estética desenfadada de Fluxus y del enfoque que se daba a las relaciones sociales en la obra de artistas como Gordon Matta-Clark, quien contribuyó a montar en el SoHo en 1971 el restaurante Food, que daba empleo a artistas y albergaba *performances* artístico-alimenticias. Como tantas obras de Tiravanija, *Untitled (Free/Still)* invita a los espectadores a abandonar sus habituales papeles como observadores para convertirse en partícipes.

Rachel Whiteread
Británica, nacida en 1963

Water Tower (Torre de agua). 1998

Resina translúcido y acero pintado,
370,8 cm, de alto, 274,3 cm
de diámetro
Donación de la familia Freedman en memoria
de Doris C. y Alan J. Freedman

Encargada por el Fondo Público para las
Artes e instalada inicialmente en 1998
sobre un tejado del barrio neoyorquino del
SoHo, *Water Tower* fue la primera escultura
pública que Whiteread concibió y expuso en
Estados Unidos. La artista británica escu-
driñó la ciudad en busca de un tema que
fuese la quintaesencia de Nueva York. Durante
una visita a Brooklyn, mientras contemplaba
Manhattan al otro lado del East River, admiró
las torres de agua que se elevaban por
encima de las calles y le llamó la atención
su carácter único, así como su ubicuidad en
el paisaje arquitectónico urbano.

Whiteread es célebre por sus moldes de
resina y escayola de objetos familiares y de
los espacios que rodean, como, por ejemplo,
los interiores de una bañera y de una casa
adosada en el East End londinense, así
como por su habilidad para conseguir que la
gente contemple esos objetos y esos espacios de una manera nueva. *Water Tower* es
un molde de resina del interior de una torre
de agua hecha de cedro que una vez estuvo
en funcionamiento y que fue elegida específicamente por la textura que ese tipo de
madera proporcionaría a la superficie. La
resina translúcida capta las cualidades del
cielo que la rodea; el color y el brillo de la
escultura van cambiando a lo largo del día,
llegando a convertirse en un susurro casi
invisible por la noche. Whiteread manifestó
que esta obra era "una joya sobre el horizonte de Manhattan". Elevada y efímera, inspira a ciudadanos y visitantes por igual para
que vuelvan a fijarse en esas sólidas e impo-
nentes torres de agua que suelen ver sin
reparar en ellas.

Andrea Zittel
Estados Unidos, nacida en 1965

Vehículo de huida A-Z: personalizado por Andrea Zittel.
1996

Exterior: acero, aislamiento, madera y vidrio. Interior: luces de colores, agua, fibra de vidrio, madera, cartón piedra, guijarros y pintura, 157,5 × 213,3 × 101,6 cm
The Norman and Rosita Winston Foundation, Inc. Fund y un fondo anónimo

Vehículo de huida A-Z se inscribe en una línea de obras inspiradas por la casa móvil. Si la carcasa exterior de acero inoxidable es la misma, los interiores varían, cada uno personalizado de acuerdo con el propietario. Como los remolques, estas cápsulas pueden circular enganchadas a un coche, aunque están diseñadas para su instalación en un jardín o una entrada, o bajo techo. La "huida" del título no se refiere tanto a su movilidad cuanto a su condición de lugar de retiro a la medida de un individuo.

Estéticos y útiles, los vehículos de huida impugnan la idea de la obra de arte como objeto de contemplación. Sostienen implícitamente que en cierto modo el artista puede participar en su sociedad como el diseñador y el arquitecto, produciendo obras de aplicación práctica y beneficiosa a la vida cotidiana. Con ello Zittel se sitúa en una tradición de acción social que se remonta a la Bauhaus y los constructivistas rusos. Un precedente más reciente y distinto es el arte pop, atraído por las formas visuales y los métodos de producción vernáculos y comerciales.

La designación "A-Z" es una broma que une la idea de extensión abarcadora a las iniciales de la artista, que personalizó ella misma este vehículo de huida, con una gruta de cartón piedra en llamativo contraste con la tersa epidermis metálica.

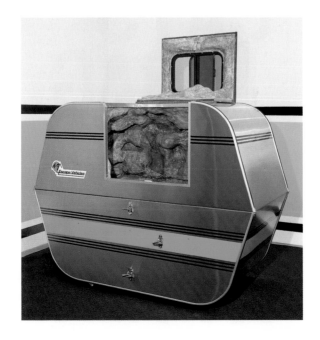

Christopher Wool Estadounidense, nacido en 1955

Untitled (Sin título). 1990

Esmalte sobre aluminio,
274,3 × 182,9 cm
Donación de la Fundación Louis y Bessie
Adler, Inc.

Una frase inquietante aparece trazada con plantilla en letras negras de unos 60 cm de altura sobre un panel de aluminio. La ausencia de signos de puntuación, espaciado convencional y artículos definidos realza el tono siniestro del texto al evocar el lenguaje parco de las señales de peligro y los telegramas, que suelen transmitir sus mensajes urgentes con la mayor economía de términos. Se desprende una sensación de desapego y conveniencia que obedece a la aparente desmaña de la forma de las letras, semejante a las de las plantillas comerciales que se utilizan para marcar cajas de embalaje. De hecho, el artista confeccionó a mano sus propias plantillas a fin de conseguir el gran tamaño que deseaba.

Wool afirma que empezó a producir los cuadros de palabras en 1988 como una manera de imponer límites a sus composiciones abstractas vinculándolas con frases de su propia invención o bien tomadas de otras fuentes. La línea "El gato está en la bolsa. La bolsa está en el río" proviene del film de 1957 *Chantaje en Broadway*, en el cual servía como código de cine negro para transmitir que había tenido éxito el plan de lograr derrumbara uno de los personajes. La perfecta alineación de las columnas de Wool y la desigualdad del margen derecho sugieren la precisión, tan mecánica como taimada, de ese plan tan bien urdido por los malos.

Carrie Mae Weems Estadounidense, nacida en 1953

You Became a Scientific Profile, A Negroid Type, An Anthropological Debate, & A Photographic Subject from **From Here I Saw What Happened and I Cried** (Te has convertido en perfil científico, en tipo negroide, en debate antropológico & en tema fotográfico extraídas de **Vi lo ocurrido desde aquí y lloré**). 1995

Cuatro impresiones cromogénicas en color con texto de chorro de arena sobre cristal
Cada una, 60,7 × 50,7 cm
Donación en nombre de los Amigos de la Educación del Museum of Modern Art

Se trata de cuatro de las treinta y tres imágenes que integran *From Here I Saw What Happened and I Cried*, obra elegíaca que aborda la complicidad de la fotografía a la hora de reforzar las ideas racistas. En las fotografías los afroamericanos se han visto con frecuencia reducidos a estereotipos, despojados de sus identidades individuales. La obra de Weems no solo comenta la representación dada a los negros en millones de fotografías, sino que también reacciona contra el estatus y la percepción de los afroamericanos en Estados Unidos a lo largo de la historia.

La artista refotografió diversas imágenes –desde daguerrotipos hasta fotografías documentales– realizadas desde tiempos de la Guerra Civil estadounidense hasta la época del movimiento por la defensa de los derechos civiles. Utilizó un filtro rojo para atenuar la autoridad documental de las imágenes y las recortó para crear una especie de vista telescópica que incide en la lejanía temporal del espectador con respecto a las figuras retratadas. Cada imagen va acompañada de un texto escrito por Weems y grabado sobre un panel protector de vidrio. La serie comienza con la vista de perfil de una digna africana que mira hacia la derecha, como si lo hiciera hacia el futuro, y termina con esa misma fotografía impresa al revés, de manera que la vemos observar el conjunto de imágenes –de ahí el título de la serie–. Al contemplar la obra en su integridad, los breves textos inscritos en el cristal se leen como un poema cuajado de amargura.

El Grupo Atlas/Walid Raad <small>Libanés, nacido en 1967</small>

My Neck is Thinner Than a Hair: Engines (Mi cuello es más fino que un cabello: motores).
1996–2004

Cien impresiones de inyección de tinta pigmentadas, cada una de, 24 × 34 cm
Fondo para el Siglo XXI

El Grupo Atlas es una organización sin fines de lucro ficticia fundada por Raad en 1999. Se presenta ante el público como un colectivo real cuya misión consiste en investigar y documentar la historia contemporánea del Líbano, en especial las guerras civiles que tuvieron lugar entre 1975 y 1991. Bajo el nombre de Grupo Atlas, Raad se dedica a recopilar y confeccionar fotografías, cintas de vídeo, cuadernos y películas, presentando sus hallazgos en forma de exposiciones, proyecciones de vídeo y conferencias.

Esta obra reúne cien fotografías de motores de automóvil realizadas por fotógrafos tanto aficionados como profesionales. Durante las guerras civiles hicieron explosión en el Líbano aproximadamente 245 coches bomba, detonados por grupos de todo el espectro político y religioso. La única parte del coche que quedaba intacta

después de la explosión era el motor y en las informaciones periodísticas sobre los coches bomba se incluían siempre fotografías de motores, así como de los agentes policiales, políticos y curiosos que se congregaban después de producirse la exposión. Raad recopiló las fotografías de los archivos periodísticos del Líbano, las escaneó por delante y por detrás y las imprimió con la fecha de la exposición, el nombre del fotógrafo (cuando se sabía) y una traducción al inglés de las anotaciones del reverso de las imágenes. A partir de una cuestión política compleja extrae y clarifica un aspecto concreto: la oportunidad fotográfica. Supone tan solo una lente a través de la cual Raad examina las formas en que se viene registrando, recordando y entendiendo la historia económica, política y social del Líbano.

Doris Salcedo
Colombiana, nacida en 1958

Sin título. 1995

Madera, cemento, acero, tela y cuero,
236,2 × 104,1 × 48,2 cm
Fundación Norman y Rosita Winston, Inc.,
fondo y adquisición

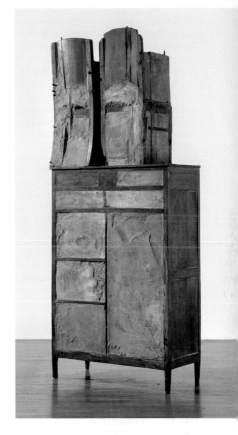

Esta escultura pertenece a una serie creada
por Salcedo para conmemorar a las víctimas
individuales de la dilatada situación de violencia y guerra civil que se vive en su
Colombia natal. Salcedo pasó semanas con
las familias y seres queridos de los difuntos,
empapándose de los detalles de sus vidas.
Basándose en esas experiencias creó esculturas a partir de ropas y mobiliario doméstico que estuvieron tocados por la calidez del
uso diario. Con sus patas, sus respaldos,
sus pies y sus tiradores, la cómoda y las
sillas de esta obra sin título pueden interpretarse que suplen el cuerpo desaparecido de
alguna víctima y las vidas destrozadas de su
familia.

La fibra blanda y cálida de los muebles
de madera contrasta con la fría y dura masa
gris de hormigón y varillas que rellena los
espacios interiores violando la estructura de
esos objetos. Los muebles, voluminosos y
mudos, han quedado inutilizados por el peso
y volumen mismo del hormigón. Los objetos
marcan ahora el tiempo y el espacio, testi-
moniando un acto de violencia y haciendo
las veces de *memento mori*. Son estimacio-
nes públicas de la pérdida privada y del
dolor personal dentro de un entorno político
cargado y desesperado. "Mi obra trata del
hecho de que el ser querido –el que es
objeto de violencia– siempre deja su huella
impresa en nosotros", ha manifestado
Salcedo.

Janet Cardiff Canadiense, nacida en 1957

El motete a cuarenta voces. 2001

Reelaboración de *Spem in alium nunquam habui*, 1575, de Thomas Tallis. 40 altavoces, grabación de sonido de 40 pistas, bucle de unos 14 minutos.
Donación de Jo Carole y Ronald S. Lauder en memoria de Rolf Hoffmann

La instalación de Cardiff constituye un peculiar tratamiento espacial de una interpretación grabada de música coral sacra del compositor inglés del siglo XVI Thomas Tallis. Es probable que el músico compusiese la pieza para honrar a la reina Elizabeth I cuando ésta cumplía cuarenta años.

Escrita para cuarenta voces masculinas (bajos, barítonos, altos, tenores y niño soprano), *Spem in alium nunquam habui* se escucha aquí interpretada por miembros del coro de la catedral de Salisbury. Durante esa interpretación se grabó por separado la voz de cada cantante; en la instalación se reproduce cada una mediante un altavoz distinto. A medida que los visitantes deambulan entre los cuarenta altavoces, que están montados sobre trípodes formando un óvalo, oyen cada voz diferente y perciben asimismo distintas armonías, como ocurriría si estuviesen caminando entre los cantantes reales.

Colocándose en el centro de la instalación, el visitante escucha las cuarenta voces unidas en esta grandiosa composición musical.

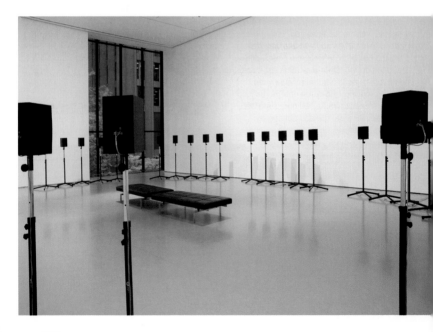

Rineke Dijkstra Holandesa, nacida en 1959

Odessa, Ucrania. 4 de agosto de 1993

Impresión cromogénica en color, 117,8 × 94 cm
Adquirido gracias a la generosidad de Agnes Gund

Odessa, Ucrania es una de las veinte fotografías de jóvenes y adolescentes que Dijkstra realizó entre 1992 y 1998 en playas de Bélgica, Croacia, Inglaterra, Polonia, Ucrania y Estados Unidos. Todos estos retratos muestran a la persona de cuerpo entero, recortándose en relieve sobre un fondo de arena, agua y cielo. Inicialmente la sencillez de las imágenes parece desmentir la complejidad del contenido, aunque en realidad lo realza. Si bien al principio vemos a cada persona como un contorno y las imágenes nos parecen intercambiables, no tardamos en volvernos conscientes de los detalles de la postura de la persona, su manera de vestirse, su situación económica y su estado psicológico. En esta imagen la desmaña del fotografiado es resultado evidente de su intento de presentar su cuerpo aniñado con la confianza de un adulto.

Una gama excepcional de vulnerabilidad caracteriza los retratos, llegando a constituirse en el verdadero tema de la serie. Esta reiteración de la vulnerabilidad de un personaje a otro genera una especie de abstracción que define tanto el estado del individuo como una condición humana universal. En todos los retratos de Dijkstra, entre los que figuran madres que acaban de alumbrar y matadores recién salidos de la plaza de toros, logra captar a la gente en momentos de transición en los que su estado de excitación emocional o psicológica precipita un cambio de su personalidad.

Joel Coen Estados Unidos, nacido en 1955

Ethan Coen Estados Unidos, nacido en 1958

Fargo. 1996

Película de 35 mm, color, sonora, 98 minutos
Adquirida de los artistas
Frances McDormand

Desde su primer largometraje, *Blood Simple* (1984), los Coen han hecho gala de una extraña habilidad para encontrar el humor negro en cualquier tema, por trágico o absurdo que sea. Ya fuera reimaginando Hollywood al estilo de Nathanael West en *Barton Fink* (1991), sondeando los pozos negros de la Depresión en *Miller's Crossing* (1990) o adaptando a Homero para *O Brother, Where Art Thou?* (2000), este dúo de hermanos –Joel en la dirección, Ethan en la producción y ambos en el guión– no ha dejado nunca de hacer reír con materiales que por su tristeza o su desesperanza deberían ser insoportables. A la inversa, en claras comedias como *Raising Arizona* (1987) y *The Big Lebowski* (1998) los Coen exploraron corrientes subterráneas de patetismo y tristeza que otros cineastas habrían minimizado u omitido. En cada caso se han apropiado de

un género sin titubeos para desvelar las complejidades de la psique humana.

En *Fargo* los Coen atinaron con la combinación perfecta de forma y contenido, creando una comedia negra de alcance y resonancia insólitos. Vista por algunos como un ataque mordaz contra el Midwest (aunque los cineastas la han defendido como un homenaje a su región natal), *Fargo* integra hábilmente lo banal y lo estrafalario, lo tierno y lo espeluznante. En Matge Gunderson y Jerry Lundegaard (interpretados respectivamente por Frances McDormand y William H. Macy), los Coen crearon dos personajes de llamativa hondura y emoción, a la vez que los presentaban como arquetipos del estoicismo y la reserva del Midwest. En *Fargo* como en todas sus obras, los Coen hacen gala de un gran cariño hacia sus personajes sin asustarse ante la explosiva mezcla de contradicciones aparentes que somos en realidad los seres humanos.

William Kentridge Sudafricano, nacido en 1955

Mujer teléfono. 2000

Grabado al linóleo, hoja: 220 × 101,5 cm
Editor: David Krut Fine Art, Londres y
Johannesburgo
Tirada: 25
Fondo Carol y Morton H. Rapp

Esta figura ambulante elevada, que presenta
un teléfono con rueda de marcar de mediados de siglo haciendo las veces del torso y la
cabeza, aparece triunfal a la par que perdida
en el árido paisaje sudafricano. En los años
noventa, época de cambios sociales y políticos en Sudáfrica al ser sustituido el
gobierno racista del *apartheid* por una democracia, Kentridge ideó multiples figuras proce-
sionales que incorporan todo tipo de objetos
más o menos mecánicos –megáfonos,
máquinas de escribir, torres eléctricas– que
remiten tanto a una época pasada como a
los fallos que pueden ocurrir en la comunicación. El cortejo de figuras hace pensar también en los manifestantes que protestaban
contra el *apartheid* y en las comunidades de
familias desarraigadas que huían con sus
escasas pertenencias; convoca también la
difícil situación en que se encuentran los
refugiados de todo el mundo.

Esta *Mujer teléfono*, sin embargo,
avanza claramente exultante, manifestando
esa esperanza que forma parte de su viaje.
El grabado viene a demostrar las posibilidades expresivas de las pautas en blanco y
negro que caracterizan el grabado al linóleo
–técnica de relieve que goza tradicionalmente de gran arraigo en Sudáfrica–. Es uno
de los dos que Kentridge realizó en 2000 (el
otro, también en la colección del MoMA,
representa a un hombre-árbol en marcha),
cuando el artista se dedicaba a crear para
sus montajes teatrales elementos de utilería
y figuras de grandes dimensiones y basadas
en objetos.

Louise Bourgeois Estadounidense, nacida en Francia, 1911–2010

Ode à l'oubli (Oda al olvido). 2002

Libro ilustrado con 32 collages textiles, cada
página: 28 × 31 cm Inédito, único
Donación de la artista

Conocida por sus esculturas, dibujos y grabados, Bourgeois realizó libros ilustrados,
formato que ella misma recopiló a partir de
finales de los años cuarenta, incorporando
textos propios y de otros autores. Para
Bourgeois, el tejido tenía hondas asociaciones personales, pues pasó su infancia en el
piso de arriba del taller de restauración de
tapices de sus padres y durante años utilizó
textiles en esculturas o como soporte de grabados y dibujos. Durante mucho tiempo
había empleado su arte como medio para
explorar y exorcizar su historia personal, pero
este volumen tiene un carácter inusualmente
íntimo, compuesto de manera exclusiva por
piezas de tela que ella había vestido o con-
servado desde los años veinte, incluyendo
camisones, pañuelos, toallas de mano y ser-
villetas de su ajuar de boda, con sus iniciales en un monograma.

En las páginas del libro, el título del cual
se traduce como "Oda al olvido", se conjugan diversas técnicas –desde el *appliqué* y
el *quilting* al bordado y el tejido–, reflejando
muchas de las formas que han ocupado a la
artista durante toda su trayectoria, entre
ellas torres totémicas apiladas, círculos y
cuadrados concéntricos, cuadrículas de
tejido apretado y formas orgánicas redon-
das. El libro incluye dos textos de su propia
autoría: "Me vino un *flashback* de algo que
nunca existió" y "El retorno de lo reprimido",
frases que están en consonancia con la
tersa aunque cargada prosa que empezó a
publicar a finales de los años cuarenta.

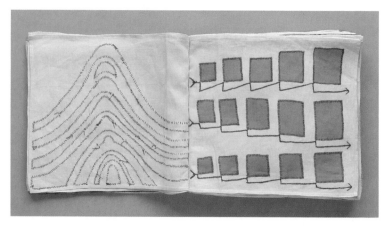

Luc Tuymans
Bélgica, nacido en 1958

Lumumba. 2000

Óleo sobre lienzo, 62 × 46 cm
Donación fraccionaria y prometida de Donald
L. Bryant, Jr.

Esta pintura de Tuymans, parte de una serie
de obras relacionadas con la historia del
Congo, se basa en una fotografía de Patrice
Lumumba, el primer hombre que ocupó el
cargo de primer ministro de la actual
República Democrática del Congo, antes
Congo Belga. Recordatorio visual de un conflicto histórico irresuelto que comenzó con la
dominación colonial belga y prosiguió con la
independencia del Congo y la guerra civil en
curso, su inspiración fue un debate, tardía-
mente entablado en Bélgica en 2000, sobre
los hechos que rodearon al asesinato de
Lumumba treinta y nueve años antes. Pero
este escueto retrato no nos dice nada de
Lumumba ni de África. Por implicación nos
hace pensar en el silenciado papel histórico
de Bélgica en el colonialismo y el conflicto
interno con que el país se enfrenta a su
polémico pasado.

Si, como ha dicho Tuymans, el tema de su
obra es la historia, entonces el objeto es un
depósito de memoria histórica. El artista,
trabajando a partir de su recuerdo visual de
la fotografía de Lumumba y no sobre la propia fotografía, recreó a su modelo mediante
cambios sutiles. Aclarando el tono de la piel
de Lumumba y alterando su mirada, Tuymans
impugna el estereotipo del negro como "salvaje", fuente de amenazas y temores. ¿Es
Lumumba visto en tonos más claros un hombre más "civilizado"?, parece preguntarnos
Tuymans. Aquí la mirada perpleja de
Lumumba parece cuestionar el propio mito
en que se ha convertido.

La elección de esta imagen en particular recuerda la costumbre europea, a mediados del siglo XIX, de reunir grandes archivos
de fotografías documentales como parte del
control y la vigilancia de las poblaciones
colonizadas. El poder, el secreto y las leyes
de control están en el origen de esos archivos. Es esa connotación ideológica de la
fotografía lo que Tuymans subvierte al invo-
carla tan abiertamente. El artista va más
allá de la representación indicial de la fotografía, criticando y torciendo su función

original para entretejer los contenidos repre-
sentacionales de la historia, el mito y la
memoria. Tuymans alienta al espectador a
meditar sobre la creación de la identidad cultural a través de la historia política. En la
mirada de Lumumba vemos la mirada del
artista sobre la historia.

Jonathan Ive
Británico, nacido en 1967, y el Apple Industrial Design Group, Estados Unidos, fundado en 1976

iPod. 2001

Plástico policarbonato y acero inoxidable,
10,2 × 6,4 × 2,2 cm
Fabricado por Apple, Inc.
Donación del fabricante

Por la época en que surgió el iPod, Jonathan Ive, director del grupo de diseño de Apple, llevaba desde 1997 poniendo a punto junto a su equipo el diseño de *hardware* de la empresa, sirviéndose de una nueva paleta de materiales caracterizada fundamentalmente por el uso de plástico policarbonato translúcido. El iPod, un disco duro portátil que en un principio se utilizó exclusivamente como reproductor de MP3, añadió el acero inoxidable al repertorio de materiales de Apple.

El iPod amplió exponencialmente la capacidad típica de los aparatos musicales dentro de un marco físico que era significativamente más pequeño, más limpio y más intuitivo que ningún otro reproductor similar. El iPod de primera generación presenta una rueda de desplazamiento mecánica, cuatro teclas de navegación en torno a su circunferencia y una pantalla de texto en blanco y negro. Los datos y el suministro de energía llegan al iPod a través de un cable USB conectado a un ordenador o a otra fuente de corriente, eliminando así la necesidad de otras piezas adicionales de quita y pon que no sean los auriculares.

El iPod de primera generación ha venido influyendo sustancialmente en la calidad y elegancia no solo de los aparatos portátiles de música sino también de los productos electrónicos en general. Ha elevado las expectativas del público para todos los productos de consumo, estimulando así a los fabricantes a reconocer la importancia de un buen diseño y elevar las consideraciones de diseño a los niveles más elevados de sus estructuras empresariales.

El iPod, toda una hazaña del diseño de productos e interfaces, ha repercutido sobremanera en la convivencia de las personas con la tecnología. Combinado con su aplicación "madre", iTunes, el iPod ha inaugurado una nueva forma de comprar, experimentar y almacenar tanto música como entretenimiento de audio, programas educativos, información y vídeo.

Pipilotti Rist   Suiza, nacida en 1962

Ever Is Over All. 1997

Instalación de vídeo con dos monitores,
dimensiones variables
Donación fraccionaria y prometida de Donald
L. Bryant, Jr.

La imaginería de Rist tiene varios fundamen-
tos y se presta a otras tantas interpretaciones. Acuñadas a partir de recursos tan ricos
y diversos como los cuentos de hadas, el
feminismo, la cultura contemporánea y su
propia imaginación, sus caleidoscópicas proyecciones, saturadas de color, son una sofisticada amalgama visual de ingenio, humor e
ironía.

Ever Is Over All es una instalación de
vídeo formada por dos proyecciones sobre
paredes contiguas, muy diferentes y acompañadas por una melodía melancólica. A la
derecha hay un ancho campo de flores muy
rojas de tallo alto, filmadas en primeros planos con una cámara errante. A la izquierda,
filmada en planos medios y largos, hay una
muchacha sonriente vestida de azul con
zapatos rojos. Camina hacia el espectador a
cámara lenta por una acera bordeada de
coches; de pronto alza lo que parece ser una
de las flores vistas a la derecha, y, en un
estallido de violencia inexplicable, rompe con
ella la ventanilla de un vehículo aparcado.
Sigue andando por la acera y hace añicos
otra ventanilla; una mujer policía se acerca
entonces desde atrás, y la saluda amigable-
mente al pasar. La anárquica joven continúa
destrozando ventanillas tan contenta.

La ficción frente a la realidad es un
tema importante para Rist, en cuya obra una
extraña combinación de pesadilla y magia
prevalece sobre la lógica del sentido común.
En Ever Is Over All, la artista yuxtapone el
campo y sus flores a una poderosa varita
mágica, y transpone actos de agresión y destrucción en acciones benévolas y creativas.

Verdana, Regular

Aa Bb Cc Dd Ee Ff Gg Hh Ii Jj Kk Ll Mm Nn Oo Pp Qq Rr Ss Tt Uu Vv Ww Xx Yy Zz 1 2 3 4 5 6 7 8 9 0

Verdana. 1996

Fuente tipográfica digital
Donación de Microsoft Corporation

Verdana forma parte de un grupo de 23 fuentes digitales que constituye el núcleo inicial de una nueva sección de la colección del MoMA. Al igual que el diseño de objetos y edificios, la creación de fuentes tipográficas refleja los desarrollos sociales, los avances en cuanto a materiales y medios de producción, las orientaciones culturales y el progreso tecnológico. Constituye una dimensión esencial de la historia del arte y el diseño modernos.

El creador de *Verdana*, Matthew Carter, pasó sin solución de continuidad desde sus comienzos en ese campo, cuando las fuentes tipográficas eran familias de bloques de plomo, al ámbito digital. Al contrario que la mayoría de las fuentes digitales –diseñadas en una pantalla pero destinadas a la lectura sobre papel– *Verdana*, realizada por encargo de Microsoft Corporation, se hizo para utilizarse en los monitores de ordenador y se concibió para que fuese fácilmente legible en tamaños reducidos. Debido a sus curvas sencillas y al contorno grande y abierto de las letras, los espacios negativos no se llenan ni siquiera cuando los caracteres se ponen en negrita, mejorando así su legibilidad. Las letras aparecen muy separadas sobre la pantalla, por lo que resultan legibles incluso cuando aparecen en aplicaciones informáticas que no controlan el espaciado y nunca se tocan sea cual sea su combinación. Los caracteres parecidos –como por ejemplo i, I y 1– se han diseñado para que se diferencien todo lo posible. Asimismo, la versión negrita de Verdana es fácil de reconocer y distinguir del estilo "normal" (denominado "romano" en la jerga tipográfica) que presenta la fuente en pantalla.

Thomas Demand   Alemania, nacido en 1964

Votación. 2001

Copia en color cromogénico, 180,3 × 259,1 cm
Donación fraccionaria y prometida de Sharon
Coplan Hurowitz y Richard Hurowitz

La mayoría de las fotografías de prensa se
consumen de una ojeada. Unas pocas pasan
a ser símbolos perdurables de acontecimientos famosos. A medio camino se sitúa la
materia prima de Demand: imágenes que en
algún momento pudieron significar mucho,
aunque ya no recordamos por qué.
Omitiendo las figuras si las hay, Demand
rehace esas escenas en construcciones de
papel y cartón, nítidas y coloristas y de
tamaño natural. Fotografiando su elegante
artesanía ofrece la imagen original con una
extraña claridad que nunca poseyó.

   Votación aplica esa estrategia al extraño
punto focal de las elecciones presidenciales
estodunidenses de 2000, el lugar donde fueron reunidos los votos disputados de Florida

para someterlos a un escrutinio minucioso.
A la vez artificial y vívida, la imagen de
Demand no explica la escena mejor que la
fotografía en que se basó, pero quizá sea
menos probable que caiga en el olvido.

Chris Ofili
Gran Bretaña, nacido en 1968

Príncipe entre ladrones. 1999

Óleo, *collage* de papel, purpurina, resina, chinchetas y estiércol de elefante sobre lino, 243,8 × 182,8 cm
Mimi and Peter Haas Fund

Las vibrantes y muy trabajadas pinturas de Ofili combinan un amplio abanico de referentes, desde el espectáculo africano hasta la cultura popular occidental. Con una técnica de cortar y mezclar y patrones repetitivos, las obras evocan el ritmo anárquico de las actuaciones y letras del *hip-hop*. *Príncipe entre ladrones* presenta el perfil caricaturesco pero regio y pensativo de un hombre de ascendencia africana, que se recorta sobre un fondo recargado con incontables *collages* diminutos de cabezas de negros ilustres. La superficie psicodélica y reluciente de pigmento rociado, acrílico, purpurina, excremento de elefante y salpicaduras de resina translúcida produce un efecto ritual que parodia estereotipos de la cultura negra a la vez que celebra la diferencia. Las

boñigas de elefante lacadas sobre las que descansa el lienzo son la firma de Ofili, y confieren a la pintura una presencia escultórica y quizá incluso totémica que remite al arte tribal africano, con el que Ofili (de origen nigeriano) se familiarizó en una visita a Zimbabwe en 1992.

El artista utiliza excremento de elefante por sus asociaciones tradicionales pero lo obtiene del zoológico de Londres, profundizando así en su herencia cultural y su experiencia urbana por procedimientos que burlan los estereotipos identitarios. Su mezcla de fuentes híbridas sacadas de las revistas populares, la música, el arte étnico y las calles de mala nota que rodean su estudio londinense de King's Cross compendia una nueva forma de contracultura que reelabora sutilmente las percepciones occidentales de la negritud.

Mark Grotjahn
Estadounidense, nacido en 1968

Sin título (Mariposa roja 112).
2002

Lápiz de color sobre papel,
61 × 48,3 cm
Donación de la colección de dibujos
contemporáneos de la Fundación Judith
Rothschild

La devoción que profesa Grotjahn por su formato característico recuerda a la fe que tenían a principios del siglo XX los primeros exponentes de la abstracción en la universalidad de su lenguaje artístico. Su percepción de las posibilidades expresivas de la abstracción queda demostrada por la exploración que realiza de su motivo característico, la forma de una mariposa. En *Sin título (Mariposa roja 112)* unas líneas radiales de color rojo, blanco y azul emergen de dos puntos de fuga verticales diferenciados para formar alas laterales divididas y bordeadas por más bandas de líneas de color. Grotjahn ha mantenido ese formato general en su serie *Mariposa* y ha generado infinitas posibilidades para este tema concreto, diversificando el color, la línea y la forma. En cada dibujo se compromete con una paleta limitada pero vibrante, cubriendo el papel de trazos controlados realizados con lápiz de colores con objeto de investigar la perspectiva. Se atiene a un proceso más intuitivo de lo que pudieran implicar los patrones continuos de las obras, puesto que utiliza la simple vista en lugar de reglas o bordes rectos para determinar los puntos de convergencia de las bandas de las alas de color.

Matthew Barney Estados Unidos, nacido en 1967

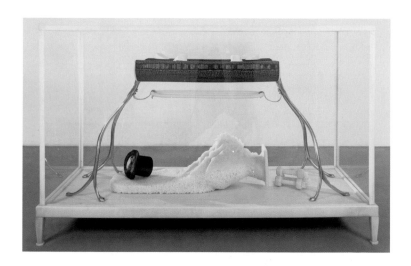

El gabinete de Baby Fay La Foe.
2000

Panal de abejas de policarbonato, acero inoxidable fundido, nailon, vaciado de sal solar en resina epoxi, sombrero de copa y cera de abejas dentro de una vitrina de nailon y plexiglás, 149,8 × 242,6 × 97,2 cm
Committee on Painting and Sculpture Funds

El gabinete de Baby Fay La Foe es un gabinete de curiosidades del siglo XXI, una escultura que es también una vitrina, pero cuyo enigmático contenido se resiste a la clasificación taxonómica. El plexiglás protege una mesa de sesiones estilizada, una barra de pesas vaciada en sal solar y un sombrero de copa velado y lleno de cera de abejas en panal. Una forma tendida, algo antropomórfica, de sal solar fijada con resina epoxi parece en parte un fragmento corporal y en parte un paisaje cristalino, y está como suspendida en un estado liminal entre hacerse y deshacerse. Todo menos la barra de pesas son atributos de Baby Fay La Foe, que fue una espiritista en la vida real y es uno de los personajes de la película de Barney *Cremaster 2* (1999), un "*western* gótico" que es la cuarta entrega de las cinco del ciclo Cremaster.
    Las preocupaciones generales de Barney son la mutabilidad, la metamorfosis y la creación de forma. Conocido sobre todo por sus largometrajes, se define como escultor, insistiendo en que toda su políglota producción –películas, fotografías, dibujos, esculturas, pancartas e instalaciones– constituye una serie de objetos discretos pero interrelacionados en el espacio multidimensional del universo autónomo de Cremaster. *El gabinete de Baby Fay La Foe,* con el apoyo de estrategias surrealistas de fragmentación, yuxtaposición siniestra y exhibición fetichista, recapitula a nivel microcósmico aspectos clave de la cosmología expansiva de Barney. Los luminosos bordes de nailon de la vitrina son una manifestación material del marco invisible pero omnipresente del cine (y de la fotografía). Llena de objetos de fantasía construidos con los materiales característicos del artista, la obra es nominalmente un retrato simbólico, pero cualesquiera significados fijos quedan aparte, sometidos a transformación y por lo tanto inalcanzables.

Jeff Wall Canadá, nacido en 1946

Según el prólogo de "Invisible Man" de Ralph Ellison. 2001

Transparencia Cibachrome sobre caja de luz de aluminio, 220 × 290 cm
The Photography Council Fund, Anonymous Purchase Fund, donación de Jo Carole y Ronald S. Lauder y donación de Carol y David Appel

Tras una carrera breve pero movida que encarna las esperanzas y las humillaciones de los afroamericanos a mediados del siglo XX, el protagonista de la celebrada novela de Ralph Ellison *Invisible Man* (1952) se retira a un sótano secreto al borde de Harlem. Allí pacientemente rumia y compone la historia que vamos a leer. "Soy invisible", explica, "simplemente porque la gente se niega a verme."

Sacar imágenes de historias fue en otro tiempo la actividad principal de las artes visuales. El auge de la tradición moderna relegó esa práctica a las orillas del arte avanzado; durante la mayor parte del pasado siglo, "ilustración" ha sido un término peyorativo. En esta fotografía de grandes dimensiones, rica en detalles y verdaderamente absorbente, Wall ha reinventado casi solo el desafío.

El elocuente prólogo de la novela apenas ofrece datos específicos aparte de las 1.369 bombillas que revisten el techo de la guarida subterránea. A partir de ese detalle fantástico, Wall imaginó escrupulosamente en su estudio de Vancouver la forma concreta del espacio metafórico de Ellison. Resucitando ambiciosamente un arte olvidado, hizo visible al Hombre Invisible.

Francis Alÿs Belga, nacido en 1959

Untitled (series for The Modern Procession, June 23, 2002, New York City) (Sin título (serie para La procesión moderna, 23 de junio de 2002, Nueva York)). 2002

Lápiz, lápiz de color, tinta, *gouache*, bolígrafo, rotulador y papel impreso recortado y pegado sobre piezas de papel transparente con cinta sensible a la presión, pegatinas sensibles a la presión, fotografías instantáneas en blanco y negro, fotografías en color cromogénicas, tarjetas postales, clips, mapas y papeles impresos sobre mesas de pino con revestimiento acrílico, lámparas arquitectónicas de metal, y vídeo de dos canales (sonoro, color). Medidas aproximadas de la instalación: 101,6 × 81,3 × 213,4 cm
Adquirido con fondos aportados por la fundación Silverweed.

El domingo 23 de junio de 2002 partió desde el Museum of Modern Art de la calle 53 al Oeste de Manhattan una procesión en dirección al MoMA QNS, el nuevo espacio temporal de exposiciones del museo, situado al otro lado del puente Queensborough, en Long Island City, Queens.

La procesión coincidió con el cierre del edificio museístico de Manhattan para su renovación y fue ideada por Alÿs expresamente para la ocasión.

Entre los participantes en el desfile, adaptación de las procesiones religiosas que tienen lugar en la Bélgica natal de Alÿs y en su tierra adoptiva, México, figuraban trabajadores artísticos, un equipo de fútbol, una banda de metales cuya música marcaba el paso, un caballo, varios perros, un "icono vivo" –la artista Kiki Smith, llevada en andas sobre un palanquín– y otros, diseminando pétalos de flores y soplando burbujas de jabón. On Sobre otros tres palanquines desfilaban otras personas llevando copias de obras famosas de la colección del MoMA –*Les Demoiselles d'Avignon* (*Las señoritas de Aviñón*) de Picasso, la *Bicycle Wheel* (*Rueda de bicicleta*) de Duchamp y la *Mujer de pie n.º 2* de Giacometti– que transportaban ceremoniosamente hasta su nuevo acomodo.

The Modern Procession fue filmada por el artista y su equipo, realizándose varios montajes diferentes. Esta versión para dos pantallas fue exhibida en 2002, junto a dibujos preparatorios, en el MoMA QNS, siendo adquirida poco después por el Museo.

Kara Walker Estadounidense, nacida en 1969

Exodus of Confederates from Atlanta from **Harper's Pictorial History of the Civil War (Annotated)** (**Éxodo de los confederados de Atlanta** extraído de **Historia pictórica Harper de la Guerra Civil (con anotaciones)).**
2005

Ejemplar de una carpeta de 15 litografías y serigrafías, hoja: 99,2 × 134,4 cm
Editor: Centro de Estudios del Grabado LeRoy Neiman, Universidad de Columbia, Nueva York
Tirada: 35
Fondo General del Grabado y Fondo Ralph E. Shikes

"Estos grabados son los paisajes que imagino existen detrás de mis piezas de pared, un tanto más austeras", ha dicho Walker refiriéndose a su carpeta de quince grabados monumentales, uno de los primeros compromisos directos de la artista con el tipo de material histórico que informa el conjunto de su obra. El arte de Walker suele incorporar siluetas de papel recortado que se basan en una forma que gozó de popularidad en el siglo XIX y que ella instala directamente sobre las paredes blancas de las galerías. Para esta carpeta de grabados fue apilando sus siluetas sobre ilustraciones que reprodujo de la *Harper's Pictorial History of the Civil War* (1866), compendio basado en materiales de la revista *Harper's Weekly*, la publicación periódica más leída de la época de dicha Guerra Civil. Estas ilustraciones, que permiten vislumbrar las injusticias raciales de esos tiempos, hacen hincapié en el objetivo general de Walker: investigar las cuestiones de raza, género, sexualidad y opresión en el Sur preguerra civil y durante el período de la Guerra Civil estadounidense, así como examinar el papel que desempeñan en los estereotipos actuales.

En cada grabado Walker plantea un diálogo entre las imágenes nuevas y antiguas, enmascarando determinados detalles, haciendo resaltar otros y expandiendo su narrativa más allá de la manera convencional de contar la historia. En este ejemplo su uso del espacio positivo y negativo (una silueta dentro de otra silueta) centra nuestra mirada en un muchacho afroamericano que carga una caravana para civiles blancos a quienes se ha ordenado evacuar a raíz de las pérdidas sufridas por el ejército confederado en Atlanta.

Paul Chan Estadounidense, nacido en Hong Kong en 1973

1st Light (Primera luz). 2005

Vídeo, color, mudo, bucle de 14 minutos.
Adquirido gracias a la generosidad de Maja
Oeri y Hans Bodenmann

Esta animación en vídeo digital es la primera
obra del ciclo de Paul Chan en siete partes
The 7 Lights (*Las siete luces*, 2005–2007).
Proyectada sobre el suelo, **1st Light** adopta
la forma de una ventana que nos permite ver
imágenes surrealistas –siluetas oscuras de
objetos voluminosos como un tranvía, una
motocicleta, basura– que circulan a la deriva
sobre las ruinas de una ciudad devastada.
Sombras de cuerpos humanos caen desplo-
mándose por un cielo iluminado de manera
fría, evocando las imágenes angustiosas de
los ataques de 2001 al World Trade Center
neoyorquino y provocando esa sensación de
desastre inminente que impregna las siete
obras del ciclo de **Lights**.
En el título de la obra, la palabra "luz"
aparece tachada, aludiendo de manera tanto
literal como figurada a la presencia y ausencia simultáneas de dicha luz. Técnicamente,
la imagen proyectada es generada por una
fuente lumínica que brilla sobre un soporte
situado en un espacio más bien despojado
de luz. Alegóricamente, la elección del título
por parte de Chan puede relacionarse también con los relatos bíblicos del comienzo
del mundo según el libro del Génesis, al
separar Dios la luz de la oscuridad para
crear el día y la noche.

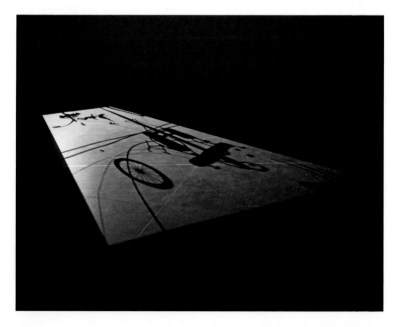

United Architects (Arquitectos Unidos) Estadounidense, fundada en 2002

World Trade Center Proposal (Propuesta para el World Trade Center). 2002

Acrílico molido, dos maquetas,
17,5 × 5,1 × 3,8 cm; 12,7 × 5,1 × 3,8 cm
Donación de los arquitectos

Este plan de cinco torres unidas fue diseñado por un equipo ad hoc de arquitectos para el sitio que ocupó el antiguo World Trade Center. Los elementos principales de cada torre son un núcleo cuadrado de hormigón y dos o más volúmenes de espacio habitable sin columnas que se sitúan alrededor. El marco soporte es una piel con apoyo diagonal; su flexibilidad y fuerza permiten que los tubos exteriores se expandan y contraigan al envolverse en torno al núcleo, generando así el aspecto dinámico del conjunto. Cada una de las cinco torres es una estructura que se apoya sobre sí misma. En conjunto, pueden resistir fuerzas tremendas al sujetarse mutuamente y, a diferencia de las tradicionales torres verticales independientes, ofrecen múltiples vías de salida y accesos para la lucha contra incendios. Un "parque celeste" crea en la planta 55 un noble horizonte que une a todas las torres y proporciona espacio social y acceso público al punto común más elevado.

Este diseño, que nunca llegaría a hacerse realidad, rinde homenaje a los edificios altos como logro técnico y cultural y representa el culmen de la intensa creatividad suscitada por el trágico derrumbe de las Torres Gemelas el 11 de septiembre de 2001, cuando Nueva York se planteó en esa ocasión repensarse no solo el World Trade Center sino también la planificación del centro histórico de Manhattan y la zona del litoral. Las elevadas torres habrían proporcionado al horizonte urbano una silueta destacada, simbólica de la colectividad.

Cai Guo-Qiang Chino, nacido en 1957

Dibujo para arco iris transiente.
Agosto de 2003

Pólvora sobre dos hojas de papel,
454,7 × 405,1 cm (en conjunto)
Donación fraccionaria y apalabrada de Clarissa
Alcock Bronfman

Tras haberse preparado en diseño escénico
en la Academia de Teatro de Shanghái, Cai
Guo-Qiang viene trabajando en muchos
medios, entre ellos el dibujo, instalaciones,
vídeo y *performance*. La inusual elección de
la pólvora y los fuegos de artificio como
materiales para su arte proviene de su
juventud en China, donde los actos de celebración suelen ir acompañados de pirotecnia. Para este vasto dibujo Cai hizo estallar
pólvora que había colocado entre dos hojas
de papel, creando las huellas simétricas de
dos arcos.

Resulta tangible la fuerza misma de la
explosión. En algunos lugares el papel está
chamuscado o muestra orificios quemados.
La confección del dibujo resulta evidente
como proceso tosco a la par que delicado,
como acontecimiento orquestado y sin
embargo espontáneo que obedece tanto al
orden como al azar. Según explica Cai:
"Dedico tanto tiempo a planificar de antemano la manera de colocar las mechas
como a controlar y contrarrestar la fuerza de
la pólvora y de esas mechas. Aun así no
siempre sale como cabría esperar, aunque
se haya estudiado previamente".

Los arco iris constituyen un motivo recurrente en los proyectos de Cai. En 2002 su
arco iris de fuegos artificiales que unió
Manhattan y Queens sobre el East River
señaló el traslado temporal del MoMA a
Long Island City. Si bien la pirotecnia produce efímeras dispersiones de luz que se
disipan casi en el acto, en este dibujo el
artista ha logrado captar sus huellas sobre
papel, permitiendo que la imagen sobreviva
al acontecimiento.

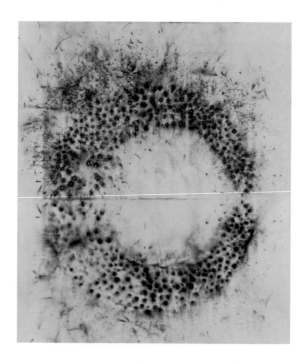

Trisha Donnelly
Estadounidense, nacida en 1974

Operadora de raso. 2007

Ejemplar de una serie de trece grabados
digitales, hoja: 158,8 × 111,8 cm cada uno.
Editora: la artista, Nueva York y San Francisco
Tirada: 3
Fondo de Socios del Grabado y Fondo General
para el Grabado

Desde finales de los noventa Donnelly viene
desarrollando una práctica artística que se
resiste a dejarse interpretar directamente y
a categorizarse en cuanto a medio. Desde
un vídeo de la artista realizando una danza
de la lluvia proyectado junto a la fotografía
de un paisaje nublado cuyas condiciones
meteorológicas provienen ostensiblemente
de su ritual hasta una conferencia ilustrada
sobre la visión prismática puntuada por gra-
baciones fonográficas, las obras de Donnelly
requieren un cierto compromiso por parte
del espectador, quien debe estar dispuesto a
seguir a la artista en sus exploraciones del
espacio y del tiempo, de la realidad y de la
ficción, de lo físico y de lo metafísico.

Operadora de raso nos lleva a hacer ese
tipo de recorrido. Vemos la fotografía encon-
trada de una aspirante a estrella de
Hollywood, que parece ser enrollada sobre
un tubo de embalaje. Como si se desarro-
llase cinematográficamente, captando cada
uno de los trece grabados un fotograma
secuencial, el tubo aparece torcido y contor-
sionado, con la forma cilíndrica estirándose
mientras la fotografía va rotando en dirección contraria. A la actriz nunca se la ve
completa; su rostro aparece solo parcialmente antes de alejarse de nuevo al girar.

Donnelly describió en cierta ocasión su
experiencia de contemplar una imagen durante
tanto tiempo que esta parecía resquebrajarse,
dividiéndose en un "tartamudeo de imágenes
múltiples". En *Operadora de raso*, sirviéndose
de un programa informático creador de imágenes digitales para generar virtualmente cada
permutación, Donnelly plasmó una manifesta-
ción física de ese tartamudeo –una serie de
transformaciones a lo largo del espacio y el
tiempo.

Andreas Gursky Alemán, nacido en 1955

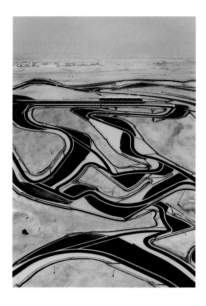

Baréin I. 2005

Impresión cromogénica en color,
301,9 × 219,7 cm
Adquirido en honor de Robert B. Menschel
gracias a la generosidad de Agnes Gund,
Marie-Josée y Henry R. Kravis, Ronald S. y Jo
Carole Lauder, así como la Fundación de la
Familia Speyer

En esta fotografía monumental, las curvas
planas y negras del circuito de Fórmula 1
serpentean formando exagerados arcos y
giros a través de un desierto arenoso de
Baréin. Captada desde un punto de vista muy
elevado sobre el terreno, la compleja red de
la pista se asemeja a las gestuales pinceladas negras de un lienzo expresionista abstracto de Franz Kline. De hecho, esta
fotografía, de unos tres metros de altura,
domina la pared tal y como lo haría un
cuadro.

Después de estudiar con los fotógrafos
Bernd y Hilla Becher en la Kunstakademie de
Düsseldorf, Gursky pasó a crear fotografías
de gran tamaño que presentaban vistas contemporáneas urbanas y rurales de todo el
mundo, incluyendo sedes comerciales
internacionales, ondulantes multitudes de
jóvenes de fiesta y vastos paisajes de vívido
colorido. Asombrosos por su complejidad,
los abundantes detalles que aparecen en
sus imágenes cimentan los temas en
momentos y lugares específicos al tiempo
que hacen resaltar las pautas y superficies
de las imágenes. A lo largo del circuito de
Baréin resultan visibles marcas de dirección,
luces y logotipos empresariales, pero no es
evidente la presencia de espectadores, ni
siquiera de trabajadores dedicados al mantenimiento de la pista.

En su obra reciente, Gursky se sirve con
gran efectividad de la manipulación digital.
Esta imagen se ha creado ensamblando múltiples tomas y eliminando detalles concretos
con objeto de plasmar una red de múltiples
capas, pero uniforme a la vez. Gursky ha
conjurado un lugar que resulta hiperrealista a
la par que implícitamente artificial; una realidad construida en consonancia con su temática contemporánea.

Ólafur Eliasson
Islandés, nacido en 1967

Solo veo las cosas cuando se mueven. 2004

Madera, filtro de cristal para efecto cromático, acero inoxidable, aluminio, lámpara HMI, trípode, cilindro de cristal, motores, unidad de control, dimensiones variables
Donación de Marie-Josée y Henry R. Kravis en honor de Mimi Haas

El artista dano-islandés Ólafur Eliasson se dedica a idear entornos de inmersión. *Solo veo las cosas cuando se mueven* es una instalación en la que se hace pasar por unos paneles rotatorios de cristal dotados de filtros cromáticos una luz intensa que proyecta sobre las paredes del entorno bandas de colores cambiantes. Sondeando los aspectos cognitivos de lo que significa ver, Eliasson genera fenómenos ópticos complejos sirviéndose de recursos técnicos sencillos e improvisados, tales como espejos que reflejan la luz de un foco o caleidoscopios que producen coloridos efectos prismáticos. Al hacer visible la mecánica de su obra dejando al descubierto el artificio que hay tras la ilusión, Eliasson indica la relación elíptica que existe entre la realidad, la percepción y la representación. Presenta la percepción tal y como esta se vive en el mundo. Al no situarse los espectadores delante de sus obras, observándolas como observarían un cuadro, sino ubicándose e implicándose con ellas de manera activa, las instalaciones de Eliasson plantean el hecho mismo de mirar como una experiencia social. *Solo veo las cosas cuando se mueven* escenifica literalmente la percepción en el movimiento, poniendo de manifiesto la continua exploración que el artista realiza de la subjetividad, los reflejos y la fluida línea divisoria que media entre la naturaleza y la cultura. De esta manera Eliasson deja al descubierto hasta qué punto la realidad se construye y compromete a las personas a reflexionar críticamente sobre su forma de experimentarla.

Laura Kurgan Sudafricana, nacida en 1961;
Eric Cadora Estadounidense, nacido en 1962;
David Reinfurt Estadounidense, nacido en 1971;
Sarah Williams Estadounidense, nacida en 1974;
Laboratorio de diseño de información espacial EE.UU., creado en 2004;
Escuela de arquitectura, planificación y conservación para graduados de la Universidad de Columbia EE.UU., creada en 1881

Arquitectura y justicia del proyecto **Cuadras de un Millón de Dólares.**
2006

Programa informático ESRI ArcGIS (sistema de información geográfica)
Donación de los diseñadores

De los más de dos millones de personas que viven en las cárceles y prisiones de Estados Unidos, un número desproporcionado proviene de tan solo unos pocos barrios de las mayores ciudades del país. En muchos lugares la concentración es tan densa que hay estados que gastan más de un millón de dólares anuales en tener encarcelados a los residentes de una única cuadra urbana. Sirviéndose de datos rara vez accesibles procedentes del sistema de justicia criminal, el Laboratorio de Diseño de Información Espacial y el Centro de Cartografía de la Justicia han elaborado mapas de estas "cuadras de un millón de dólares", así como del flujo migratorio que se produce entre la ciudad y el penal en cinco ciudades de la nación.

Cuadras de un Millón de Dólares nos presenta las posibilidades políticas del diseño de visualización, un tipo de diseño que existe desde hace siglos pero que últimamente se ha venido desarrollando de forma exponencial gracias al incesante acopio de datos susceptibles de ser procesados por medios informáticos. "Guiándose por los mapas de Cuadras de un Millón de Dólares", explica Laura Kurgan, "a los planificadores urbanos, diseñadores y gestores políticos les es posible identificar las zonas concretas de nuestras ciudades en las que, aunque no lo reconozcamos, hemos permitido que el sistema de justicia criminal sustituya y desplace a toda una serie de instituciones públicas e infraestructuras cívicas ¿Qué tal si quisiésemos invertir ese cambio, reorientando el gasto público hacia infraestructuras comunitarias que sirvan de fundamento real para la seguridad cotidiana y no hacia esas instituciones de justicia criminal que generan la migración a las prisiones?"

Andrea Geyer Alemana, nacida en 1971

Sharon Hayes Estadounidense, nacida en 1970

Ashley Hunt Estadounidense, nacido en 1970

Katya Sander Danesa, nacida en 1970

David Thorne Estadounidense, nacido en 1960

9 guiones procedentes de una nación en guerra. 2007

Instalación de vídeo de diez canales, color, sonoro, bucle de una duración total de 8 horas, 53 minutos, 45 segundos. Fondos del Comité para los Medios y la *Performance*

En tiempo de guerra, cuando los gobiernos, los medios de masas y los partidos políticos moldean y gestionan cuidadosamente la opinión pública, los artistas pueden crear espacios únicos que permiten la expresión, la interpretación, el pensamiento crítico y unas respuestas que podrían no resultar posibles o permitidas en otros ámbitos. *9 guiones procedentes de una nación en guerra* responde a circunstancias y preguntas que vienen planteándose desde que las fuerzas militares estadounidenses lideraron la invasión de Irak en marzo de 2003.

Proyecto colaborativo creado para Documenta 12, la obra se estructura en torno a diversos papeles que las personas desempeñan, representan, expresan o combaten y que han sido generados por la guerra y le son propios. Exhibidos dentro de un circuito estructural no narrativo, tanto mediante proyecciones sobre la pared como a través de puestos para verlos sentados, cada uno de los diez vídeos muestra una perspectiva distinta de la implicación de las tropas estadounidenses en las zonas de la guerra global. Se presentan los puntos de vista del Ciudadano, el Bloguero, el Corresponsal Extranjero, el Veterano, el Estudiante, el Actor, el Entrevistador, el Abogado, el Detenido y la Fuente. Sirviéndose de metraje tanto documental como construido, los guiones son interpretados por actores y no actores: unos hablan con sus propias palabras, otros recitan palabras de otros. En conjunto, estas interpretaciones en vídeo examinan las implicaciones de la guerra en la experiencia individual y colectiva así como el papel que desempeña el lenguaje en las estructuras de poder durante las épocas conflictivas.

Kathryn Bigelow Estadounidense, nacida en 1951

En tierra hostil. 2008

Película de 35 mm, color, sonora, 131 minutos.
Donación de Summit Entertainment

El sargento de primera clase Will James
(Jeremy Renner) es un verdadero torbellino.
Experto en bombas destinado en Bagdad con
una unidad del Explosive Ordnance Disposal
unit (EOD por sus siglas en inglés; cuerpo de
desactivación de explosivos), James solo
parece sentirse cómodo cuando se enfrenta
a su propia mortalidad. Protege con bravatas
su incertidumbre y su vulnerabilidad y exor-
ciza sus demonios personales en el campo
de batalla. Su valentía temeraria, tan fasti-
diosa como peligrosa para su unidad –el sargento J. T. Sanborn (Anthony Mackie), que no
se anda con tonterías, y el nervioso especia-
lista novato Owen Eldridge (Brian Geraghty)–,
obliga a analizar la fraternidad de combate.
    Bigelow recibió amplias distinciones de
la crítica por este film arrollador y pene-
trante, que obtuvo galardones de la
Academia de Hollywood a la mejor dirección,
película, guión original, montaje cinematográfico, montaje de sonido y mezcla de sonido.
Antes de dedicarse al cine, Bigelow estudió
en el Instituto de las Artes de San Francisco
y en el Programa de Estudios Independientes
del Whitney Museum of American Art. En
calidad de guionista, directora y productora,
ha creado un canon de películas absorbentes que entusiasman y entretienen de
manera profunda al público y desafían todas
las expectativas. Tanto si mezcla una película de vampiros con un *western* (*Los viaje-
ros de la noche*, 1987), el *surf* con la trama

de un atraco (*Le llaman Bodhi*, 1991), el
cine negro con la ciencia-ficción (*Días extraños*, 1995) o imbrica un estudio de carácter
íntimo en una película de guerra (*En tierra
hostil*), Bigelow transforma el lenguaje estilístico de cada género y reta al público a
cuestionarse la iconografía cinematográfica.

Harun Farocki   Alemán, nacido en Checoslovaquia, 1944–2014

Juegos serios I: Watson ha caído.
2010

Instalación de vídeo de dos canales, color, sonoro, bucle de 8 minutos
Fondos del Comité para los Medios y la *Performance*

Juegos serios I: Watson ha caído es la primera parte de la serie de cuatro instalaciones de vídeo de Farocki titulada *Juegos serios I a IV* realizada entre 2009 y 2010, en la que se explora la utilización de la tecnología de los videojuegos como instrumento bélico. Rodada en el centro de combate tierra-aire del cuerpo de *marines* de los Estados Unidos en Twentynine Palms (California), la pieza yuxtapone imágenes de la instrucción de soldados en simulación de combate y sus equivalentes virtuales, comentando la relación que se establece entre la tecnología y la violencia.

Ya desde muy temprano, impulsado por el movimiento internacional de protestas estudiantiles de finales de los sesenta, Farocki se dedicó a explorar el papel que desempeña el cine a la hora de incitar al cambio político, discutiendo la capacidad de las imágenes grabadas para transmitir las realidades de la guerra. Conocido por su lenguaje visual "ensayístico" que explora las imágenes por medio de imágenes, el artista entremezcla su propio material con secuencias tomadas de una amplia gama de fuentes, entre ellas las de vigilancia industrial y militar y la propaganda política. Durante esta última década Farocki ha venido trasladando este enfoque desde el entorno cinematográfico a las instalaciones de vídeo destinadas a espacios de galería. Con *Juegos serios I a IV* el artista continúa reexaminando la repercusión que tienen en la sociedad los medios de masas.

Pentagram (Reino Unido y EE.UU., fundada en 1972),

Lisa Strausfeld (estadounidense, nacida en 1964),

Christian Marc Schmidt (alemán, nacido en 1977),

Takaaki Okada (japonés, nacido en 1978),

Walter Bender (estadounidense, nacido en 1956),

Eben Eliason (estadounidense, nacido en 1982),

One Laptop per Child (EE.UU., fundada en 2005),

Marco Pesenti Gritti (italiano, 1978–2015),

Christopher Blizzard (estadounidense, nacido en 1973),

Red Hat, Inc. (EE.UU., fundada en 1993)

Sugar Interface for the XO Laptop (Interfaz Sugar para el portátil XO). 2006–2007

Diseño: Illustrator, Photoshop, Flash, Inkscape y software GIMP (programa de manipulación de imágenes GNU) ; implementación: Python, GTK+ (conjunto de herramientas GIMP) y programa Cairo
Donación de los diseñadores

One Laptop per Child (OLPC por sus siglas en inglés, un portátil para cada niño), programa sin ánimo de lucro que se ideó en 2005 en el laboratorio de medios del MIT (Instituto de Tecnología de Massachusetts), planteó la creación de un ordenador de reducido coste que sería financiado y distribuido por gobiernos y organizaciones no gubernamentales a las escuelas de todo el mundo.

XO, el primer modelo, es resistente y colorido, y está diseñado para ocupar lo que un libro de texto y pesar menos que una fiambrera. Unas antenas de acceso inalámbrico sirven también para tapar los puertos USB y, en caso de no disponerse de corriente eléctrica, las baterías del portátil pueden recargarse mediante dispositivos de energía humana. Uno de los rasgos más destacados del XO era Sugar, su interfaz especial, que más tarde se abandonó a favor de una versión modificada de Windows XP, de mantenimiento más sencillo. Sugar era una interfaz basada en iconos que reconocía y aprovechaba las posibilidades del niño para ser "aprendiz y maestro a la vez". La colaboración es la esencia del diseño experimental del XO y el portátil fomenta la interacción social. Casi todas las actividades se centran en la creación de un objeto –un dibujo, una canción, una historia, un juego–, así como en "metáforas del mundo real" tales como charlar, compartir y recoger. Todos los portátiles están conectados de manera inalámbrica, tanto a la red como entre sí. Cuantos más portátiles se conecten, más poderosa se vuelve la red, lo que constituye una metáfora de la fuerza que tiene el compartir conocimientos para superar la pobreza y las adversidades.

Ellen Gallagher Estadounidense, nacida en 1965

Bad Skin y Blow-up de DeLuxe.
2004–2005

Dos de una carpeta de sesenta fotograbados, aguafuertes, aguatintas y puntas secas con litografía, serigrafía, grabado en relieve, grabado de máquina para tatuaje, corte láser, y estampaciones sobre papel de seda; adiciones de plastilina, collage de papel, esmalte, barniz, *gouache*, lápiz, óleo, polímero, acuarela, brillantina, terciopelo, purpurina, cristales, papel de aluminio, pan de oro, globos oculares de juguete y cubitos de hielo de imitación, cada uno: 33 × 26,7 cm
Editor e impresor: Two Palms Press, Nueva York. Tirada: 20
Adquirido gracias a la generosidad de los Amigos de la Educación del Museum of Modern Art y la Fundación Familia Speyer, Inc., con apoyo adicional del Fondo General para el Grabado

Todo un *tour-de-force* del grabado contemporáneo, *DeLuxe* combina un verdadero sinfín de medios que abarca más de un siglo de historia del género, desde la técnica del fotograbado, favorita de la época victoriana, hasta los desarrollos recientes de la impresión digital y el grabado con láser. La serie se produjo empleando herramientas poco ortodoxas tales como máquinas para tatuaje o bisturíes e incorpora materiales que van desde el terciopelo y el pan de oro hasta

manchas de grasienta brillantina. Otros elementos incluyen recortes de plastilina, cubitos de hielo de plástico, globos oculares saltones y cristales.

La función de capa básica de *DeLuxe* la cumplen diversas páginas de la colección que la artista posee de revistas antiguas afroamericanas sobre estilos de vida, números de *Our World* y *Ebony* que datan desde los años treinta a los setenta. Aunque hay algunos grabados que se basan en rasgos de personas famosas o historias de las noticias, la artista ha elegido principalmente anuncios que apelan al deseo de transformarse: pelucas, fajas, cremas blanqueadoras de la piel, brillantinas para el cabello y tratamientos contra el acné. Las páginas fueron recortadas y recompuestas después en disposiciones que transforman radicalmente su forma y contenido originales.

Al hacer referencia al material de origen del proyecto, *DeLuxe* funciona como una especie de libro o revista que se hubiera hecho estallar. Presenta un reparto de actores que va desde el artista de vodevil Bert Williams hasta personajes inventados, y sugiere múltiples narrativas no lineales que atienden a las muchas cosas que interesan a Gallagher, entre ellas la identidad, los retratos, las transformaciones, la historia, la literatura, la publicidad y las mercancías, en un proyecto que redefine el arte del grabado para el siglo XXI.

Rachel Harrison
Estadounidense, nacida en 1966

Alexander the Great (Alejandro Magno). 2007

Madera, malla de alambre, poliestireno, cemento, Parex, acrílico, maniquí, papelera de Jeff Gordon, máscara de plástico de Abraham Lincoln, gafas de sol, tejido, collar y dos objetos no identificados, 231,1 x 221 x 101,6 cm
Adquisición

Harrison suscitó por primera vez la atención de la crítica a finales de los años noventa por sus ensamblajes tridimensionales que mezclan la cultura popular, la política y la historia del arte. Al combinar materiales poco ortodoxos en amalgamas formalmente sagaces, juega con las convenciones que contraponen la pintura y la escultura, lo encontrado y lo realizado, la obra de arte y la peana, así como la cultura elevada y la popular.

Esta obra pertenece a un grupo que Harrison creó en 2007 y que tituló con nombres de personajes famosos como Al Gore, Tiger Woods y Johnny Depp. En este caso hace referencia a un emperador de la antigüedad y los colores vivos de la agrupación remedan la disposición de una carroza de desfile: un maniquí de tienda sin rasgos sexuales marcados que lleva una capa con lentejuelas adopta la postura de un conquistador alzándose sobre una gran masa que recuerda tanto a un meteorito como a un barco. La pauta multicolor pintada en la base llena de bultos recuerda tanto a las formas elevadas de la pintura abstracta como a los patrones decorativos *kitsch* del papel pintado o de las alfombras de pelo largo. El rostro del presidente Lincoln adosado a la parte trasera de la cabeza de la figura a modo de careta infantil de Halloween trastoca el convencionalismo de presentar figuras solitarias en las estatuas heroicas. Un cubo de basura que lleva el maniquí en la mano aparece marcado con la cara del conductor de NASCAR (la Asociación Nacional de Carreras de Coches) Jeff Gordon, introduciendo así una referencia contemporánea en la ambigua presentación que nos hace Harrison de la masculinidad.

Katharina Fritsch
Alemana, nacida en 1956

Grupo de figuras. 2006–2008
(fabricado en 2010–2011)

Bronce, cobre y acero inoxidable,
barnizado con laca, dimensiones variables
Donación de Maja Oeri y Hans Bodenmann
(fundación Laurenz)

Entre la improbable variedad de personajes y
objetos reunidos en *Grupo de figuras*, primera
obra de Katharina Fritsch creada específicamente para exponerse al aire libre, aparece
un San Miguel verde matando al dragón, San
Nicolás con la púrpura obispal, una Santa
Catalina negra mate con una serpiente del
mismo color a sus pies, un descomunal
gigante de color gris paloma equilibrando su
peso sobre un enorme palo y, en color
blanco porcelana, el torso desnudo de una
mujer y los pies de un esqueleto. Estas
esculturas se hicieron inicialmente para
incluirse en instalaciones multimedia, que

durante la última década han venido ocu-
pando un lugar central en la práctica escultórica de Fritsch. La última en añadirse al
grupo fue la Madonna de color amarillo
limón, figura que apareció por primera vez en
la obra de la artista hace más de veinticinco
años.

Si bien algunas de las piezas poseen
para la artista un significado simbólico o
autobiográfico concreto, todas ellas comparten esa extraña sensación de familiaridad y
extrañeza a la vez que es típica de la obra de
Fritsch. Aunque aparecen agrupadas, las figuras miran hacia arriba, hacia abajo o directamente al frente sin hacer caso de sus
acompañantes. Es mediante esa incongruen-
cia interna, realzada por los colores chillones, como *Grupo de figuras* viene a revitalizar
la ancestral tradición artística de la escultura de jardín figurativa.

Jennifer Allora Estadounidense, nacida en 1974
Guillermo Calzadilla Cubano, nacido en 1971

Stop, Repair, Prepare: Variations on Ode to Joy for a Prepared Piano No. 1. (Parar, reparar, preparar: variaciones sobre Oda a la alegría para piano preparado n.º 1.) 2008

Piano Bechstein preparado, 101,6 × 170,2 × 213,4 cm, duración de la *performance*: 25 minutos
Donación de la fundación Julia Stoschek, Düsseldorf
Pianista: Amir Khosrowpour

Combinando escultura y *performance*, *Stop, Repair, Prepare: Variations on Ode to Joy for a Prepared Piano No. 1.* requiere la participación de un músico que interpreta parte de la *Novena sinfonía* de Beethoven introducido de pie en un agujero tallado en el centro de un piano de cola. Desde su posición en el hueco circular del instrumento, el o la pianista se inclina sobre el teclado para tocar –invertido y hacia atrás– el famoso cuarto movimiento de la *Novena sinfonía* de Beethoven, conocido habitualmente como "Oda a la alegría". El/la pianista camina mientras toca, impulsando lentamente por el

espacio el instrumento, que va montado sobre ruedas.

Lo que se escucha en esta pieza ideada por el dúo artístico formado por Allora y Calzadilla es una versión de la oda estructuralmente incompleta –el agujero del piano deja dos octavas inoperativas–. El hueco modifica de manera fundamental tanto la dinámica intérprete-instrumento como la melodía característica, haciendo resaltar las contradicciones y ambigüedades de una pieza musical que desde hace mucho tiempo ha sido invocada como un símbolo de valores humanistas y orgullo nacional por gobiernos con agendas políticas enormemente divergentes.

"Pedimos a los músicos que reinventen sus habilidades o que las utilicen para configurar nuevos gestos o formas que no formen parte de su vocabulario habitual", dicen los artistas. "Además, esa idea de modificar las habilidades no acaba en el intérprete. Se pide al público que modifique también su habilidad de contemplar". De este modo Allora y Calzadilla subvierten los cometidos tradicionales y esperados del artista y el público.

El Anatsui Ghanés, nacido en 1944

Bleeding Takari II (Takari sangrante II). 2007

Aluminio y cable de cobre
393,7 × 576,6 cm
Donación de Donald L. Bryant, Jr. y Jerry Speyer

Los tapices de gran escala de El Anatsui están hechos a base de tapones usados y precintos metálicos de botellas de licor. El artista conecta esos materiales con cable de cobre, doblando luego el "tejido" resultante en pliegues horizontales y colgándolo en la pared. Anatsui recibió por primera vez el reconocimiento internacional en los años noventa por su trabajo en madera y cerámica. A finales de esa década empezó a utilizar tapones desechados, que le atrajeron en parte por cómo sus formas torcidas conservan rastros de las manos que los sacaron de la botella y los tiraron. Unidos, los tapones y los precintos metálicos aluden a la importancia del licor como mercancía del comercio internacional en el África colonial y poscolonial.

Las partes rojas de la superficie metálica de *Bleeding Takari II* parecen empapar la "tela" y gotear como sangre hasta el suelo. Sin embargo, esa violencia que lleva implícita no tiene por qué considerarse enteramente destructiva. Según afirma Anatsui, la regeneración "llega también con sangre, como en un parto" y la ruptura y el deterioro pueden ser también "condición para un nuevo crecimiento, un renacer". Anatsui utiliza de manera libre el término "Takari" para referirse, según sus propias palabras, a "cualquier cosa, persona, objeto, país o incluso continente". Así pues, la parte "sangrante" del título podría describir el estado de una persona concreta, de un grupo o de todo lo vivo.

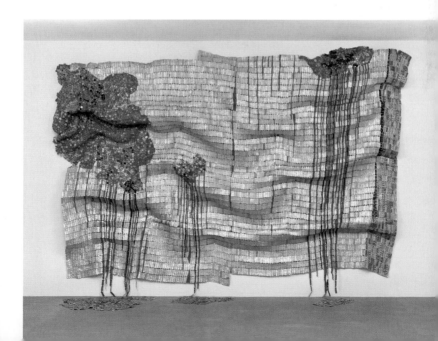

Thomas Schütte
Alemán, nacido en 1954

Krieger. 2012

Madera, dos figuras, 302,9 × 125,7 × 114,6 cm
y 298,5 × 144,8 × 143,5 cm
Adquirido gracias a la generosidad de un
grupo de administradores y miembros del
comité del Museum of Modern Art y el
Committee on Painting and Sculpture Funds

Krieger, vocablo alemán que significa "guerrero", tanto en singular como en plural,
identifica dos figuras de madera de gran
tamaño. Una de ellas, con tan solo un
muñón por brazo derecho y un torso al que
le falta la parte inferior, se yergue sobre dos
piernas nudosas similares a zancos que le
llegan hasta el pecho. La otra, con toda su
longitud definida de manera más completa,
afianza los pies y tiene agarrada una vara
como si se aprestase a defenderse. No
queda claro si se trata de compañeros u
oponentes.

Aunque las figuras se suman a una tradición de escultura figurativa monumental
que se remonta a muchos siglos atrás, su
realización las sitúa rotundamente en el XXI.

Escaneos digitales de dos pequeñas figuras
talladas a mano sirvieron de moldes tridimensionales para estos colosos actuales.
(Cabe deducir el tamaño de las figuras iniciales por el tocado de los guerreros, moldeado
a partir de las chapas de botella que lleva-
ban los originales). Schütte talló manualmente la superficie de las esculturas a fin de
conseguir una articulación exacta de sus
rasgos faciales y sus matices corporales. A
continuación utilizó un soplete para ennegre-
cerlas, dramatizando el aspecto de la
madera de pino.

La obra realizada por Schütte en los
treinta últimos años lo ha convertido en líder
de una generación de escultores que ha querido conferir autenticidad para el presente a
la tradición figurativa. Como todas las esculturas del artista, los *Krieger* son personajes
intemporales e imaginarios, aunque aborden
de manera implícita el agobiante legado histórico del siglo XX.

Índice de ilustraciones

Aalto, Alvar: *Butaca Paimio*, 129

Acconci, Vito: *Following Piece* (*Pieza de seguimiento*), 272

Adams, Ansel: *Otoño, Yosemite Valley*, 150

Adams, Robert: *Pikes Peak Park, Colorado Springs*, 284

Albers, Anni: *Diseño para una alfombra de Esmirna*, 107

Allora, Jennifer, and Guillermo Calzadilla: *Stop, Repair, Prepare: Variations on Ode to Joy for a Prepared Piano No. 1* (*Parar, reparar, preparar: variaciones sobre Oda a la alegría para piano preparado 1*), 370

Álvarez Bravo, Manuel: *La Hija de los Danzantes*, 143

Alÿs, Francis: *Untitled* (*series for The Modern Procession: June 23, 2002, New York City*) (*Sin título* (*serie para La procesión moderna, 23 de junio de 2002, Nueva York*)), 354

Anatsui, El: *Bleeding Takari II* (*Takari sangrante II*), 371

Andre, Carl: *Equivalent V* (*Equivalente V*), 255

Arbus, Diane: *Muchacho con canotier esperando para participar en un desfile de apoyo a la guerra, Nueva York*, 212

Arp, Jean: *Sin título* (*Collage organizado según las leyes del azar*), 72

Atget, Eugène: *Almacén, avenue des Gobelins*, 88

Grupo Atlas, El /Walid Raad: *My Neck is Thinner Than a Hair: Engines* (*Mi cuello es más fino que un cabello: motores*), 338

Bacon, Francis: *Estudio de babuino*, 187

Balla, Giacomo: *Golondrinas: líneas de movimiento + sucesiones dinámicas*, 55

Balthus: *La calle*, 141

Barnard, John, y Ferrari S.p.A.: *Coche de carreras de fórmula 1 641/2*, 305

Barney, Matthew: *El gabinete de Baby Fay La Foe*, 352

Bearden, Romare: *Colcha de retazos*, 266

Becher, Bernd, y Hilla Becher: *Castilletes*, 249

Beckmann, Max: *Partida*, 139

Bender, Walter. Véase Pentagram

Beuys, Joseph: *Sinfonía siberiana Eurasia 1963*, 264

Bigelow, Kathryn: *En tierra hostil*, 364

Blizzard, Christopher. Véase Pentagram

Boccioni, Umberto: *Formas únicas de continuidad en el espacio*, 56

Bonnard, Pierre: *Desnudo en cuarto de baño*, 136

Bontecou, Lee: *Sin título*, 220

Bourgeois, Louise: *Ode à l'oubli* (*Oda al olvido*), 344; *Quarantania I*, 161

Brakhage, Stan: *El texto de la luz* (*The Text of Light*), 260

Brancusi, Constantin: *Maiastra*, 43

Braque, Georges: *Homenaje a J. S. Bach*, 54

Brassaï: *Kiki cantando, Cabaret des Fleurs, Montparnasse*, 140

Breuer, Marcel: *Sillón Club* (*B3*), 100

Broodthaers, Marcel: *Vitrina blanca y mesa blanca*, 231

Bruckman, Clyde. Véase Keaton

Brüs, Gunter: *Wiener Spaziergang* (*Paseo vienés*), 308

Buren, Daniel: *Tissu en coton rayé de bandes verticales blanches et colorées de 8,7 cm (+/- 0,3 cm) chacune. Les deux bandes extrêmes blanches recouvertes de peinture acrylique blanche rectoverso*, 270

Burle Marx, Roberto: *Detalle del plano del Parque Ibirapuera, proyecto Jardines Cuatricentenarios, São Paulo, Brasil*, 191

Cadora, Eric. Véase Kurgan

Cai Guo-Qiang: *Dibujo para arco iris transiente*, 358

Calder, Alexander: *Gibraltar*, 135

Callahan, Harry: *Chicago*, 178

Calzadilla, Guillermo. Véase Allora

Capa, Robert: *Muerte de un miliciano de la República, frente de Córdoba* (*España*), 144

Cardiff, Janet: *El motete a cuarenta voces*, 340

Carter, Matthew: *Verdana*, 348

Cartier-Bresson, Henri: *Sevilla*, 132

Castiglioni, Achille, and Pier Giacomo Castiglioni: *Lámpara de pie Arco*, 232

Catlett, Elizabeth: *Aparcera*, 183

Celmins, Vija: *Superficie lunar* (*Surveyor I*), 291

Cézanne, Paul: *El bañista*, 14; *Follaje*, 36

Chagall, Marc: *Yo y la aldea*, 49

Chan, Paul: *1st Light* (*Primera luz*), 356

Chaplin, Charles: *La quimera del oro* (*The Gold Rush*), 116

Chirico, Giorgio de: *Canto de amor*, 62

Clark, Lygia: *El interior es el exterior*, 247

Close, Chuck: *Robert/104,072*, 253

Coen, Joel, and Ethan Coen: *Fargo*, 342

Cook, Peter: *Ciudad de quita y pon*, 246

Coppola, Francis Ford: *La conversación* (*The Conversation*), 285

Cornell, Joseph: *El joyero de Marie Taglioni*, 149

d'Albisola, Tullio: *Parole in libertà futuriste, tattili-termiche olfattive*, 84

Dalí, Salvador: *Persistencia de la memoria*, 130

Davis, Stuart: *Odol*, 126

DeCarava, Roy: *Shirley abrazando a Sam*, 192

Degas, Hilaire-Germain-Edgar: *En la sombrerería*, 31

Delaunay, Robert: *Contrastes simultáneos: sol y luna*, 60

Delaunay-Terk, Sonia: *La Prose du Transsibérien et de la petite Jehanne de France*, 61

Demand, Thomas: *Votación*, 349

Derain, André: *Puente sobre el Riou*, 37

Deren, Maya: *Mallas de la tarde (Meshes of the Afternoon)*, 151

De Sica, Vittorio: *Ladrón de bicicletas (Ladri di biciclette)*, 183

diCorcia, Philip-Lorca: *Eddie Anderson; 21 años; Houston, Texas; $20*, 331

Diebenkorn, Richard: *Ocean Park 115*, 261

Dijkstra, Rineke: *Odessa, Ucrania*, 341

Disney, Walt: *Steamboat Willie*, 114

Dix, Otto: *El doctor Mayer-Hermann*, 111

Doesburg, Theo van, y Cornelis van Eesteren: *Proyecto Contra-Construcción*, 106

Donnelly, Trisha: *Operadora de raso*, 359

Dresser, Christopher: *Jarra de vino*, 17

Dreyer, Carl Theodor: *La Pasión de Juana de Arco (La Passion de Jeanne d'Arc)*, 85

Dubuffet, Jean: *Joë Bousquet en la cama*, de *Más guapos de lo que creen*, 186

Duchamp, Marcel: *Rueda de bicicleta*, 71; *3 Stoppages-étalon*, 73

Dumas, Marlene: *The Painter (La pintora)*, 326

Eames, Charles, y Ray Eames: *Silla auxiliar (Modelo LCM)*, 172

Eastwood, Clint: *Sin perdón (Unforgiven)*, 328

Eesteren, Cornelis van. Véase Doesburg

Eggleston, William: *Memphis*, 239

Eisenstein, Sergei: *El acorazado Potemkin (Bronenosets Potemkin)*, 94

Eliason, Eben. Véase Pentagram

Eliasson, Ólafur: *Solo veo las cosas cuando se mueven*, 361

Ensor, James: *La venganza de Hop-Frog*, 29

Ernst, Max: *El sombrero hace al hombre*, 70; *Dos niñas son amenazadas por un ruiseñor*, 83

Escuela de arquitectura, planificación y conservación para graduados de la Universidad de Columbia. Véase Kurgan

Evans, Walker: *Muestrario de fotos de carnet, Savannah, Georgia*, 133

EXPORT, VALIE: *Zeit und Gegenzeit (Tiempo y contratiempo)*, 286

Farocki, Harun: *Juegos serios I: Watson ha caído*, 365

Fellini, Federico: *Ocho y medio (Otto e mezzo)*, 233

Fischinger, Oskar: *Motion Painting I*, 195

Flaherty, Robert J.: *Nanuk el esquimal (Nanook of the North)*, 121

Flavin, Dan: *Sin título (al "innovador" del cristal soplado melocotón de Wheeling)*, 250

Fluxus, artistas de, véase Maciunas

Fontana, Lucio: *Concepto espacial*, 189

Ford, John: *Pasión de los fuertes (My Darling Clementine)*, 171

Francis, Sam: *Gran rojo*, 196

Frank, Robert: *Desfile, Hoboken, Nueva Jersey*, 200

Frankenthaler, Helen: *La escala de Jacob*, 193

Fraser, Andrea: *La vida pública del arte: el museo*, 324

Freud, Lucian: *Cabeza grande*, 318

Friedlander, Lee: *Galax, Virginia*, 235

Fritsch, Katharina: *Grupo de figuras*, 369

Gallagher, Ellen: *Bad Skin* y *Blow-up* de *DeLuxe*, 367

Gauguin, Paul: *La semilla de los areois (Te aa no areois)*, 22

Gego: *Dibujo sin papel*, 293

Gehry, Frank O.: *Chaise longue Bubbles*, 304

Genzken, Isa: *Imagen*, 316

Geyer, Andrea, Sharon Hayes, Ashley Hunt, Katya Sander y David Thorne: *9 guiones procedentes de una nación en guerra*, 363

Giacometti, Alberto: *El carro*, 188; *El palacio a las cuatro de la mañana*, 148

Glaser, Milton: *I♥NY*, 279

Gober, Robert: *Sin título*, 322

Godard, Jean-Luc: *Historia(s) del cine*, 311

Gogh, Vincent van: *La noche estrellada*, 25

Goldin, Nan: *Nan y Brian en la cama, Nueva York*, 296

Gonzalez-Torres, Felix: *"Sin título" (Muerte por arma de fuego)*, 332

Gorky, Arshile: *Diario de un seductor*, 160

Graham, Dan: *Tract Houses, Bayonne, NJ, 1966, from Homes for America (Casas de serie, Bayonne, Nueva Jersey, 1966, de Hogares para Estados Unidos*, 248

Graumans, Rody: *Lámpara de 85 bombillas*, 312

Gray, Eileen: *Biombo*, 105

Griffith, D. W.: *Intolerancia (Intolerance)*, 78

Gris, Juan: *El desayuno*, 58

Gritti, Marco Pesenti. Véase Pentagram

Grosz, George: *"El presidiario": el ingeniero John Heartfield después de que Franz Jung intentase ponerlo en pie*, 110

Grotjahn, Mark: *Sin título (Mariposa roja 112)*, 351

Guimard, Hector: *Entrada a una estación del metro de París*, 27

Gursky, Andreas: *Baréin I*, 360

Guston, Philip: *Límites de la ciudad*, 237

Hamilton, Richard: *Pin-up*, 209

Hammons, David: *Rimbombante*, 321

Harrison, Rachel: *Alexander the Great (Alejandro Magno)*, 368

Hawks, Howard: *Luna nueva (His Girl Friday)*, 152

Hayes, Sharon. Véase Geyer

Heckel, Erich: *Fränzi recostada*, 46

Hesse, Eva: *Repetición 19, III*, 243

Hitchcock, Alfred: *Recuerda*, 163

Höch, Hannah: *Bailarina india: de un museo etnográfico*, 97
Hoffmann, Josef: *Sitzmaschine de respaldo ajustable*, 44
Hollein, Hans: *Torre: bujía. Proyecto*, 228
Holzer, Jenny: *Truismos*, 283
Hopper, Edward: *Casa junto al ferrocarril*, 117
Hunt, Ashley. Veáse Geyer

Irwin, Robert: *Sin título*, 241
Ive, Jonathan: *iPod*, 346
Iveković, Sanja: *Triángulo*, 298

Johns, Jasper: *Diver* (*Buzo*), 223; *Bandera*, 202
Johnston, Frances Benjamin: *Escalera de la Residencia del Tesorero: alumnos trabajando*, 45
Jonas, Joan: *Espejismo*, 320
Jucker, Carl J. Véase Wagenfeld
Judd, Donald: *Sin título* (*Pila*), 258

Kahlo, Frida: *Autorretrato con el pelo cortado*, 156
Kahn, Louis I.: *Alfred Newton Richards Medical Research Building, Universidad de Pennsylvania, Filadelfia*, 254
Kandinsky, Vassily: *Cuadro con un arquero*, 48
Katz, Alex: *Passing*, 238
Keaton, Buster, y Clyde Bruckman: *El maquinista de la "General"* (*The General*), 115
Kelly, Ellsworth: *Colores para una pared grande*, 185
Kelley, Mike: *Explorando desde la caverna de Platón, la capilla de Rothko, el perfil de Lincoln*, 310
Kentridge, William: *Mujer teléfono*, 343
Kippenberger, Martin: *Martin, Stand in the Corner and Be Ashamed of Yourself* (*Martin, plántate en el rincón y avergüénzate de ti mismo*), 323
Kirchner, Ernst Ludwig: *Calle de Dresde*, 47
Klee, Paul: *Máquina gorjeadora*, 98
Klein, Yves: *Antropometría: la princesa Elena*, 210
Klimt, Gustav: *Esperanza, II*, 40
Kline, Franz: *Chief*, 177
Kokoschka, Oskar: *Hans Tietze y Erica Tietze-Conrat*, 42
Kollwitz, Käthe: *La viuda I, Las madres* y *Los voluntarios*, de la carpeta *Guerra*, 95
Koolhaas, Rem, and Elia Zenghelis: *Los prisioneros voluntarios*, de *Éxodo* o *Los prisioneros voluntarios de la arquitectura*, 280
Kooning, Willem de: *Mujer, I*, 180
Koons, Jeff: *New Shelton Wet/Dry Doubledecker* (*New Shelton húmedo/seco en doble altura*), 300
Kubin, Alfred: *Sin título* (*La llama eterna*), 34
Kubrick, Stanley: *2001, una odisea del espacio* (*2001: A Space Odyssey*), 207
Kurgan, Laura, Eric Cadora, David Reinfurt, Sarah Williams, Laboratorio de diseño de información espacial y Escuela de arquitectura, planificación y conservación para graduados de la Universidad de Columbia: *Arquitectura y justicia* del proyecto *Cuadras de un Millón de Dólares*, 362
Kurosawa, Akira: *Rashomon*, 176
Kusama, Yayoi: *F*, 214

Laboratorio de diseño de información espacial. Véase Kurgan
Lam, Wifredo: *La jungla*, 162
Lange, Dorothea: *Mujer de las High Plains, Panhandle de Texas*, 120
Lawler, Louise: *¿Te hace llorar Andy Warhol?*, 306
Lawrence, Jacob: *La serie Migración*, 157
Le Corbusier y Pierre Jeanneret: *Villa Savoye, Poissy-sur-Seine, Francia*, 123
Léger, Fernand: *Tres mujeres*, 87
Lenica, Jan: *Surrealistas polacos*, 268
Levitt, Helen: *Nueva York*, 153
LeWitt, Sol: *Proyecto serial, I* (*ABCD*), 244
Lichtenstein, Roy: *Muchacha con pelota*, 208
Ligon, Glenn: *Sin título* (*Soy un hombre invisible*), 330
Lissitzky, El: *Proun 19D*, 66; *USSR Russische Ausstellung*, 90
Louis, Morris: *Beta lambda*, 218
Lumière, Louis: *La comida del bebé* (*Repas de bébé*), 28

Mačiūnas, George: *Un año*, 269; *Fluxkit*, 226
Magritte, René: *El falso espejo*, 89
Maholy-Nagy, László: *Cabeza*, 104
Maillol, Aristide: *El río*, 142
Malévich, Kazimir: *Composición suprematista: blanco sobre blanco*, 67
Man Ray: *Rayografía*, 108
Manzoni, Piero: *Línea de 1.000 metros de largo*, 230
Marden, Brice: *Lethykos* (*para Tonto*), 292
Marin, John: *El puente de Brooklyn* (*mosaico*), 77
Martin, Agnes: *Pájaro rojo*, 240
Matisse, Henri: *La danza* (*I*), 51; *El lanzador de cuchillos*, de *Jazz*, 184; *El estudio rojo*, 59
Matta: *The Vertigo of Eros*, 164
Matta-Clark, Gordon: *Bingo*, 274
McCarey, Leo: *Sopa de ganso* (*Duck Soup*), 124
Meireles, Cildo: *Fio* (*Hilo*), 317
Méliès, Georges: *El viaje a la luna* (*Le Voyage dans la lune*), 35
Mies van der Rohe, Ludwig: *Casa Farnsworth, Plano, Illinois*, 190; *Proyecto de rascacielos para la Friedrichstrasse, en el centro de Berlín*, 103
Minnelli, Vincente: *Cita en San Luis* (*Meet Me in St. Louis*), 198
Miró, Joan: *El pájaro bello descifrando lo desconocido a una pareja enamorada*, 158; *El nacimiento del mundo*, 82
Mitchell, Joan: *Mariquita*, 197
Moholy-Nagy, László: *Cabeza*, 104

Mondrian, Piet: *Embarcadero y océano 5 (mar y cielo estrellado)*, 53; *Broadway Boogie Woogie*, 159

Monet, Claude: *Nenúfares*, 80

Moore, Henry: *Torso grande: arco*, 256

Morris, Robert: *Sin título*, 259

Motherwell, Robert: *Elegía a la República Española, 108*, 216

Munch, Edvard: *Madona*, 32

Murnau, F. W.: *El último* (*Der letzte Mann*), 86

Murray, Elizabeth: *Dis Pair*, 303

Nauman, Bruce: *Punch y Judy II nacimiento & vida & sexo & muerte*, 315; *Ira blanca, peligro rojo, riesgo amarillo, muerte negra*, 294

Nevelson, Louise: *Catedral del cielo*, 194

Newman, Barnett: *Vir Heroicus Sublimis*, 166

Noland, Cady: *The American Trip* (*El viaje estadounidense*), 314

Nolde, Emil: *Profeta*, 33

O'Keeffe, Georgia: *Ventana y puerta de una granja*, 119

Ofili, Chris: *Príncipe entre ladrones*, 350

Oiticica, Hélio: *Caja Bólide 12, 'arqueológica'*, 227

Oldenburg, Claus: *Pantis rojos con fragmento 9*, 229

One Laptop per Child. Véase Pentagram

Oppenheim, Meret: *Objeto* (*Le Déjeuner en fourrure*), 131

Orozco, Gabriel: *Yielding Stone* (*Piedra que cede*), 327

Ozu, Yasujiro: *Cuentos de Tokio* (*Tokyo monogatari*), 169

Paik, Nam June: *Zen for TV* (*Zen para TV*), 289

Pascali, Pino: *Ponte* (*Puente*), 263

Penn, Irving: *Manga grande* (*Sunny Harnett*), *Nueva York*, 199

Pentagram, Lisa Strausfeld, Christian Marc Schmidt, Takaaki Okada, Walter Bender, Eben Eliason, One Laptop per Child, Marco Pesenti Gritti, Christopher Blizzard y Red Hat, Inc.: *Sugar Interface for the XO Laptop* (*Interfaz Sugar para el portátil XO*), 366

Picabia, Francis: *Vuelvo a ver en el recuerdo a mi querida Udnie*, 74

Picasso, Pablo: *Les Demoiselles d'Avignon*, 50; *Muchacha frente a un espejo*, 137; *Guitarra*, 52; *La mujer que llora, I*, estado VII, 138

Polke, Sigmar: *Torre de vigilancia*, 295

Pollock, Jackson: *Uno* (*número 31, 1950*), 167

Popova, Liubov Sergeievna: *Arquitectónica pictórica*, 65

Porter, Edwin S.: *Asalto y robo de un tren* (*The Great Train Robbery*), 19

Puryear, Martin: *Trofeo de la codicia*, 302

Rainer, Yvonne: *Trio A* (*The Mind is a Muscle, Part 1*) (*Trío A* (*La mente es un músculo, parte 1ª*)), 287

Rauschenberg, Robert: *Cama*, 181; *Canto XXXI: La sima central de Malebolge, los gigantes*:

Ilustración para el *Infierno* de Dante, 201

Ray, Charles: *Romance familiar*, 313

Ray, Satyajit: *La canción del camino* (*Pather panchali*), 204

Red Hat, Inc. Véase Pentagram

Redon, Odilon: *Rugiero y Angélica*, 39

Reinfurt, David. Véase Kurgan

Reinhardt, Ad: *Pintura abstracta*, 215

Renoir, Jean: *La gran ilusión* (*La grande illusion*), 112

Richter, Gerhard: *18 de octubre de 1977*, 297

Rietveld, Gerrit: *Sillón Rojo Azul*, 69

Rist, Pipilotti: *Ever Is Over All*, 347

Rivera, Diego: *El caudillo agrarista Zapata*, 146

Rockburne, Dorothea: *Escalar*, 251

Rodchenko, Aleksandr: *Reunión para un desfile*, 93; *Construcción espacial número 12*, 91

Rodin, Auguste: *Monumento a Balzac*, 20

Roller, Alfred: *Cartel de la 16ª exposición de Secesión*, 26

Rosenquist, James: *F-111*, 206

Rosler, Martha: *Cleaning the Drapes* (*Limpiando las cortinas*), 273

Roth, Dieter: *Literaturwurst* (*Embutido de literatura*), 236

Rothko, Mark: *N.° 3/N.° 13*, 168

Rousseau, Henri: *La bohemia dormida*, 23

Rozanova, Olga: *Aviones sobre la ciudad* de *Voina* (*Guerra*), 64

Ruscha, Edward: *Oof*, 224

Ryman, Robert: *Twin* (*Gemelo*), 219

Salcedo, Doris: *Sin título*, 339

Sander, August: *Diputado y primer delegado del Partido Demócrata* (*Johannes Scheerer*), 113

Sander, Katya. Véase Geyer

Sapper, Richard: *Lámpara de mesa Tizio*, 278

Schiele, Egon: *Muchacha de pelo negro*, 41

Schlemmer, Oskar: *Escalera de la Bauhaus*, 99

Schmidt, Christian Marc. Véase Pentagram

Schmidt, Michael: *EIN-HEIT* (*UNI-DAD*), 325

Schneemann, Carolee: *Up to and Including Her Limits* (*Hasta e incluyendo sus límites*), 276

Schütte, Thomas: *Krieger*, 372

Schütte-Lihotzky, Grete: *Cocina de Fráncfort, de la urbanización Ginnheim-Höhenblick, Fráncfort del Meno*, 102

Schwitters, Kurt: *Merzbild 32A* (*El cuadro de las cerezas*), 96

Scorsese, Martin: *Toro salvaje* (*Raging Bull*), 299

Segal, George: *El conductor de autobús*, 221

Sembene, Ousmane: *Xala*, 275

Serra, Richard: *Intersection II*, 329; *Untitled* (*14-part roller drawing*) (*Sin título* (*dibujo a rodillo en 14 partes*)), 290

Seurat, Georges-Pierre: *Atardecer, Honfleur*, 24

Severini, Gino: *Tren blindado en acción*, 57

Sheeler, Charles: *Paisaje americano*, 122

Sherman, Cindy: *Fotograma sin título 21*, 281

Shore, Stephen: *Breakfast, Trail's End Restaurant, Kanab, Utah* (*Desayuno, restaurante Trail's End, Kanab, Utah*), 267

Signac, Paul: *Opus 217. Sur l'émail d'un fond rhythmique des mesures et d'angles, de tons et des teintes, portrait de M. Félix Fénéon en 1890* (*Opus 217. Sobre el esmalte de un fondo rítmico de compases y ángulos, tonos y tintas, retrato del señor Félix Fénéon en 1890*), 16

Siqueiros, David Alfaro: *Suicidio colectivo*, 147

Smalley, Phillips. Véase Weber

Smith, Tony: *Die* (*Dado*), 257

Smith, David: *Australia*, 175

Smithson, Robert: *Espejo de ángulo con coral*, 242

Snow, Michael: *Sink* (*Fregadero*), 288

Steichen, Edward: *Orto de luna, Mamaroneck, Nueva York*, 38

Stella, Frank: *Las bodas de la Razón y la Miseria, II*, 203

Sternberg, Josef von: *El ángel azul* (*Der blaue Engel*), 109

Stevens, George: *En alas de la danza* (*Swing Time*), 125

Stieglitz, Alfred: *Manzanas y hastial, Lake George*, 118

Still, Clyfford: *1944-N N.º 2*, 165

Strand, Paul: *Quinta Avenida, Nueva York*, 76

Strausfeld, Lisa. Véase Pentagram

Sudo, Reiko: *Pañuelo plegado en origami*, 319

Sutnar, Ladislav: *Prototype for Build the Town building blocks* (*Prototipo de bloques de construcción para Construye el pueblo*), 173

Taeuber-Arp, Sophie: *Tête Dada* (*Cabeza Dadá*), 63

Takaaki, Okada. Véase Pentagram

Talbot, William Henry Fox: *Encaje*, 15

Thorne, David. Véase Geyer

Tiravanija, Rirkrit: *Untitled* (*Free/Still*) (*Sin título* (*Gratis/Todavía*)), 333

Tomatsu, Shomei: *Hombre con cicatrices queloides*, 217

Torres-García, Joaquín: *Construcción en blanco y negro*, 134

Toulouse-Lautrec, Henri de: *Divan Japonais*, 30

Trockel, Rosemarie: *Untitled* (*Sin título*), 301

Tuymans, Luc: *Lumumba*, 345

Twombly, Cy: *Leda y el cisne*, 222

United Architects: *World Trade Center Proposal* (*Propuesta para el World Trade Center*), 357

Varios artistas: *Fluxkit*, 226

Venturi, Robert: *Casa Vanna Venturi, Chestnut Hill, Pennsylvania*, 225

Vertov, Dziga: *Chelovek S. Kinoapparatom* (*El hombre de la cámara de cine*), 92

Villeglé, Jacques de la: *122 rue du temple*, 282

Vuillard, Édouard: *Interior, la madre y la hermana del artista*, 21

Wagenfeld, Wilhelm, y Carl J. Jucker: *Lámpara de mesa*, 101

Walker, Kara: *Exodus of Confederates from Atlanta* from *Harper's Pictorial History of the Civil War* (*Annotated*) (*Éxodo de los confederados de Atlanta* extraído de *Historia pictórica Harper de la Guerra Civil* (*con anotaciones*)), 355

Wall, Jeff: *Según el prólogo de "Invisible Man" de Ralph Ellison*, 353

Warhol, Andy: *Latas de sopa Campbell*, 234; *Empire*, 213; *Marilyn Monroe de oro*, 211

Watkins, Carleton: *Late George Cling Peaches* (*Melocotones tardíos George Cling*), 18

Weber, Lois, y Phillips Smalley: *Suspense*, 75

Weegee: *Harry Maxwell muerto a tiros en un coche*, 155

Weems, Carrie Mae: *You Became a Scientific Profile, A Negroid Type, An Anthropological Debate, & A Photographic Subject* from *From Here I Saw What Happened and I Cried* (*Te has convertido en perfil científico, en tipo negroide, en debate antropológico & en tema fotográfico* extraídas de *Vi lo ocurrido desde aquí y lloré*), 337

Wegman, William: *Combinaciones de familia*, 245

Weiner, Lawrence: *Moved from Up Front* (*Movido desde Delante*), 271

Welles, Orson: *Ciudadano Kane* (*Citizen Kane*), 154

Weston, Edward: *México, D.F.*, 128

White, Charles: *Solid as a Rock* (*My God is Rock*) (*Sólido como una roca* (*Mi Dios es una roca*)), 179

Whiteread, Rachel: *Water Tower* (*Torre de agua*), 334

Wilke, Hannah: *S.O.S. –Starification Object Series–*, 277

Williams, Sarah. Véase Kurgan

Wingquist, Sven: *Rodamiento de bolas de autoalineación*, 127

Winogrand, Garry: *Baile del Centenario, Metropolitan Museum, Nueva York*, 252

Winsor, Jackie: *Pieza quemada*, 262

Wool, Christopher: *Untitled* (*Sin título*), 336

Wright, Frank Lloyd: *La Miniatura, Casa Mrs. George Madison Millard, Pasadena, California*, 81; *Dos ventanas altas de la Avery Coonley Playhouse, Riverside, Illinois*, 68

Wyeth, Andrew: *Christina's World* (*El mundo de Christina*), 170

Yokoo, Tadanori: *Japanese Society for the Rights of Authors, Composers, and Publishers*, 307

Young, Arthur: *Helicóptero Bell-47D1*, 174

Zenghelis, Elia. Véase Koolhaas

Zittel, Andrea: *Vehículo de huida A-Z: personalizado por Andrea Zittel*, 335

Agradecimientos

Se agradecen sus importantes aportaciones a este libro a:

Directores de proyecto
Marisa Beard, David Frankel, Christopher Hudson, Charles Kim, Kara Kirk, Peter Reed, Marc Sapir

Selección de imágenes
Barry Bergdoll, Sabine Breitwieser, Connie Butler, Christophe Cherix, Roxana Marcoci, Sarah Meister, Eva Respini, Rajendra Roy, Ann Temkin

Secuencia de imágenes
Mary Lea Bandy, John Elderfield, David Frankel, Beatrice Kernan

Autores
Introducción: Glenn D. Lowry. Arquitectura y Diseño: Paola Antonelli, Barry Bergdoll, Bevin Cline, Pedro Gadanho, Juliet Kinchin, Luisa Lorch, Matilda McQuaid, Christopher Mount, Peter Reed, Terence Riley. Dibujos: Esther Adler, Mary Chan, Magdalena Dobrowski, Samantha Friedman, Geaninne Guimaraes, Kristin Helmick-Brunet, Laura Hoptman, Jordan Kantor, Ingrid Langston, Angela Meredith-Jones, John Prochilo, Margit Rowell, Rachel Warner. Cine: Mary Lea Bandy, Sally Berger, Mary Corliss, John Harris, Jenny He, Steven Higgins, Jytte Jensen, Laurence Kardish, Anne Morra, Josh Siegel, Charles Silver. Medios y Performance: Sabine Breitwieser, Martin Hartung, Ana Janevski, Barbara London, Leora Morinis, Erica Papernik, Stephanie Weber. Pintura y Escultura: Doryun Chong, Fereshteh Daftari, Leah Dickerman, David Frankel, Claire Henry, Megan Heuer, Laura Hoptman, Roxana Marcoci, Angela Meredith-Jones, María José Montalva, Paulina Pobocha, Kristin Romberg, Ann Temkin, Lilian Tone, Anne Umland. Fotografía: Marina Chao, Peter Galassi, Lucy Gallun, Susan Kismaric, Roxana Marcoci, Sarah Meister, Eva Respini. Grabados y libros Ilustrados: Katherine Alcauskas, Kim Conaty, Starr Figura, Judy Hecker, Carol Smith, Sarah Suzuki, Gretchen Wagner

Editoras
Harriet Schoenholz Bee, Joanne Greenspun, Cassandra Heliczer, Sarah McFadden, Laura Morris

Fotografías
Peter Butler, George Calvo, Robert Gebhardt, Thomas Griesel, Kate Keller, Paige Knight, Erik Landsberg, Jonathan Muzikar, Mali Olatunji, John Wronn

Diseño
Katy Homans, Tina Henderson (fotocomposición)

Producción
Matthew Pimm

Asociados
Genevieve Allison, Klaus Biesenbach, Connie Butler, Marina Chao, Leah Dickerman, Starr Figura, Paul Galloway, Lucy Gallun, Blair Hartzell, Jodi Hauptman, Caitlin Kelly, Danielle King, Stephanie Kingpetcharat, Tasha Lutek, Cara Manes, Anne Morra, John Prochilo, Justin Rigby, Ashley Swinnerton, Lilian Tone, Stephanie Weber, Catherine Wheeler, Makiko Wholey, Ashley Young

Créditos fotográficos

Las diferentes obras de arte que aparecen en este libro pueden estar protegidas por copyright en Estados Unidos o en otros lugares, por lo que no se permite su reproducción en modo alguno sin permiso de los derechohabientes. En algunos casos las referencias de copyright que figuran bajo estas líneas se aportan a petición de los propietarios de los derechos. Para reproducir las imágenes contenidas en esta publicación, el Museo ha recabado el permiso de esos propietarios siempre que ello ha sido posible. En caso de que el Museo no haya conseguido localizarlos, a pesar de sus intentos de buena fe, se solicita información relativa a los derechohabientes a fin de que pueda establecerse contacto con ellos para futuras ediciones.

Las obras de los siguientes artistas contenidas en este libro tienen todas ellas © 2012 a su nombre respectivo:Vito Acconci, Robert Adams, Jennifer Allora y Guillermo Calzadilla, Francis Alÿs, El Anatsui, The Atlas Group/Walid Raad, Ay-O (p. 226), Matthew Barney, Hilla Becher, Lee Bontecou, Günter Brus, Daniel Buren, Cai Guo-Qiang, Janet Cardiff, Vija Celmins, Paul Chan, Chuck Close, Philip-Lorca diCorcia, Rineke Dijkstra, Trisha Donnelly, Marlene Dumas, William Eggleston, Ólafur Eliasson, Lee Friedlander, Isa Genzken, Andrea Geyer, Robert Gober, Nan Goldin, Dan Graham, Mark Grotjahn, David Hammons, Rachel Harrison, Sharon Hayes, Hans Hollein, Jenny Holzer, Ashley Hunt, Robert Irwin, Sanja Iveković, Joan Jonas, Alex Katz, Ellsworth Kelly, William Kentridge, Alison Knowles (p. 226), Rem Koolhaas, Jeff Koons, Yayoi Kusama, Louise Lawler, Jacob Lawrence, Glenn Ligon, Cildo Meireles, Robert Morris, Bruce Nauman, Cady Noland, Chris Ofili, Claes Oldenburg, Pentagram, Martin Puryear, Charles Ray, Gerhard Richter, Pipilotti Rist, Dorothea Rockburne, Martha Rosler, Edward Ruscha, Robert Ryman, Doris Salcedo, Katya Sander, Richard Sapper, Michael Schmidt, Carolee Schneemann, Richard Serra, Cindy Sherman, Mieko Shiomi (p. 226), Stephen Shore, Michael Snow, Frank Stella, Reiko Sudo, Rirkrit Tiravanija, David Thorne, Shomei Tomatsu, Rosemarie Trockel, Luc Tuymans, Robert Venturi, Kara Walker, Jeff Wall, Carrie Mae Weems, William Wegman, Rachel Whiteread, Jackie Winsor, Christopher Wool, Tadanori Yokoo, Andrea Zittel

Se hacen valer asimismo los siguientes copyrights: © 2012 The Ansel Adams Publishing Rights Trust: p. 150. © 2012 The Josef and Anni Albers Foundation/Artists Rights Society (ARS), Nueva York: p. 107. © Carl Andre/con licencia de VAGA, Nueva York: p. 255. © Aperture Foundation, Inc., Paul Strand Archive: p. 76. © Herederos de Diane Arbus: p. 212. © Archigram 1964: p. 246. © 2012 Artists Rights Society (ARS), Nueva York: pp. 146, 203 241, 251, 259, 271, 276, 283, 290, 315, 329. © 2012 Artists Rights Society (ARS), Nueva York/ADAGP, París: pp. 16, 21, 37, 43, 48, 49, 54, 58, 70, 75, 83, 87, 136, 141, 142, 148, 162, 164, 186, 188, 210, 226 (Ben Vautier), 268, 270, 282. © 2012 Artists Rights Society (ARS), Nueva York/ADAGP, París/Herederos of Marcel Duchamp: p. 71, 73. © 2012 Artists Rights Society (ARS), Nueva York/ADAGP, París/FLC: p. 123. © 2012 Artists Rights Society (ARS), Nueva York/Beeldrecht, Amsterdam: p. 69. © 2012 Artists Rights Society (ARS), Nueva York/DACS, Londres: p. 209. © 2012 Artists Rights Society (ARS), Nueva York/Pro Litteris, Zúrich: pp. 42, 131. © 2012 Artists Rights Society (ARS), Nueva York/SABAM, Bruselas: pp. 29, 231. © 2012 Artists Rights Society (ARS), Nueva York/SIAE, Roma: pp. 62, 230. © 2012 Artists Rights Society (ARS), Nueva York/VEGAP, España: p. 134. © 2012 Artists Rights Society (ARS), Nueva York/VG Bild-Kunst, Bonn: pp. 34, 46, 63, 66, 72, 80, 95, 96, 98, 103, 104, 106, 111, 113, 139, 190, 226 (para George Brecht), 264, 301, 349, 360, 369, 372. © 2012 Herederos de Francis Bacon/Artists Rights Society (ARS), Nueva York/DACS, Londres: p. 187. © Romare Bearden Foundation/con licencia de VAGA, Nueva York: p. 266. © 2012 Caroline Bos: p. 357. © 2012 Louise Bourgeois Trust: pp. 161, 344. © Herederos de Brassaï–RMN–Grand Palais: p. 140. © 2012 Herederos de Manuel Álvarez Bravo/Artists Rights Society (ARS), Nueva York/ADAGP, París: p. 143. © 2012 Burle Marx & Cia. Ltda: p. 191. © 2012 Calder Foundation, Nueva York/Artists Rights Society (ARS), Nueva York: p. 135. © 2012 Herederos de Harry Callahan: p. 178. © 2012 Henri Cartier-Bresson/Magnum Photos: p. 132. © 1981 Center for Creative Photography, Arizona Board of Regents: p. 128. © World of Lygia Clark Cultural Association: p. 62. © Columbia Pictures Corp.: p. 152. © The Joseph and Robert Cornell Memorial Foundation/con licencia de VAGA, Nueva York: 149. © 2012 Salvador Dalí, Gala-Salvador Dalí Foundation/Artists Rights Society (ARS), Nueva York: p. 130. © Herederos de Stuart Davis/con licencia de VAGA, Nueva York: p. 126. © 2012 Sherry Turner DeCarava: p. 192. © Dedalus Foundation, Inc./con licencia de VAGA, Nueva York, NY: p. 216. © 2012 Herederos de Richard Diebenkorn: p. 261. TM Marlene Dietrich Collection GmbH, Múnich: p. 109. © Disney: pp. 114, 163. © 2012 Walker Evans Archive, The Metropolitan Museum of Art: p. 133. © 2012 VALIE EXPORT/Artists Rights Society (ARS), Nueva York/VBK, Austria: p. 286. © 2012 Harun Farocki Filmproduktion: p. 365. © Fischinger Trust, foto por gentileza del Fischinger Trust: p. 195. © 2012 Herederos de Dan Flavin/Artists Rights Society (ARS), Nueva York: p. 250. © 2012 Herederos de Sam Francis/Artists Rights Society (ARS), Nueva York: p. 196. © Robert Frank, de *The Americans*: p. 200. © 2012 Helen Frankenthaler/Artists Rights Society (ARS), Nueva York: p. 193. © The Lucian Freud Archive: p. 318. © 2012 Ellen Gallagher y Two Palms Press: p. 367. © Gaumont, foto Production Gaumont, 1996: p. 311. © 2012 Fundación Gego: p. 293. © The Félix González-Torres Foundation: p. 332. © 2012 Herederos de Arshile Gorky/Artists Rights Society (ARS), Nueva York: p. 160. © Herederos de George Grosz/con licencia de VAGA, Nueva York: p. 110. © 2012 Herederos de Philip Guston: p. 237. © 2012 C. Herscovici, Bruselas/Artists Rights Society (ARS), Nueva York: p. 88. © 2012 Herederos de Eva Hesse, Galerie Hauser & Wirth, Zúrich: p. 243. © 2012 Hannah Höch/Artists Rights Society (ARS), Nueva York/VG Bild-Kunst, Bonn: p. 97. © 2007 Timothy Hursley: contraportada. © International Center of Photography/Magnum Photos: p. 144. © Jasper Johns/con licencia de VAGA, Nueva York: pp. 202, 223. © Judd Foundation/con licencia de VAGA, Nueva York: p. 258. © 2012 Frida Kahlo/Artists Rights Society (ARS), Nueva York/SOMAAP, México: p. 156. © 2012 Herederos de Louis I. Kahn: p. 254. © Alex Katz/con licencia de VAGA, Nueva York: p. 238. © 2012 Mike Kelley Foundation for the Arts: p. 310. © 2012 Herederos de Martin Kippenberger, Galerie Gisela Capitain, Colonia: p. 323. © 2012 Herederos de Franz Kline/Artists Rights Society (ARS), Nueva York: p. 177. © 2012 The Willem de Kooning Foundation/Artists Rights Society (ARS), Nueva York: p. 180. © Laura Kurgan, Spatial Information Design Lab, GSAPP, Columbia University: p. 362. © L&M SERVICES B.V., La Haya, 20120506: p. 61. © Herederos de Helen Levitt: p. 153. © 2012 Sol LeWitt/Artists Rights Society (ARS), Nueva York: p. 244. © Herederos de Roy Lichtenstein: p. 208. © 1961 Morris Louis: p. 218. © Billie Maciunas: p. 269. © 2012 Man Ray Trust/Artists Rights Society (ARS), Nueva York/ADAGP, París: p. 108. © 2012 Herederos de John Marin/Artists Rights Society (ARS), Nueva York: p. 77. © 2012 Herederos de Agnes Martin/Artists Rights Society (ARS), Nueva York: p. 240. © 2012 Succession H. Matisse, París/Artists Rights Society (ARS), Nueva York: pp. 51, 59, 184. © 2012 Herederos de Gordon Matta-Clark/Artists Rights Society (ARS), Nueva York: p. 274. © Terry McCoy/McCoy Projects, Inc.: p. 324. © 1980 Metro-Goldwyn-Mayer Studios Inc., reservados todos los derechos: p. 299. © 2012 Microsoft Corporation: p. 348. © 2012 Successió Miró/Artists Rights Society (ARS), Nueva York/ADAGP, París: pp. 82, 158. © Herederos de Joan Mitchell: p. 197. © 2012 Mondrian/Holtzman Trust, A/A HCR International USA: pp. 53, 159. © 2012 The Munch Museum/The Munch-Ellingsen Group/Artists Rights Society (ARS), Nueva York: p. 32. © 2012 Herederos de Elizabeth Murray/Artists Rights Society (ARS), Nueva York: p. 303. © 2012 Herederos de Louise Nevelson/Artists Rights Society (ARS), Nueva York: p. 194. I♥NY utilizado con permiso del NYS Dept. of Economic Development: p. 279. © 2012 Barnett Newman Foundation/Artists Rights Society (ARS), Nueva York: p. 166. © Nolde Stiftung Seebuell: p. 33. © 2012 Projeto Hélio Oiticica: p. 227. © 2012 The Georgia O'Keeffe Foundation/Artists Rights Society (ARS), Nueva York: p. 119. © 1996 Orion Pictures Corporation, Reservados todos los derechos: p. 342. © 2012 Herederos de Nam June Paik: pp. 226, 289. © 1974 Paramount Pictures Corporation: p. 285. © 1933 Paramount Productions, Inc.: p. 124. © 2012 Herederos de Pablo Picasso/Artists Rights Society (ARS), Nueva York: pp. 50, 52, 137, 138. © 2012 Herederos de Sigmar Polke/Artists Rights Society (ARS), Nueva York/VG Bild-Kunst, Bonn (Alemania): p. 295. © 2012 Pollock-Krasner Foundation/Artists Rights Society (ARS), Nueva York: p. 65. © Yvonne Rainer: p. 287. © Robert Rauschenberg Foundation/con licencia de VAGA, Nueva York: pp. 181, 201. © 2012 Herederos de Ad Reinhardt/Artists Rights Society (ARS), Nueva York: p. 215. © James Rosenquist/Licensed by VAGA, Nueva York: p. 206. © 2012 Herederos de Dieter Roth: p. 236. © 1998 Kate Rothko Prizel & Christopher Rothko/Artists Rights Society (ARS), Nueva York: p. 168. © 2012 Herederos de Oskar Schlemmer, Múnich: p. 99. © The George and Helen Segal Foundation/con licencia de VAGA, Nueva York: p. 221. © 2012 Gino Severini/Artists Rights Society (ARS), Nueva York/ADAGP, París: p. 57. © Herederos de Charles Sheeler: p. 122. © 2012 David Alfaro Siqueiros/Artists Rights Society (ARS), Nueva York/SOMAAP, México: p. 147. Art © Herederos de David Smith/con licencia de VAGA, Nueva York, NY: p. 175. © 2012 Herederos de Tony Smith/Artists Rights Society (ARS), Nueva York: p. 257. © Herederos de Robert Smithson/con licencia de VAGA, Nueva York: p. 242. Con permiso de los Herederos de Edward Steichen: p. 38. © 2012 Herederos de Alfred Stieglitz/Artists Rights Society (ARS), Nueva York: p. 118. © Herederos de Clyfford Still: p. 165. © 1937 STUDIOCANAL: p. 112. © 2012 Joaquín Torres-García: © 1946 Twentieth Century Fox, reservados todos los derechos: p. 171. © 2012 Cy Twombly Foundation: p. 222. © 1936 Warner Bros.: p. 125; © 1941 Warner Bros.: p. 154; © 1944 Warner Bros.: p. 198; © 1968 Warner Bros.: p. 207; © 1992 Warner Bros.: p. 328; todas las fotos por gentileza de Warner Bros. © 2012 Andy Warhol Foundation for the Visual Arts/Artists Rights Society (ARS), Nueva York: portada, pp. 211, 213, 234. © Weegee/International Center of Photography: p. 155. © 1958 The Charles White Archives: p. 179. © 2012 Marsie, Emanuelle, Damon, and Andrew Scharlatt–Hannah Wilke Collection and Archive, Los Ángeles: p. 277. © Herederos de Garry Winogrand, por gentileza de la Fraenkel Gallery: p. 252. © 2012 Frank Lloyd Wright Foundation/Artists Rights Society (ARS), Nueva York: pp/68, 81. Foto © 2012 Yi-Chun Wu/The Museum of Modern Art, Nueva York: p. 370. © Andrew Wyeth: p. 336.

Las siguientes fotografías fueron realizadas por y aparecen por gentileza de: El Anatsui and Jack Shainman Gallery, Nueva York: p. 371. Archivo L'Attico: p. 263. Janet Cardiff, Luhring Augustine, Nueva York, y Galerie Barbara Weiss, Berlín: p. 340. Fondation Henri Cartier-Bresson, París: p. 132. Corinth Films: pp. 182, 233. Heike Curtze Gallery: p. 308. Electronic Arts Intermix (EAI), Nueva York: p. 276. Fraenkel Gallery, San Francisco: p. 284. Tavia Ito: p. 151. Kadokwawa Shoten Co., Ltd.: p. 176. MGM Media Licensing: pp. 299, 342. New Yorker Films: p. 275. Chris Ofili y David Zwirner, Nueva York: p. 350. Orcutt & Van Der Putten, por gentileza de Andrea Rosen Gallery, Nueva York: p. 335. Gabriel Orozco and Marian Goodman Gallery, Nueva York: p. 327. P·P·O·W, Nueva York: p. 276. Sonnabend Gallery, Nueva York: p. 249. Matthew Suib: página de títulos, p. 334. Video Data Bank: p. 287. James Welling: p. 129. David Zwirner, Nueva York: p. 331.

The Museum of Modern Art, Department of Imaging and Visual Resources. Foto David Allison: pp. 300, 351. Foto Peter Butler: pp. 29, 138, 226, 269. Foto George Calvo: p. 63. Foto Robert Gerhardt: pp. 34, 98, 201. Foto Thomas Griesel: pp. 23, 24, 26, 37, 43, 51, 54, 57, 61, 62, 87, 101, 110, 117, 123, 134, 173, 179, 181, 197, 227, 236, 255, 272, 291, 301, 310, 317, 319, 326, 340, 341, 344–46, 359, 369. Foto Kate Keller: pp. 56, 62, 66, 72, 82, 83, 131, 136, 156, 158, 208, 253, 261, 313, 315. Foto Paige Knight: pp. 14, 16, 47, 50, 70, 71, 111, 157, 162, 170, 223, 237, 295. Foto Erik Landsberg: pp. 15, 128, 192, 258, 325, 339. Foto Jonathan Muzikar: pp. 40, 52, 53, 102, 144, 159, 206, 220, 230, 242, 271, 290, 296, 316, 320, 327, 330, 333, 337, 343, 354, 362, 363, 365, 371. Foto Mali Olatunji: pp. 84, 149, 187, 210, 228. Foto John Wronn: pp. 21, 22, 25, 27, 36, 38, 41, 46, 48, 58, 60, 65, 67, 73, 75, 81, 96, 97, 106, 122, 126, 130, 135, 137, 142, 143, 146, 153, 160, 165–68, 174, 177, 178, 180, 185, 186, 188, 194, 196, 202, 209, 211, 215, 243, 249, 250, 251, 256, 263, 266, 267, 293, 297, 302, 303, 306, 314, 338, 350, 355, 357, 358, 367, 368, 372.